O jogo da linguagem

Morten H. Christiansen e Nick Chater

O jogo da linguagem
A improvisação que mudou o mundo

Tradução:
Berilo Vargas

Copyright © 2022 by Morten H. Christiansen e Nick Chater

Grafia atualizada segundo o Acordo Ortográfico da Língua Portuguesa de 1990, que entrou em vigor no Brasil em 2009.

Título original
The Language Game: How Improvisation Created Language and Changed the World

Capa
Nik Neves

Preparação
Cláudio Figueiredo

Revisão técnica
Cláudia Freitas

Índice remissivo
Gabriella Russano

Revisão
Renata Lopes Del Nero
Nestor Turano Jr.

Dados Internacionais de Catalogação na Publicação (CIP)
(Câmara Brasileira do Livro, SP, Brasil)

Christiansen, Morten H.
    O jogo da linguagem : A improvisação que mudou o mundo / Morten H. Christiansen, Nick Chater ; tradução Berilo Vargas. — 1ª ed. — Rio de Janeiro : Zahar, 2023.

    Título original: The Language Game : How Improvisation Created Language and Changed the World.
    ISBN 978-65-5979-105-7

    I. Línguas e linguagem I. Chater, Nick. II. Título.

23-145119	CDD-400

Índice para catálogo sistemático:
1. Línguas e linguagem   400

Aline Graziele Benitez — Bibliotecária — CRB-I/3129

Todos os direitos desta edição reservados à
EDITORA SCHWARCZ S.A.
Praça Floriano, 19, sala 3001 — Cinelândia
20031-050 — Rio de Janeiro — RJ
Telefone: (21) 3993-7510
www.companhiadasletras.com.br
www.blogdacompanhia.com.br
facebook.com/editorazahar
instagram.com/editorazahar
twitter.com/editorazahar

Para nossas famílias

Sumário

Prefácio: A invenção acidental que mudou o mundo 9

1. Linguagem como mímica 17

2. A natureza efêmera da linguagem 50

3. A insustentável leveza do significado 81

4. Ordem linguística à beira do caos 115

5. Evolução da linguagem sem evolução biológica 164

6. Nos rastros uns dos outros 199

7. Infinitas formas de grande beleza 233

8. O círculo virtuoso: Cérebros, cultura e linguagem 270

Epílogo: A linguagem nos salvará da singularidade 307

Agradecimentos 321

Notas 325

Créditos das ilustrações 379

Índice remissivo 381

Prefácio
A invenção acidental que mudou o mundo

A LINGUAGEM É ESSENCIAL para o que significa ser humano, mas raramente paramos para pensar nisso. Só descobrimos como a linguagem é fundamental em todos os aspectos da nossa vida quando ela nos falta — seja numa cidade estrangeira, seja depois de um derrame. Imagine o impacto cataclísmico de um vírus misterioso que nos privasse da linguagem: a civilização moderna rapidamente daria lugar à anarquia; cidadãos se perderiam num vácuo informacional, incapazes de cooperar, negociar e argumentar entre si. Ou imagine um cenário evolutivo em que nossos antepassados jamais tivessem desenvolvido a linguagem. Sem a capacidade de transmitir facilmente informações e aptidões de uma pessoa para outra, de compartilhar ideias, de formular planos ou fazer promessas, é difícil nos imaginarmos capazes de desenvolver a sofisticação cultural e tecnológica dos caçadores-coletores de hoje, menos ainda sociedades mais complexas. Não basta ser dotado de um cérebro grande, parecido com o do homem. Não precisamos ir além dos nossos parentes primatas mais próximos — os bonobos, os chimpanzés, os gorilas, os orangotangos — para termos uma ideia do quanto nossa sociedade seria limitada *sem* a linguagem. O abismo entre as comunidades símias e a sociedade humana nas áreas de cultura e tecnologia pode não advir apenas da linguagem.[1] Mas, como veremos, a invenção humana da linguagem é provavelmente o fator fundamental, responsável pela maioria das outras diferenças.

Embora suas ramificações alcancem tudo que fazemos, a linguagem é profundamente intrigante. Como é possível que simples sons e gestos transmitam significado? Quais são os padrões de som, palavra e significado que compõem a linguagem, e de onde vêm? Por que entender o funcionamento da linguagem é tão difícil para exércitos de cientistas profissionais da linguagem, se cada nova geração de crianças consegue facilmente dominar sua língua nativa aos quatro anos? O que há no cérebro humano que possibilita a linguagem? Por que não falamos todos a mesma língua? Por que chimpanzés não sabem falar? Máquinas conseguem entender uma língua?

O avanço na busca das respostas para essas e muitas outras perguntas tem sido prejudicado pelo erro fundamental de achar que a desordem da linguagem cotidiana é uma sombra remota de uma linguagem ideal, em que as palavras têm significados claros e são arranjadas de acordo com regras gramaticais bem definidas. Mas essa história tradicional apresenta as coisas ao contrário. As línguas reais não são variantes ligeiramente desfiguradas de um sistema linguístico mais puro e bem ordenado. Na verdade, a língua que efetivamente usamos é sempre uma improvisação, uma questão de encontrar um jeito eficaz de atender às necessidades de comunicação do momento. Os humanos são comunicadores lúdicos, metafóricos, criativos, cujas palavras só aos poucos passam a ter significados mais estáveis. E as regularidades mais ou menos estáveis de gramática não são o ponto de partida. São resultado de incontáveis gerações de interação comunicativa, através das quais padrões

Prefácio

linguísticos se tornam arraigados. Veremos que a impureza, a desordem e a indisciplina aparentes da fala contemporânea não representam uma exemplificação esfarrapada de um ideal perfeito. Em vez disso, a bricolagem da linguagem, seus padrões desconcertantemente complexos, interativos e sobrepostos, é que são produto da sua história — as infinitas conversas que criaram, gradual e inadvertidamente, os sofisticados sistemas linguísticos de hoje. O surgimento espontâneo da ordem linguística é uma história tão notável quanto o surgimento da própria vida.

A linguagem é como um jogo de mímica — uma coleção ilimitada de brincadeiras vagamente ligadas entre si, cada uma delas influenciada pelas demandas da situação e pela história que os participantes compartilham. Como o jogo de mímica, a linguagem é continuamente "inventada" a cada momento e reinventada toda vez que jogamos. Ludwig Wittgenstein, talvez o filósofo mais influente do século xx, achava que o significado nascia do modo como usamos a linguagem em jogos comunicativos. Gritar "Martelo!" pode ser uma instrução para começar a martelar ou para passar um martelo. Pode ser um aviso de que um martelo está caindo de um telhado, um lembrete para comprar um martelo, ou para não esquecer de trazer um, e assim por diante. As possibilidades são limitadas apenas pela nossa imaginação. O significado de martelo, ou de martelar, depende do "jogo de linguagem" que estivermos jogando. Ao armarmos uma barraca, um martelo pode ser um malho ou uma pedra adequada; se estivermos demolindo uma casa, uma marreta é um bom martelo, mas se quisermos dar forma cuidadosa a uma joia de metal vamos preferir um delicado martelo chapeador. Para Wittgenstein, não tem sentido perguntar o que significa "martelo" sem levar em conta seu uso num determinado jogo comunicativo. O significado de uma palavra vem de como a usamos na conversa.[2]

Desse ponto de vista, aprender uma língua é como aprender a fazer parte de uma série infindável de jogos de mímica compartilhados de uma comunidade, na qual cada novo jogo toma por base os jogos que vieram antes. Uma nova geração de aprendizes de uma língua jamais começa do zero — na verdade, junta-se a uma tradição de jogos linguísticos que começou ninguém saberia dizer quando. Para participar do jogo, a criança, ou o adulto que aprende uma segunda língua, precisa mergulhar no jogo linguístico e começar a jogar. É assim que aprende aos poucos a dominar desafios específicos de comunicação, um por um. Aprender uma língua é aprender a tornar-se um jogador de mímica competente. Para ter êxito nos jogos de linguagem, precisamos nos tornar versados no vaivém das interações humanas diárias — não precisamos aprender um sistema abstrato de padrões gramaticais. Falamos sem conhecer as regras da nossa língua, assim como jogamos tênis sem conhecer as leis da física ou cantamos sem conhecer teoria musical. Nesse sentido muito concreto, falamos, e o fazemos com habilidade e eficiência, sem *conhecer* de forma alguma a nossa língua.[3]

Neste livro, esboçamos uma perspectiva revolucionária que inspeciona quase tudo que julgávamos saber sobre linguagem. Veremos como o jogo de mímica, em que a comunicação linguística é banida, paradoxalmente traz profundas revelações sobre o funcionamento da linguagem. Mostraremos que nosso cérebro é capaz de improvisar "lances" linguísticos numa velocidade estonteante, que criamos significado "no calor do

Prefácio

momento" e que os ricos e complexos padrões de linguagem surgem da acumulação de camadas de jogos passados, e não de um plano genético ou de um instinto para a linguagem. Veremos como as línguas estão em fluxo permanente, como pessoas sem um idioma comum podem criar uma linguagem a partir do zero com surpreendente rapidez e por que é provável que a linguagem tenha sido reinventada inúmeras vezes em episódios não relacionados. Os jogos de linguagem podem se desenvolver em muitas direções, e foi esse processo aberto que levou à inacreditável diversidade linguística do mundo. Além disso, a criação da linguagem não é importante apenas por si — ela também mudou a natureza da evolução. É ela que torna possível a cultura humana, com suas leis, suas religiões, suas artes, suas ciências, sua economia e sua política. Veremos, também, que é por causa da criatividade improvisada da linguagem humana que é tão incrivelmente difícil para a inteligência artificial imitar a comunicação verdadeiramente humana. Isso, por sua vez, tem profundas implicações para quem quer saber se os computadores de fato serão capazes de nos superar num futuro próximo.

Tentaremos demonstrar que a linguagem é talvez a maior conquista da humanidade. No entanto, não se trata de produto de invenção individual ou de alguma brilhante antevisão; é resultado da aptidão exclusivamente humana de praticar sucessivos jogos de comunicação. Nas interações diárias, nosso grande desejo é encontrar uma solução para o desafio conversacional do momento. Mas, com o tempo, sistemas de comunicação começam a surgir da infinidade de encontros conversacionais. E a mais importante invenção humana acaba se revelando algo não planejado, um efeito colateral, um acidente coletivo.

Este livro trata da forma gradual como a linguagem surge, uma interação comunicativa de cada vez. E as ideias aqui contidas também surgiram aos poucos, uma conversa de cada vez, nos trinta anos que nós, os autores, trabalhamos juntos sobre o tema. Nós nos conhecemos na Universidade de Edimburgo, onde fizemos nosso doutorado no Centro de Ciências Cognitivas (agora parte da Faculdade de Informática). Nosso ceticismo a respeito da opinião então dominante sobre a linguagem, norteada por princípios matemáticos abstratos que podem ser codificados em nossos genes, foi uma das muitas coisas que nos aproximaram. Como tantos outros, queríamos descobrir como e por que a natureza aparentemente imperativa da linguagem pode surgir como efeito colateral de princípios mais fundamentais.

Houve muitas conversas memoráveis, como a fascinante discussão que tivemos com o filósofo Andy Clark (num bar onde negaram uma bebida a Nick, que aparentava ser menor de idade e tinha esquecido o passaporte no carro), que foi desde a razão pela qual as tesouras cabem em nossas mãos e o fato de as canções populares serem tão fáceis de cantar a como a linguagem se desenvolveu. De outra vez, quando, depois de uma conferência, fizemos uma inesquecível caminhada pelo Stanley Park, em Vancouver, com o sol cintilando no oceano, percebemos que os complexos padrões interligados de linguagem podem ser produto de construção (como construir a Torre Eiffel usando diferentes tipos de peças de Lego) e não de redução (como dar-lhe forma com um cinzel a partir de um único bloco de mármore) — uma mudança de ponto de vista que alterou completamente o nosso entendimento sobre como se aprende uma língua e como as línguas mudam. Mais

Prefácio

tarde, começamos a ver profundos vínculos entre padrões de linguagem em diferentes escalas de tempo: o rápido fluir da fala, os anos que uma criança leva para aprender uma língua, e os séculos e milênios ao longo dos quais as próprias línguas se formam e mudam. Outras peças do quebra-cabeça foram se encaixando à medida que refletíamos sobre essas ideias, e outras a ela relacionadas, em encontros subsequentes.

O centro de gravidade no estudo da linguagem mudou drasticamente nas últimas três décadas, e para nós foi uma experiência maravilhosa fazer parte dessa mudança. No entanto, os estereótipos sobre linguagem transmitidos ao público em geral e aos muitos pesquisadores fora do nosso campo continuam presos de alguma forma à mentalidade de meados dos anos 1990, ou antes. Desde então, e em certa medida antes daquele momento, uma nova ideia sobre o funcionamento da linguagem vem se formando. As espantosas ginásticas mentais que nos permitem falar uns com os outros, e o lento processo de aprendizado das línguas, moldaram fundamentalmente a linguagem tal como a conhecemos. Os humanos criaram a linguagem coletiva e inadvertidamente, o que nos permitiu dominar o planeta e, literalmente, alterar o curso da evolução. A história da linguagem é a história da humanidade; a nova compreensão da linguagem que delineamos neste livro modifica radicalmente o conceito que temos de nós mesmos.

1. Linguagem como mímica

> O termo "jogo de linguagem" pretende ressaltar o fato de que *falar* uma língua é parte de uma atividade, ou de uma forma de vida.
>
> Ludwig Wittgenstein, *Investigações filosóficas* (1953)

Após dias de fortes rajadas de vento, o capitão Cook e a tripulação do hms *Endeavour* finalmente conseguiram lançar âncora às duas da tarde de 16 de janeiro de 1769. Atracaram na baía do Bom Sucesso, na Terra do Fogo, extremo sudeste da América do Sul, esperando reabastecer-se de água doce e lenha antes de tentarem uma viagem de travessia de dois meses pelo ermo oceano Pacífico até o Taiti, para verem Vênus passar na frente do Sol. Depois do jantar, Cook, juntamente com o botânico Joseph Banks e o naturalista sueco dr. Daniel Solander, desembarcou com alguns homens à procura de água e, como ele espantosamente colocou, "falar com os nativos".

Em terra firme, eles foram recebidos por um grupo de trinta ou quarenta indígenas, muito provavelmente caçadores-coletores aush, que apareceram no fim de uma praia arenosa e depois se afastaram. Banks e Solander se separaram dos homens de Cook e avançaram uns cem metros. Dois dos aush se adiantaram cerca de cinquenta metros na direção dos europeus, ostentando pequenas varas, que logo depois jogaram no chão. O grupo de Cook interpretou o gesto como sinal de que os nativos tinham intenções pacíficas, e estavam certos. Os presentes que os homens de Cook ofereceram aos aush foram, segundo Banks, "recebidos com muitos e rudes sinais de amizade". Três aush até subiram a bordo do navio, onde comeram pão e carne bovina (embora, aparentemente, sem grande entusiasmo), mas rejeitaram rum e conhaque, indicando, com gestos, que aquilo queimava a garganta. Banks anotou: "Depois de estarem a bordo por duas horas, eles manifestaram o desejo de desembarcar e chamamos um barco para os levar".[1]

O mais inusitado desse encontro talvez seja o fato de ele ter sido possível. Os aush e os europeus dificilmente poderiam ser mais diferentes uns dos outros (ver Figura 1.1). Por exemplo, as roupas que cada grupo usava provavelmente pareciam ao outro estranhas e incomuns. Enquanto os europeus trajavam camisas, coletes, paletós, calças curtas e chapéus típicos da época, os aush — tanto as mulheres como os homens — usavam mantos de pele de foca ou de guanaco (descendente selvagem da lhama doméstica) sobre os ombros, descendo até os joelhos. Além disso, como observou Cook, "as mulheres usam um pedaço de pele sobre as partes íntimas, mas os homens não têm essa decência". Os aush viviam em cabanas em forma de colmeia feitas de varas e cobertas de galhos e capim, com uma abertura de um dos lados em frente a uma fogueira. Para se alimentar, as mulheres coletavam vários tipos de marisco, enquanto os homens caçavam focas com arco e flecha. Os europeus não viram sinal de governo, religião, ou mesmo de barcos. Devido a essas diferenças, como poderia Cook dizer, com a maior confiança, que saiu para "falar" com o povo local?

Linguagem como mímica

FIGURA I.I. Desenho de autoria do paisagista escocês Alexander Buchan mostrando a tripulação do *Endeavour* enchendo seus barris de água e interagindo com os aush na praia da baía do Bom Sucesso na Terra do Fogo.

Como um navio de exploradores europeus e uma comunidade isolada de caçadores-coletores puderam permutar presentes e comida? E como os aush conseguiram indicar o desejo de desembarcar no fim da sua visita ao *Endeavour*?

Sem uma língua em comum, a comunicação entre os dois grupos seria quase impossível. Na verdade, o jovem ilustrador botânico escocês Sydney Parkinson, que morreu mais tarde naquela viagem, após contrair disenteria em Java, observou que a língua dos aush era "ininteligível para todos nós, sem exceção". O grupo de Cook falava inglês e sueco, e sem dúvida sabia um pouco de latim, francês e alemão. Embora pareçam muito diferentes, todas essas línguas pertencem à mesma família linguística, conhecida como "indo-europeia", e têm muita coisa em comum. Têm estoques de sons e classes gramaticais (substantivos, verbos, adjetivos, advérbios etc.) semelhantes, bem como gramáticas, vocabulários e até tradições literárias interligados. A rigor, só precisamos recuar uns 5 mil anos para encontrar um antepassado comum a todas as línguas que a tripulação do *Endeavour* falava.

Quase nada se sabe da língua aush. Talvez nunca tenha contado com mais do que algumas poucas centenas de falantes em qualquer momento de sua história, e não chegou a ser registrada por escrito antes que o último deles morresse, por volta de 1920. Banks descreve a língua como "gutural, especialmente em algumas palavras, que eles expressam mais ou menos como um inglês pigarreando para limpar a garganta". Outras pistas sobre a distância entre o aush e as línguas indo-europeias podem ser garimpadas em sua vizinha mais bem estudada, a língua ona, sua companheira na família linguística chonana, mais abrangente. Ona tem apenas três vogais, e muitas das suas 22 consoantes são totalmente estranhas ao ouvido europeu. No lugar da variedade de classes gramaticais das línguas indo-europeias, ona tem apenas duas: substantivos e verbos. E enquanto em inglês a ordem normal das palavras é sujeito-verbo-objeto (como na frase *John eats porridge* [John come mingau; a observação do autor vale também para o português]), em ona, e muito provavelmente em aush também, essa ordem é invertida para objeto-verbo-sujeito (*porridge eats John* [mingau come John]).[2]

A comunicação entre os europeus e os aush, então, parecia quase impossível. Não só não havia uma língua comum,

Linguagem como mímica

como eles também traziam experiências de vida, tradições e conhecimento do mundo imensamente diferentes. Nenhum dos dois lados poderia saber ao certo se uma bebida seria interpretada como bebida mesmo ou veneno (lembre-se que os aush devolveram os copos de rum e conhaque praticamente sem terem bebido nada), o que seria apreciado como presente ou funcionaria como arma. No entanto, a comunicação e a cooperação foram não só esperadas como alcançadas. O impulso de comunicação foi, de alguma forma, capaz de superar o que à primeira vista parecia um abismo intransponível.

Examinemos os dois homens de cada grupo avançando, sem dúvida com algum nervosismo, um em direção ao outro na praia. Há uma mensagem nisto: estamos deliberadamente nos tornando vulneráveis e despreparados para atacar porque desejamos uma interação amistosa. Notemos que os aush exibem suas varas e em seguida as deixam de lado — comunicando, com isso, que tinham armas mas não as pretendiam utilizar, demonstrando intenções pacíficas. Os dois lados praticaram um jogo de arriscadas mímicas interculturais e interlinguísticas, com pantomimas fazendo as vezes da fala.

Embora não houvesse uma língua comum aos dois lados, ambos os grupos estavam sem dúvida cientes de que o outro *dispunha* de recursos verbais de comunicação, apesar de não conseguirem entendê-los. Foi o que pressupôs Banks, ao comentar suas dificuldades para compreender a língua aush: "Durante nossa estada entre eles aprendi apenas duas palavras, *nalleca*, que significa contas [...] e *oouda*, que significa água". A suposição de Banks tinha fundamento. As sociedades humanas ostentam uma grande variedade de complexidades tecnológicas, agrícolas e econômicas, mas jamais se encontrou um grupo de seres humanos em parte alguma do mundo que não tivesse uma língua. Na verdade, como veremos mais tarde, quando não existe uma língua comum entre grupos humanos, logo se remenda um novo sistema linguístico.

Redescoberta dos jogos de mímica no Instituto Max Planck

O Instituto Max Planck de Psicolinguística fica num elegante prédio modernista numa floresta perto da Radboud University em Nimega, Holanda. Suas equipes de pesquisadores utilizam abordagens díspares para compreender a linguagem humana, reunindo antropólogos que trabalham com línguas não ocidentais, neurocientistas cognitivos que estudam os mecanismos cerebrais da linguagem, geneticistas que vinculam linguagem e genes, psicólogos do desenvolvimento que investigam como as crianças aprendem línguas e linguistas que exploram as ligações entre linguagem e pensamento. Além disso, o instituto é extraordinariamente atencioso para com visitantes, como sabemos por experiência própria.

À noite o instituto fica deserto, mas os visitantes permanecem, conversando nos espaços abertos que dão para a mata, enquanto a luz vai sumindo. Numa dessas noites, em junho de 2011, nós dois começamos a jogar conversa fora sobre o jogo de mímica. Pensamos em como é estranho pessoas se comunicarem por intermédio de combinações pouco familiares de gestos e pantomimas teatrais. Observamos que o conhecimento compartilhado é de incrível utilidade (tentar transmitir o título de um filme do qual a plateia nunca ouviu falar é sempre um

Linguagem como mímica

desafio), e que cada gesto fugaz (digamos, um gesto de mão indicando um rei ou o mar) pode ser reutilizado na próxima rodada, ou mesmo no dia seguinte. Fundamentalmente, pensamos na rapidez com que esses gestos vão sendo simplificados e despojados. Se brincamos de mímica com as mesmas pessoas por um tempo, as pistas se tornam cada vez mais padronizadas. Convenções parciais e conflitantes surgem. E, em suma, um sistema de comunicação começa a ganhar forma.

Nesse momento, percebemos que tínhamos esbarrado numa nova hipótese sobre como as línguas começam. Diante do desafio imediato de comunicação, a tripulação de Cook e o grupo de aush criaram na hora sinais e símbolos. Os humanos, quando têm uma mensagem a transmitir mas não dispõem de recursos linguísticos, improvisam uma solução de momento — seja através de sons, gestos ou expressões faciais. E ao fazê--lo criam, inadvertidamente, um recurso para intercâmbios futuros, a ser reutilizado e modificado de acordo com a necessidade. Da mesma forma, num antigo jogo de mímica na família de Nick, juntar as pontas dos dedos das duas mãos, dobrando--os para ficarem parecidos com uma torre de campanário, e em seguida mover esse campanário de dedos horizontalmente num movimento ondulado para imitar a proa de um navio balançando para cima e para baixo no oceano, passou a significar Colombo navegando para as Américas. Em jogos posteriores, esse gesto ajudava a identificar o próprio "Colombo", "as Américas", "navios" — e, com a mímica adequada para afundar e para desastre, "o *Titanic*".

Mas será que as interações tipo jogo de mímica entre a tripulação de Cook e os aush poderiam realmente ser vistas como o início de uma nova língua? Apesar de os dois grupos terem estabelecido alguma comunicação, o que lhes permitiu desenvolver relações amistosas, compartilhar alimento e visitar um ao outro, havia muitas coisas sobre as quais não poderiam "conversar". Não houve declamação de poesia, mexericos ou mesmo conversa fiada. Claro, o *Endeavour* ficou apenas cinco dias ancorado na baía do Bom Sucesso, não havendo tempo para a tripulação de Cook e os aush aperfeiçoarem suas comunicações por pantomima, menos ainda para uns aprenderem a língua dos outros (além das duas ou três palavras que Banks conseguiu pescar). Se houvesse mais tempo, no entanto, as interações entre os dois grupos poderiam muito bem ter evoluído para algo mais parecido com uma nova língua.

Em vários momentos da história humana, grupos de pessoas com línguas muito diferentes foram jogados no mesmo lugar pelas circunstâncias (quase sempre em contextos coloniais) e precisaram se comunicar. Essa foi, essencialmente, a situação da tripulação de Cook e dos aush, mas prolongada por muitos anos e infelizmente quase sempre com consequências desastrosas para os povos nativos.[3] Nesses casos de convivência mais prolongada, um sistema linguístico simplificado, conhecido como pidgin, costumava surgir, com um pequeno vocabulário e rudimentos de gramática. De início, esses pidgins tinham uma funcionalidade limitada, basicamente permitindo que as pessoas se comunicassem instrumentalmente (sobre o que e como fazer) e referencialmente (sobre onde e com que ferramentas). Como no encontro na Terra do Fogo, poemas, fofocas e bate-papos primam pela ausência nesses primeiros pidgins. Porém com mais tempo, e com a repetição do aprendizado e do uso, o pidgin pode evoluir para uma língua mais rica, chamada língua crioula, de vocabulário mais amplo e gramá-

Linguagem como mímica

tica mais complexa. Por exemplo, o crioulo haitiano surgiu no século XVIII de uma mistura de francês colonial com as línguas dos povos escravizados da África Ocidental, e hoje conta com mais de 10 milhões de falantes. Nessas línguas mais maduras e bem desenvolvidas, todo o aparato da linguagem se manifesta, de poéticas declarações de amor e desespero a mexericos sobre os vizinhos e comentários triviais sobre o tempo.[4]

Mímicas linguísticas

Como os jogos de mímica envolvem transmitir uma mensagem por meio de gesticulação, tipicamente com o uso das mãos, pode parecer que a ideia de linguagem como jogo de mímica não se aplica à língua falada. Afinal de contas, a língua falada, ou a vocalização de qualquer tipo, não costuma ser permitida em brincadeiras de mímica. Será que a história da língua nascida da mímica significa que todas as línguas humanas podem ser rastreadas até alguma forma original de língua de sinais? Entre outros estudiosos, Michael Tomasello, influente primatologista e psicólogo do desenvolvimento na Universidade Duke, na Carolina do Norte, suspeita que sim, que esse talvez seja o caso.

Tomasello propõe um experimento mental convincente.[5] Ele pede que imaginemos dois grupos de crianças pequenas que crescem, felizes da vida, em ilhas separadas, isoladas, sem qualquer input linguístico de fora e sem a presença de adultos (deixando de lado a questão de saber como isso seria possível). Numa das duas ilhas, as crianças só podem se comunicar através de gestos (sem vocalizações), ao passo que na outra ilha, só usando vocalizações (sem gestos). Vamos chamar os dois lugares de Ilha dos Gestos e Ilha das Vocalizações, respectivamente. Será que alguma dessas duas populações insulares seria capaz de desenvolver um sistema eficiente de comunicação? Tomasello afirma que só as crianças da Ilha dos Gestos teriam chance de desenvolver uma comunicação por linguagem. Os gestos podem ser usados não só para chamar a atenção para objetos, mas também de uma maneira "icônica", para representar coisas, como quando os dedos são usados na família de Nick para denotar o navio de Colombo. Às crianças da Ilha das Vocalizações restariam apenas meras imitações de expressões emocionais, como *haha* ou *uah*, sons animais como latidos ou miados e outras expressões onomatopaicas, como *bip* e *vrum*. As vocalizações, segundo ele, simplesmente não têm poderes icônicos para indicar significados em geral: é fácil imaginar um gesto para "mexer a panela" que outras pessoas não teriam dificuldade de interpretar, mas inventar uma vocalização significando o mesmo ato parece impossível.

O raciocínio de Tomasello tem considerável respaldo empírico — embora não porque linguistas malvados tenham de fato criado populações de bebês em isolamento, afastadas da linguagem e dos contatos humanos. Na verdade, sabemos — por causa dos estudos "de privação", como são sinistramente chamados, com primatas não humanos — que um experimento dessa natureza nos traria poucas revelações sobre a origem da linguagem. Os hoje infames experimentos dos anos 1970 realizados pelo especialista em psicologia comparativa Harry Harlow, na Universidade de Wisconsin em Madison, mostraram que quando os macacos-rhesus são criados em isolamento — muitas vezes com mães "substitutas" de pano ou de arame,

Linguagem como mímica 27

e às vezes em escuras câmaras de isolamento chamadas "covas do desespero" — seu comportamento acabava sendo severamente perturbado.[6] Da mesma forma, isolar bebês humanos de outros membros da sua espécie muito provavelmente teria consequências nefastas não só sobre o desenvolvimento da linguagem. Portanto, nenhum linguista de respeito realizaria o que nos círculos linguísticos passou a ser conhecido como o "experimento proibido".[7]

No entanto, desde o fim dos anos 1970, uma versão na vida real do experimento mental de Tomasello tem sido desenvolvida em duas escolas para crianças surdas em Manágua, a capital da Nicarágua.[8] As crianças tiveram aulas de leitura labial e espanhol falado, mas sem grande sucesso. Os estudantes surdos continuaram comunicativamente isolados da comunidade não surda à sua volta, e até mesmo dos professores. Interagiam com suas famílias usando os chamados sinais domésticos — sistemas de gestos simples, idiossincráticos, que crianças surdas muitas vezes desenvolvem para se comunicar com suas famílias não surdas, na ausência de uma linguagem de sinais estabelecida.[9] Assim sendo, quando postas em escolas para surdos, ficavam numa situação muito parecida com a das crianças da Ilha dos Gestos, de Tomasello. Embora os estudantes possam vocalizar, isso de nada lhes serve, porque as outras crianças são incapazes de ouvir. Seu meio de comunicação primário são as mãos.

Em conformidade com o raciocínio de Tomasello, o que hoje se conhece como Língua de Sinais Nicaraguense surgiu gradualmente, tornando-se mais e mais complexa a cada geração de crianças surdas que entrava nas escolas. Por exemplo, alunos da primeira geração usavam uma grande variedade de sinais para "cavalo" (ver Figura 1.2). Um deles fazia como se segurasse as rédeas e as movimentasse para cima e para baixo, como se cavalgasse.[10] Outro usava primeiro uma das mãos para denotar um humano em cima de um cavalo abrindo o indicador e o dedo médio, então o colocava sobre a outra mão (estendida como para um aperto de mão), e depois fazia a pantomima de segurar rédeas de um cavalo e chicotear suas ancas. Um terceiro aluno também usava a representação de um homem em cima de um cavalo, mas em seguida fazia um gesto mostrando a cauda do animal balançando. E um quarto usava apenas o sinal de um humano escanchado num cavalo. Na terceira geração, "cavalo" tinha sido institucionalizado num único sinal: a representação de um humano montado num cavalo. Da mesma forma, gestos que começaram simplesmente como mímica icônica com o tempo foram institucionalizados em símbolos mais abstratos, transformando-se em signos. O surgimento da Língua de Sinais Nicaraguense é a versão exagerada do jogo de mímica.[11]

Mas o que dizer das vocalizações? Será que Tomasello está certo quando diz que, diferentemente dos gestos, elas não podem representar iconicamente um significado antes de serem institucionalizadas e, por fim, se tornarem símbolos vocais? Aqui entra Marcus Perlman, psicólogo da Universidade de Birmingham. Ele queria saber se as intuições de Tomasello sobre as limitações das vocalizações estavam corretas, por isso resolveu fazer um teste. Numa série de experimentos engenhosos, Perlman convidou as pessoas a participarem de jogos de mímica *vocais*, sem usar palavras ou gestos.[12]

Para descobrir se é possível usar vocalizações para transmitir o significado de diferentes tipos de conceito, foi realizado um

Linguagem como mímica

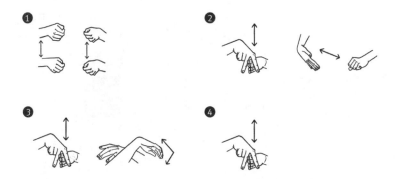

FIGURA 1.2. Quatro sinais diferentes para "cavalo" usados pela primeira geração de usuários da Língua de Sinais Nicaraguense: (1) pantomima para segurar as rédeas de um cavalo, mãos subindo e descendo; (2) representação de um homem com as pernas abertas em cima de um cavalo, e em seguida a pantomima da mão esquerda segurando as rédeas e a mão direita chicoteando as ancas; (3) o mesmo sinal para um homem sobre um cavalo seguido de um gesto que mostra a cauda do cavalo balançando (mão direita); e (4) o sinal de um humano escanchado em cima de um cavalo. Na terceira geração, o sinal único para "cavalo" da imagem 4 era usado por todos os alunos. (Desenhos de Sunita Christiansen.)

concurso, com mil dólares em prêmios. Os participantes do Desafio de Iconicidade Vocal tinham que submeter sons feitos pelo aparelho vocal humano para transmitir um conjunto variado de significados, desde substantivos (como faca, água e tigre) e verbos (como cozinhar, caçar e cortar) a adjetivos (como ruim, grande e desinteressante) e conceitos mais especializados gramaticalmente (como um, muitos e isto). As inscrições incluíram vocalizações fascinantes, como um *glub-glub-glub* para água, um leve rosnado para tigre e um som sibilante para faca, e múltiplas repetições dele para corte, a fim de indicar que a faca era usada como ferramenta para cortar (ver Figura 1.3, para exemplos).

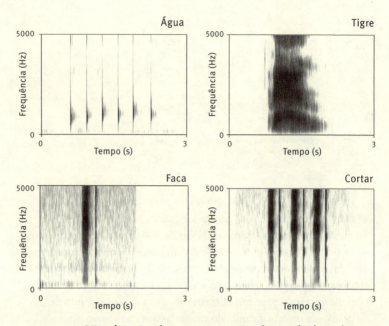

FIGURA 1.3. Visualizações de quatro inscrições do estudo de Perlman usando espectrogramas que mostram a combinação de diferentes frequências (eixo vertical) de cada som num período (eixo horizontal): quanto mais escuras as faixas, mais alto o som — e quanto mais estreito o som horizontalmente, mais breve sua duração. Canto superior esquerdo: *glub* é repetido seis vezes para indicar água. Canto superior direito: um rosnado baixo, de amplo espectro, denota tigre. Canto inferior esquerdo: um simples sibilo representa faca. Canto inferior direito: o sibilo de uma faca é repetido três vezes, para sugerir o ato de cortar. (Espectrogramas de autoria de Marcus Perlman.)

Outro concorrente usou *va* para significar um, repetindo-o três vezes para representar muitos, *va va va*, comunicando a ideia de que o conceito de muitos pode ser entendido simplesmente como vários uns. As vocalizações em cada inscrição eram avaliadas pedindo-se a ouvintes que nada sabiam da competição para adivinhar o significado. O vencedor atingiu a marca impressio-

Linguagem como mímica

nante de 57% de acerto nas respostas (enquanto uma tentativa aleatória de adivinhar resultaria numa precisão de apenas cerca de 10%.)

Não eram só os falantes de inglês nos Estados Unidos que conseguiam entender essas vocalizações. Num criativo estudo de acompanhamento, Perlman e seus colegas conduziram uma pesquisa na internet pedindo a falantes nativos de mais de vinte línguas, tão diferentes quanto albanês, zulu, amárico, tai e dinamarquês, para adivinhar o significado das vocalizações. Os resultados foram surpreendentes: pessoas do mundo inteiro conseguiram adivinhar o significado dessas vocalizações. Perlman foi um pouco além e testou populações não letradas em locais remotos da floresta amazônica no Brasil e no arquipélago de Vanuatu, no Pacífico Sul — mais uma vez com os mesmos resultados. Até os habitantes desses lugares isolados conseguiram adivinhar imediatamente o significado das vocalizações premiadas.

Embora esses resultados impressionem, as melhores inscrições foram cuidadosamente elaboradas, durante dias, talvez semanas, por equipes de acadêmicos que estudavam evolução linguística e tópicos a ela relacionados. Felizmente, no entanto, os outros estudos de Perlman demonstraram que não é preciso ter doutorado para improvisar vocalizações significativas. Na verdade, as vocalizações produzidas por crianças chinesas para transmitir uma série de significados foram corretamente interpretadas por falantes do inglês, incluindo as inventadas por crianças surdas de nascença, cuja língua nativa era a Língua de Sinais Chinesa Padrão. Parece, portanto, que as pessoas de modo geral são muito boas em improvisar vocalizações, que podem ser interpretadas por outras — embora a exatidão em suas adivinhações tendesse a ser consideravelmente menor do que no caso das inscritas no concurso. Mas logo que nos permitem interagir uns com os outros, em essência praticar jogos de mímica vocais, a precisão volta a aumentar. Se juntarmos pessoas em duplas e pedirmos que tentem comunicar o significado de diferentes conceitos umas para as outras usando apenas suas vozes, e repetir isso em várias rodadas, os sons que produzem vão ficando mais calibrados e fáceis de interpretar, tal como aconteceu no surgimento da Língua de Sinais Nicaraguense.

O trabalho inovador de Perlman revelou que as intuições de Tomasello sobre as sombrias perspectivas de comunicação para a Ilha das Vocalizações talvez estejam equivocadas. Ainda não temos uma comparação direta entre gestos improvisados e sons improvisados — mas parece que a voz humana é capaz de criar padrões multifacetados de som capazes de transmitir o tipo de significado icônico rico necessário para estabelecer comunicação. Repetidas tentativas de comunicação usando vocalizações podem resultar em expressões mais abstratas, as quais, em última análise, talvez acabem se transformando em palavras.

Sem uma máquina do tempo, a resposta à pergunta quanto à linguagem ter tido origem em gestos, vocalizações — ou, muito plausivelmente, em alguma combinação das duas coisas (como um repetido ato de cortar sincronizado com sons sibilantes) — provavelmente continuará para sempre envolta nas brumas do tempo. Na verdade, é concebível que a linguagem tenha sido inventada várias vezes, em situações separadas, por grupos distintos de pessoas, possivelmente dando diferentes ênfases relativas a gestos e vocalizações — mas, em todos os casos, surgindo de reiteradas interações ao estilo jogo de mímica.

Linguagem como mímica

A linguagem é um produto deselegante e caótico das demandas do momento. No entanto, as improvisações que criamos para resolver cada novo desafio de comunicação são influenciadas pelas soluções que demos a desafios anteriores, as quais, por sua vez, influenciam a solução que daremos para o desafio seguinte. Os padrões sistemáticos de linguagem, na medida em que haja um sistema digno desse nome, nascem da acumulação de padrões sobrepostos, interligados e invasivos, cada um motivado pelas demandas urgentes da tarefa de comunicação que temos diante de nós. São produtos de incontáveis permutas improvisadas, nas quais nos esforçamos para transmitir, em uma medida suficiente para atingir nossos objetivos, seja lá o que for que esperamos comunicar. E dessa maneira, coletivamente, construímos uma língua, totalmente por acaso.

Mensagem na garrafa

Ver a linguagem como jogo de mímica, como um jogo colaborativo de improvisações, não é meramente uma pequena distorção das ideias existentes sobre linguagem, pois requer uma mudança paradigmática de perspectiva, uma mudança que põe completamente por terra boa parte do pensamento desenvolvido ao longo de um século sobre a natureza da comunicação. As teorias atuais sobre como nos comunicamos tomam muitas formas, mas o ponto em comum à maioria delas é o chamado modelo de transmissão de comunicação. Um emissor codifica e transmite uma mensagem através de um canal para um receptor, que a decodifica em sua forma original. Essa visão da transmissão de comunicação está lindamente sintetizada na obra do matemático e engenheiro elétrico americano Claude Elwood Shannon, tendo se originado de seu trabalho confidencial sobre criptografia durante a Segunda Guerra Mundial.[13]

Shannon tinha interesse em comunicação a partir de uma perspectiva de engenharia: como transferir informações com exatidão de um emissor para um receptor (ver Figura 1.4), sejam estes pessoas, computadores, telefones ou satélites. Uma mensagem específica sai de uma fonte de informação e é codificada por um emissor num sinal a ser transmitido para um receptor por um "canal", que pode ser afetado por ruídos. O receptor na destinação decodifica a mensagem do sinal invertendo o processo usado para codificá-lo. Assim, quando liga para um celular você é a fonte de informação, o telefone é o emissor, a rede digital de celular é o canal por onde o sinal é transmitido; a pessoa para quem você liga é a destinação, e o telefone dela o receptor. Os ruídos introduzidos no percurso trazem o conhecidíssimo problema da recepção ruim do celular, provocando exclamações como "Não consigo te ouvir. Está picotando!".

A teoria de Shannon de transmissão de informações por um canal de comunicação forneceu os alicerces para o mundo interconectado de hoje, desde filmar vídeos em nosso smartphone até manter contato com naves espaciais nos limites do sistema solar, e valeu ao seu autor o apelido de "pai da teoria da informação". E não demorou muito para que a psicologia prestasse atenção nela, o que ajudou a impulsionar a chamada revolução cognitiva de meados dos anos 1950 e a criar a metáfora do computador para a mente — a ideia de que o cérebro é análogo a um computador e que pensar é uma espécie de pro-

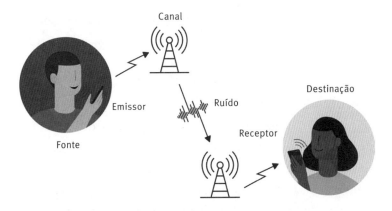

FIGURA 1.4. Uma ilustração do modelo de comunicação de Shannon usando uma chamada de celular como exemplo. Nesse modelo, uma mensagem de uma fonte de informação (pessoa à esquerda) é codificada num sinal (por um celular) e transmitida por um canal (rede de telefonia móvel) — potencialmente sujeito a ruídos — e decodificada pelo receptor (o telefone celular) na mensagem enviada à destinação (a pessoa à direita). (Figura de autoria de Sunita Christiansen.)

cessamento de informações.[14] Compreender os fundamentos computacionais da mente tornou-se um esforço interdisciplinar, juntando psicologia, filosofia, ciência da computação, linguística, neurociência e antropologia sob a bandeira da ciência cognitiva.[15] Essa abordagem do estudo da mente rendeu, na sequência, muitas revelações importantes sobre cognição e linguagem, mas também trouxe consigo algumas limitações teóricas fundamentais, das quais a mais importante, para nossos objetivos, é o fato de que ela ignora a natureza essencialmente proativa do cérebro humano.[16]

Da perspectiva da teoria da informação, a comunicação linguística pode ser vista como o processo de transmissão de uma sequência de símbolos de um emissor para um receptor. Na verdade, bem antes de Shannon o linguista suíço Ferdinand de Saussure — um dos fundadores da linguística do século xx — descreveu um "circuito" da fala, no qual a mensagem é codificada por quem fala e decodificada por quem ouve (Figura 1.5).[17] Não é de surpreender, portanto, que as ideias de Shannon também acabassem sendo aplicadas à linguagem, fornecendo uma base computacional para nossas interações linguísticas. A solução é elegante: a conversa é vista como o processo de enviar pacotes de informações de um lado para outro entre interlocutores, como dois computadores trocando dados pela internet. Como emissor, você usa o seu vocabulário e a sua gramática para transformar o que quer dizer num enunciado que pode ser falado ou sinalizado. Como receptor, você aplica esse mesmo conhecimento da linguagem "ao inverso" para extrair a informação original do enunciado dito ou sinalizado. Uma conversa, portanto, envolve um revezamento no qual você é ora o emissor, ora o receptor, alternando entre codificar e decodificar informações transmitidas através de um canal linguístico.

Paradoxalmente, no entanto, uma suposição da teoria de Shannon que costuma ser ignorada é que o significado não desempenha função alguma nela. A teoria da informação é toda sobre engenharia, com o intuito de resolver o problema de transferir uma mensagem na presença de ruídos. Para Shannon, "aspectos semânticos da comunicação são irrelevantes para o problema de engenharia".[18] Não importa se a mensagem é uma receita de bolo, um poema, um arquivo criptografado, uma imagem digitalizada ou um fluxo de ruídos aleatórios. Essa ideia funciona perfeitamente bem num contexto de en-

Linguagem como mímica

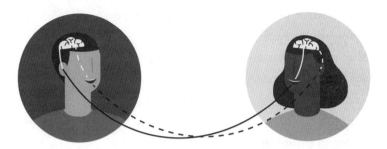

FIGURA 1.5. Uma representação moderna do circuito da fala de Saussure, no qual uma mensagem sai do cérebro de um falante e em seguida é codificada num sinal de fala que atinge o cérebro do ouvinte pelos ouvidos e é decodificado na forma da mensagem original. (Figura de autoria de Sunita Christiansen.)

genharia, em que os mesmíssimos processos podem, *pela sua concepção*, ser executados na codificação de uma mensagem e depois, inversamente, na sua decodificação. Mas não é a mesma coisa quando se trata de comunicação humana, na qual o significado é tudo.

Voltemos ao encontro dos homens de Cook com os aush. Eles falavam línguas tão radicalmente diferentes e tinham experiências de vida tão drasticamente desiguais que, segundo o modelo de transmissão de informações, a comunicação entre eles seria quase impossível. Faltava-lhes uma base comum idêntica para a codificação e decodificação de mensagens. No entanto, um lado conseguiu se fazer entender razoavelmente pelo outro lado. O problema com a visão da comunicação enquanto transmissão é que ela é fundamentalmente passiva: o receptor aguarda ociosamente a chegada do sinal, e começa a agir para decodificar a mensagem quando ele aparece. O sinal, portanto, acaba carregando um fardo incrivelmente pesado, porque precisa, *sozinho*, transmitir todo o conteúdo comunicativo através do vácuo conversacional entre as pessoas. Mas, quando pensamos na linguagem como jogo de mímica, nos damos conta de que o fardo comunicativo é de responsabilidade não só de um gesto ou de um som, mas da inventividade dos participantes — o sinal, por si só, é irremediavelmente ambíguo e ininterpretável.[19]

Apesar disso, pode-se contra-argumentar que os jogos de mímica (por mais bem executados que sejam) e a linguagem diferem num sentido fundamental. As mímicas oferecem uma série de pistas para a plateia resolver: como ler o gesto dos aush ao jogarem as varas no chão? Como devemos "ler" as mãos em forma de campanário movendo-se para baixo como um navio que afunda? Mas a linguagem, como costumamos imaginar, não se limita a dar pistas. Ela, de alguma maneira, engarrafa significado palavra por palavra e o envia pelo éter para ser destampado e combinado por quem o recebe (segundo uma receita não muito clara). A linguagem aparentemente *transmite* pensamentos de forma direta, da cabeça do falante para a cabeça do ouvinte, sem necessidade de interpretação ou criatividade seja da parte do emissor, seja da parte do receptor. Mas essas intuições só servem para confundir: para entender como a comunicação funciona de fato, precisamos nos livrar desse ponto de vista de mensagem engarrafada. Ele não leva em conta a riqueza, a ambiguidade e o elemento lúdico da fala diária, para não mencionar a poesia, a retórica, a metáfora, as piadas e as gozações. Significado não pode ser destilado, menos ainda engarrafado.

Examinemos, por exemplo, "abrir a porta" e "passar pela porta". Porta, uma palavra familiar, certamente significa a mesma coisa nos dois casos, nos dois sintagmas, certo? Pen-

Linguagem como mímica 39

sando bem, a verdade é justamente o oposto. Quando abrimos uma porta, nós fisicamente giramos uma peça retangular tipicamente sólida (a porta) em suas dobradiças. Mas passar pela porta não envolve penetrar nessa peça sólida como um fantasma. Na expressão "passar pela porta", porta significa o vão da porta, não a peça sólida propriamente. A mesma ambiguidade surge quando falamos em "quebrar uma janela com um murro" ou "acenar com a mão por uma janela". A janela é num momento uma peça de vidro quebrável e, noutro, uma abertura espaçosa. No caso da janela de uma casa, "quebrar a janela" pode significar quebrar um vidro específico ou toda a janela, danificar a armação em torno do vidro ou até mesmo as molduras onde a janela está instalada. E reparemos que, no caso de uma janela de carro, "quebrar a janela" tem ainda outra ambiguidade: quebrar o vidro, ou o mecanismo que faz o vidro subir e descer. Ou, ainda, examinemos a pergunta "O que você acha desse jornal?", feita enquanto se mostra um exemplar cor-de-rosa do *Financial Times*. Aqui, jornal pode se referir ao exemplar em particular (e talvez especialmente amassado) do jornal, à edição do dia, ao *Financial Times* como veículo, ou mesmo à organização jornalística que o cria (como em "É este o jornal onde Mary trabalha"). As possibilidades são infinitas. E isso é só o que podemos esperar quando vemos a linguagem como jogo de mímica. Tudo o que podemos fazer é gesticular, sugerir e invocar pistas, na esperança de que nossa plateia perceba a direção para onde queremos levá-la, à luz de tudo que ela sabe sobre nós e sobre o mundo.

A metáfora da linguagem como jogo de mímica sugere que linguagem não envolve o envio de mensagens engarrafadas de uma cabeça para outra usando um código fixo. Em vez disso, precisamos ver a linguagem, seja falada ou sinalizada, como um meio rico, analógico, metafórico e potencialmente muito criativo de transmitirmos pistas uns para os outros, e que pode exigir criatividade e até mesmo espírito trocista para interpretar. Além disso, a interpretação dessas pistas não depende apenas das próprias palavras: baseia-se também no que foi dito antes, no que sabemos sobre o assunto em questão, e no que sabemos uns sobre os outros — assim como decifrar as pistas de um assassinato num conto policial depende do conhecimento dos personagens envolvidos, de suas histórias pregressas e do que faziam antes e depois do momento do crime. Quando jogamos o mesmo jogo comunicativo, talvez com a mesma pessoa, o significado dessas pistas pode ficar cada vez mais institucionalizado (de um jeito parecido com o do surgimento de um sinal único para cavalo na Língua de Sinais Nicaraguense). Ainda assim, a institucionalização é sempre apenas parcial, e o significado sempre depende muitíssimo do momento dado. Nosso cérebro é tão bom na interpretação rica e flexível de pistas linguísticas que muitas vezes nem sequer nos damos conta de estarmos fazendo qualquer interpretação. Temos a ilusão de que o significado é, de alguma forma, transmitido "transparentemente" pelas próprias palavras. Mas muito pelo contrário: o significado está nos olhos de quem vê.

Jogos de linguagem colaborativos

"Vendem-se. Sapatinhos de bebê. Nunca usados."[20] O texto conciso dessa melancólica história contada em seis palavras, imitando um anúncio classificado e que oferece um novo par

Linguagem como mímica 41

de sapatos de bebê, evoca fortes emoções na maioria dos leitores. É difícil não construir uma narrativa qualquer a partir disso. Podemos imaginar os pais arrasados, que perderam seu bebê, talvez por aborto espontâneo, complicações do parto ou morte súbita no berço, vendendo os sapatos que tinham comprado com tanto amor, na feliz expectativa da chegada da criança. Em nossa imaginação, vemos os pais desolados, em pé no cemitério, as lágrimas escorrendo pela face enquanto o minúsculo caixão desce à terra. Podemos ter empatia pela angústia que devem sentir ao se desfazerem desses sapatinhos, talvez por serem pessoas de poucos recursos que precisam do dinheiro, ou porque os sapatinhos os fazem lembrar que jamais ouvirão os alegres ruídos dos minúsculos pés do bebê em sua casa. E podemos imaginar a sensação de perda e o desespero que os perseguirão por muitos anos, talvez até levando ao fim do casamento. Mas, claro, nenhum desses detalhes narrativos está nas seis palavras da história — eles são construídos em nossa cabeça, a partir do que sabemos sobre pais, bebês e luto.

A história em seis palavras sobre os sapatinhos de bebê é um caso extremo do que tem sido chamado de "ficção relâmpago", um gênero de obras de ficção extraordinariamente curtas, cada qual visando trazer à mente uma narrativa completa usando o mínimo de palavras. Essas histórias em miniatura ilustram o quanto nós, como leitores, contribuímos na interpretação do que está escrito. A partir de poucas palavras, vem à nossa mente uma narrativa minuciosa. Mas o mesmo princípio serve para línguas de todos os tipos: o significado não é transmitido como uma mensagem numa garrafa, e sim tem que ser construído em regime de colaboração pelos participantes de uma conversa. As palavras que pronunciamos ou sinalizamos são apenas pistas sobre o significado que pretendemos transmitir. Para compreender plenamente o que alguém diz, temos de construir uma interpretação baseada nas pistas linguísticas e no que sabemos do mundo, no que sabemos uns dos outros e no que foi dito antes.[21] Esse processo de construção está no cerne do mecanismo da linguagem. Funciona bem a maior parte do tempo; mas, claro, às vezes nossas construções podem dar errado e precisam ser corrigidas em regime de colaboração. Assim como nos jogos de mímica, é essencial estarmos "sintonizados" com as pessoas com quem conversamos, para chegar a um entendimento comum. Precisamos ler a mente uns dos outros, ao menos até um ponto aceitável, para termos êxito no jogo da linguagem.

Quando falamos uns com os outros, as palavras, sintagmas e frases que pronunciamos são apenas a ponta daquilo a que chamaremos de *iceberg da comunicação* (Figura 1.6). Boa parte do trabalho nas ciências da linguagem se concentra nessa parte visível. Mas, para que a linguagem funcione — para que possamos dar sentido ao que é dito —, precisamos também da parte oculta, submersa, do iceberg da comunicação.[22] O que nos permite tecer uma narrativa minuciosa da história em seis palavras dos sapatinhos de bebê é um conjunto compartilhado de normas, costumes, valores, convenções e expectativas culturais combinado com uma compreensão das regras tácitas, dos papéis e das relações sociais, e também com um conhecimento do mundo e de como o mundo funciona. Precisamos de todo o nosso conhecimento cultural, social e factual, além de aptidões interpessoais fundamentais, para manter à tona a ponta linguística do iceberg da comunicação. Sem isso, nossa capacidade de comunicar através da linguagem naufragaria na ininteligibilidade.

Linguagem como mímica

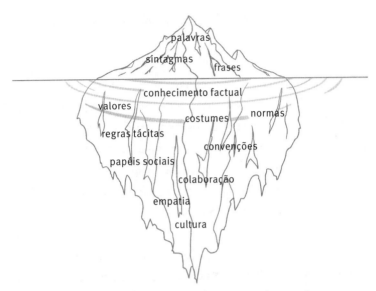

FIGURA 1.6. O iceberg da comunicação, mostrando o conhecimento cultural, social, emocional e factual, bem como as habilidades que mantêm a ponta linguística visível acima da superfície. (Figura de autoria de Sunita Christiansen.)

Esse ponto de vista a respeito da linguagem também tem implicações práticas: seja um mecânico descrevendo o que há de errado com um carro, seja um médico explicando o tratamento necessário para uma doença, seja uma cientista explicando suas mais recentes descobertas, todos podem evoluir como comunicadores se prestarem mais atenção à parte oculta do iceberg da comunicação. Não se trata de tentar adivinhar acidentalmente o que a outra pessoa está pensando. A comunicação bem-sucedida exige empatia — precisamos nos colocar no lugar dos outros e ver o mundo do seu ponto de vista (tanto quanto possível). Quanto mais nos concentramos em como outras pessoas veem o mundo, em vez de simplesmente insistir no que queremos dizer, maior a chance de sermos compreendidos.

Conversas são, na verdade, projetos de colaboração, nos quais o objetivo é a compreensão mútua do que está sendo discutido, como foi elegantemente demonstrado num estudo de Herb Clark, aclamado psicolinguista de Stanford.[23] Duplas de participantes sentavam-se cada um em uma extremidade de uma mesa de 1,80 metro de comprimento com a tarefa de montar modelos simples de Lego a partir de um protótipo. Um participante assumia o papel de "construtor" e tinha que recriar o modelo a partir do zero, usando um monte de peças, seguindo as instruções do outro, o "diretor." Só o diretor recebia o protótipo do Lego que servia de exemplo. Para metade das duplas, uma barreira foi colocada no meio da mesa, impedindo que o diretor visse o que o construtor estava fazendo, enquanto na outra metade uma pessoa via claramente o que a outra fazia. Se o diálogo bem-sucedido fosse apenas uma questão de enviar passivamente mensagens para lá e para cá, independentemente do contexto da conversa, deveria haver pouca diferença entre os dois grupos: o diretor podia simplesmente informar ao construtor a ordem exata dos passos necessários para combinar os tijolos no modelo final.

Não foi o que aconteceu. Nos casos em que o diretor era incapaz de monitorar o que o construtor fazia, as duplas levaram o dobro do tempo para concluir a tarefa e usaram quase o dobro de palavras para chegar a um acordo sobre como terminar as réplicas. A barreira não era apenas um obstáculo visual: era também uma barreira conversacional, reduzindo consideravelmente a velocidade e a eficiência da comunicação, em comparação com o outro grupo, que não estava sujeito a

Linguagem como mímica

restrições. E, quando não houve interação alguma — casos em que o diretor gravou instruções verbais posteriormente reproduzidas para o construtor —, os resultados foram ainda piores, com muitos erros na réplica. A lição disso é que conversas são como jogos de mímica, jogos colaborativos de "toma lá, dá cá", nos quais precisamos ser sensíveis à perspectiva alheia, ao que os outros sabem e não sabem, de modo que possamos lhes dar as pistas certas.

Outro argumento que reforça a importância dessa mudança de perspectiva vem do uso do teatro de improviso para melhorar a ciência da comunicação. A prática da improvisação é um tipo de representação dramática, quase sempre com elementos de comédia, no qual atuação e diálogos não seguem um roteiro, sendo criados em regime de colaboração pelos atores, em tempo real. Em certo sentido, seria uma espécie de jogo de mímica em série, com um enredo continuamente improvisado. Para que a improvisação funcione, os atores precisam estar sintonizados, "se alimentando" das ideias e dos improvisos uns dos outros. Exercícios desse tipo visam ajudar as pessoas a estabelecer uma sincronização e uma colaboração fluente entre si. Por exemplo, no exercício de espelhamento, duas pessoas se revezam produzindo uma imagem espelhada do movimento da outra, o mais exatamente possível. No início, o "seguidor" fica consideravelmente para trás do "líder"; mas, com a prática, eles acabam se movimentando quase em uníssono: o seguidor e o líder "leem" a mente um do outro, sendo, portanto, capazes de prever os movimentos seguintes. Podem até acabar planejando, juntos, seus próximos movimentos em sincronia. Esses exercícios de improvisação podem não apenas ajudar atores a serem mais sintonizados uns com os outros, mas também tornar mais fácil para eles captarem deixas que os espectadores possam fornecer sobre seu estado de espírito. Será que esses exercícios podem, da mesma forma, ser usados para aprimorar as habilidades de comunicação de não atores, chamando a atenção para as necessidades da plateia? O ator, diretor, roteirista e autor Alan Alda certamente acha que sim.[24]

Alda é mais conhecido pelo papel de Hawkeye Pierce, o espirituoso médico do Exército em *M*A*S*H*, série televisiva sobre o que se passava num hospital de campanha durante a guerra da Coreia. Mas além disso Alda tem grande interesse em divulgar ciência para um público mais amplo, tendo apresentado por doze anos o programa de TV *Scientific American Frontiers*. Em suas interações com cientistas, ele percebeu que muitos tinham dificuldade para se conectar com o público, apesar do óbvio entusiasmo que tinham pelo próprio trabalho. Alda desconfiou que o problema era que os cientistas não estavam "alinhados" com o público — não viam o mundo desse ponto de vista. Os cientistas falavam *para* o público, em vez de colaborar comunicativamente *com* ele. Alda imaginou que talvez o mesmo tipo de exercício feito pelos atores para aperfeiçoarem suas aptidões de comunicação com a plateia de teatro pudesse ajudar os cientistas. E, de fato, quando pediu a cientistas que fizessem exercícios de improvisação, como espelhamento, eles passaram a interpretar melhor as outras pessoas. Os cientistas tornaram-se mais sensíveis às necessidades do público, não falando com ele de cima para baixo, de forma condescendente, mas estabelecendo uma empatia, e com isso garantindo uma comunicação eficiente. O método de Alda, agora oficializado pelo Centro Alan Alda para Comunicar Ciência da Stony Brook University, tornou-se uma abordagem muito influente e am-

Linguagem como mímica

plamente adotada, sobretudo em universidades e institutos de pesquisa nos Estados Unidos.

Ao falar sobre ciência, ao contar uma história ou apenas indicar uma direção a alguém na rua, precisamos dar atenção ao lugar de onde nosso público vem e ao que ele nos pede. Podemos todos aperfeiçoar nossa capacidade de interagir uns com os outros lembrando que comunicação não é uma via de mão única: aumentamos a chance de uma comunicação bem-sucedida quando prestamos atenção ao que as outras pessoas compreendem, em vez de nos concentramos demais no que queremos dizer. Isso também está refletido na regra de ouro do exercício teatral de improvisação: "Isso, e...", significando que aquilo que a pessoa está dizendo ou fazendo é automaticamente aceito como base para mais interação. Se respeitarmos e reconhecermos prontamente os pensamentos, ideias e preocupações uns dos outros, nossa conversa será mais fluida, para maior proveito de todos.

VER A LINGUAGEM COMO JOGO DE MÍMICA ajuda a nos livrar da nossa noção intuitiva e equivocada acerca do funcionamento da linguagem. O jogo de mímica é por natureza colaborativo. Não esperamos até que alguém pare de gesticular para dar o nosso palpite — e esse palpite, juntamente com acenos de cabeça, sorrisos e outras reações, ajuda o jogador a adaptar seus gestos e nos conduzir na direção "certa". Algo muito parecido ocorreu durante os contatos dos aush com a tripulação do *Endeavour* — o vaivém de sinais estabelece que os dois lados estão "na mesma frequência", por exemplo na intenção amistosa ou no interesse em permutar produtos.

A perspectiva da linguagem como jogo de mímica vira de cabeça para baixo mais de meio século de trabalho nas ciências sociais e cognitivas sobre como nos comunicamos. Pensar na mente como um computador nos levou a pensar que a linguagem funciona exatamente como a comunicação entre computadores, na qual as informações são perfeitamente arranjadas em pacotes separados e transmitidas por um cabo, e que a conversa pode ser vista como um jogo de tênis, no qual mensagens são atiradas para lá e para cá, de uma mente para outra. Em vez disso, a linguagem é como um jogo de mímica, no qual colaboramos para construir aos poucos um entendimento compartilhado, improviso por improviso. Sinais individuais não carregam todo o fardo comunicativo — são pistas que devem ser combinadas com o que veio antes, com as expectativas de agora e com o que sabemos do mundo e uns dos outros. A comunicação depende do alinhamento das aptidões criativas de todos os parceiros da conversa, usando todos os conhecimentos, intuições e lembranças de jogos anteriores que pudermos, juntos, mobilizar.

Mas só podemos compreender plenamente a natureza colaborativa da linguagem se abandonarmos outro pressuposto que nos foi empurrado pela metáfora do computador. Com a velocidade da luz, os computadores podem enviar imensos "pacotes" de informação uns para os outros, e não importa muito a ordem em que os pacotes chegam (embora às vezes importe, como quando assistimos a um filme). Os pacotes de informação podem ser baixados, armazenados e revistos integralmente usando milhões de cálculos realizados num piscar de olhos. Algumas das mais influentes teorias sobre como os humanos produzem e entendem a linguagem adotam esse

Linguagem como mímica

ponto de vista, pelo menos implicitamente — lançam mão do poder total da computação moderna para pensar em como o cérebro humano lida com a linguagem. Essa perspectiva, no entanto, desconsidera um detalhe importante: a memória humana, diferentemente da memória do computador, é espantosamente limitada. A menos que compreendamos de imediato o que ouvimos, nossa lembrança do que foi dito será rapidamente destruída pelo dilúvio de novas falas. Se não usamos a linguagem no momento, a mensagem se perde para sempre. E essa observação acaba sendo inesperadamente essencial para entendermos como a linguagem funciona.

2. A natureza efêmera da linguagem

> Um homem que acaba de começar a aprender código Morse ouve cada *pi*, *pi*, *pi* como um bloco. Logo é capaz de organizar esses sons em letras e consegue lidar com as letras como blocos. Então as letras se organizam em palavras, que continuam sendo grandes blocos, e ele começa a ouvir frases inteiras.
>
> George A. Miller, "The magical number seven, plus or minus two" (1956)

É agosto de 1942. A guerra assola o mundo inteiro. No teatro de operações do Pacífico, oficiais do serviço de inteligência japonês que escutam uma comunicação militar dos Aliados de repente ficam confusos quando, em vez dos familiares códigos ingleses, ouvem uma desnorteante cacofonia de estranhos sons de fala: *toh-bah-ha-zsid ah-ha-tinh ah-di tehi bilh--has-ahn dzeel be-al-doh-cid-da-hi al-tah-je-jay jo-kayed-goh nal--dzil tsin-tliti dzeh a-chin d-ah klesh shil-loh.*[1] Estavam ouvindo os Windtalkers [falantes do vento], o codinome de uma nova arma secreta dos Aliados.

A guerra no Pacífico parecia estar começando a favorecer os Aliados, mas eles ainda sofriam muitos reveses importantes. Já há algum tempo os japoneses vinham monitorando as comunicações eletrônicas entre forças aliadas. Muitos oficiais

A natureza efêmera da linguagem 51

dos serviços de inteligência japoneses tinham estudado nos Estados Unidos, o que lhes permitia decifrar códigos baseados na língua inglesa e conhecer com antecedência os planos de batalha dos adversários. Mas os fuzileiros navais americanos, quando desembarcaram em Guadalcanal, levavam consigo um criativo antídoto: navajos que falavam em código, usando sua língua nativa como código indecifrável.[2]

Os Aliados se aproveitaram de uma coisa pela qual em algum momento a maioria de nós já passou. Quando ouvimos uma língua desconhecida, o dilúvio auditivo de discurso fluente confunde nossos ouvidos inexperientes, parecendo tão indecifrável como qualquer código secreto. Usando sua língua nativa, os falantes do código navajo transmitiam mensagens sobre movimentação de tropas, táticas e outros detalhes relativos a batalhas pelo rádio e por linhas telefônicas "sem ocultar nada". Não fazia diferença os inimigos ouvirem as transmissões: o que ouviam era apenas um fluxo ininteligível de centenas de unidades de fala por minuto. Para os japoneses, tentar entender o código navajo deve ter sido como tentar brincar de mímica com um polvo que agitasse seus oito braços em rápidas sequências de gestos completamente desconhecidos — missão impossível! No entanto, é exatamente assim que a língua soaria, de acordo com o modelo de transmissão de comunicação. O emissor codifica uma mensagem usando um código secreto e a transmite para o receptor, que por sua vez a decodifica usando exatamente a mesma cifra. Os japoneses foram incapazes de decifrar esse código secreto, porque nenhum deles (ou de seus parceiros) tinha qualquer conhecimento da língua navajo.

Devido à sua gramática e à sua fonologia complexas, e à falta de uma forma escrita, a língua navajo oferecia um meio de comunicação rápido e muito seguro no campo de batalha. Para deixar os criptógrafos e linguistas inimigos ainda mais frustrados, havia até um código dentro do código: o navajo não tinha palavras para muitos termos militares, portanto os falantes do código usavam palavras que lhes eram familiares. Por exemplo, o código navajo para encouraçado ficou sendo *lo-tso*, que pode ser traduzido literalmente como baleia; *besh-lo* (peixe de ferro) era usado para submarino e *ca-lo* (tubarão) para destróier. Mais de seiscentas dessas palavras-código foram compiladas no *Dicionário navajo de falantes do código,* que os Windtalkers sabiam de cor.

Enquanto as palavras muito usadas recebiam seu próprio código no dicionário, outras utilizadas com menos frequência eram escritas usando-se um conjunto particular de palavras navajo correspondentes a cada letra da palavra inglesa. Referiam-se a coisas familiares aos falantes do código, como *tse-nil* (significando machado, *axe*) para a letra A, *shush* (urso, *bear*) para a letra B e *moasi* (gato, *cat*) para a letra C. Para impedir que o inimigo usasse a frequência das letras para decifrar o código, múltiplas palavras navajos eram usadas para cada letra inglesa — de modo que, por exemplo, A também podia ser codificado como *wol-la-chee* (formiga, *ant*) ou *be-la-sana* (maçã, *apple*). Assim, a expressão *"language game"* — L-A-N-G-U-A-G-E G-A-M-E, jogo de linguagem — poderia (ser codificada como

nash-doie-tso tse-nill tsah klizzie shi-da wol-la-chee jeha ah-nah ah-tad be-la-sana be-tas-tni dzeh

A natureza efêmera da linguagem

de acordo com o seguite código letra–palavra:

nash-doie-tso	tse-nill	tsah	klizzie	shi-da	wol-la-chee	jeha	ah-nah
L	A	N	G	U	A	G	E
(lion	(axe	(needle	(goat	(uncle	(ant	(gum	(eye
[leão])	[machado])	[agulha])	[cabra])	[tio])	[formiga])	[goma])	[olho])

	ah-tad	be-la-sana	be-tas-tni	dzeh
	G	A	M	E
	(girl	(apple	(mirror	(elk
	[moça])	[maçã])	[espelho])	[alce])

Hoje já nos habituamos à ideia de que os computadores são magos da criptografia, mas os falantes do código navajo suplantaram as máquinas codificadoras da sua época. Enquanto eles conseguiam codificar, transmitir e decodificar três linhas de inglês em apenas vinte segundos, uma máquina convencional de criptografia dos anos 1940 levava trinta minutos para completar mecanicamente a mesma mensagem. Os japoneses, embora fossem capazes de compreender outras cifras americanas mais convencionais, jamais decifraram o código navajo. Mesmo quando obrigaram um soldado navajo capturado, que não era um Windtalker, a traduzir mensagens interceptadas, não conseguiram entender absolutamente coisa alguma do fluxo de palavras, por causa dos códigos dentro dos códigos. Na verdade, o código navajo jamais foi decifrado, e sua própria existência permaneceu um segredo até deixar de ser assunto confidencial, em 1968.

A perplexidade dos japoneses ao escutarem os Windtalkers revela os desafios que todos nós enfrentamos ao tentar compreender uma língua. Embora afortunadamente inconscientes disso — exceto, talvez, quando ouvimos uma língua estrangeira —, as limitações do nosso cérebro deveriam tornar quase impossível nos entendermos durante uma conversa. Na verdade, é de certa forma um milagre não nos sentirmos constantemente tão desnorteados quanto os oficiais dos serviços de inteligência japoneses.

Para começar, nossa memória sensorial para sons ou inputs visuais é incrivelmente efêmera, quase sempre durando menos de um décimo de segundo. Além disso, somos continuamente bombardeados com novos sons e imagens que ameaçam inundar nossa memória incrivelmente curta para inputs sensoriais. Já temos problema para guardar um número telefônico, como é possível que sejamos capazes de apreender uma frase inteira? E, para piorar, temos também uma dificuldade terrível com a ordem. Ouvindo o tinir e bater de pratos sujos que se acumulam na pia da cozinha, não temos ideia de qual dos barulhos veio primeiro — é um confuso volume de ruídos, com poucos elementos identificáveis e nenhuma ordem perceptível. Assim, apesar de acharmos que nossa memória sonora é como um gravador mental, nada pode estar mais longe da verdade. A rigor, décadas de pesquisas sobre a memória revelaram que nossa memória de curto prazo para sequências, sejam auditivas ou visuais, é não apenas efêmera mas também limitada, de três a cinco itens apenas.[3] No entanto, curiosamente, ao falar não nos preocupamos nem um pouco com isso. Usando nossa voz ou nossas mãos (como na língua de sinais), falamos a uma velocidade estonteante, produzindo quase sempre mais de cem palavras por minuto. Surpreendentemente, porém, em vez de sentir-se irremediavelmente sobrecarregado, nosso público, de crianças pequenas a seus bisavós, é capaz de assimilar e entender a torrente verbal com evidente facilidade.

O segredo dessa proeza incrível está escondido bem à vista: é a quantidade absurda de tempo que gastamos na vida

A natureza efêmera da linguagem									55

usando e aperfeiçoando nossas habilidades linguísticas. Ficamos cada vez melhores quanto mais ensaiamos uma peça para violino, ou quanto mais praticamos nosso backhand no tênis, ou quanto mais repetimos uma apresentação de negócios; do mesmo modo, nossas habilidades linguísticas melhoram com a prática reiterada e diária. A maioria de nós passa uma parte imensa da vida consciente mergulhado na linguagem, seja batendo papo, ouvindo rádio, podcast e audiolivro, vendo filmes, lendo, escrevendo ou simplesmente conversando consigo mesmo. Não é de surpreender, portanto, que nossas habilidades linguísticas melhorem tanto. Sem essa prática reiterada, a comunicação linguística seria lenta, trabalhosa e ineficiente.

Uma verdade inconveniente

Quer falemos navajo, inglês ou qualquer outra das 7 mil línguas do mundo, o fato é que o fazemos sem pensar no assunto.[4] Mas, ao visitarmos um país cuja língua não conhecemos bem, de repente temos a sensação de que todo mundo fala a uma velocidade absurda. Na verdade, a percepção de que falantes de uma língua não familiar falam mais rápido do que nós é uma ilusão.[5] Falando numa velocidade normal, um falante produz tipicamente de dez a quinze unidades sonoras, ou fonemas, por segundo. A fala nesse ritmo é fácil de acompanhar. Mas, se nos encontrarmos diante de uma sequência de sons que não sejam de fala — como o barulho de pratos na pia da cozinha — na mesma velocidade, os sons parecem fundir-se num clamor confuso e indistinto. Somos totalmente incapazes de distinguir os sons individuais, menos ainda de determinar em que ordem eles nos chegam.[6] Seria de esperar, aparentemente, que mesmo num ritmo normal a fala estivesse bem fora do alcance do cérebro humano.

As rigorosas limitações de memória não são exclusivas da linguagem; elas também colocam numa camisa de força todo o nosso sistema cognitivo. Nossa percepção do mundo é muito mais restrita do que julgamos, como o falecido Dick Neisser, colega de Morten em Cornell, foi um dos primeiros a revelar.[7] Uma das muitas contribuições de Neisser para o estudo da mente foi sua demonstração pioneira do que viria a ser conhecido como "cegueira por desatenção".[8] Ele pedia às pessoas que assistissem a um vídeo mostrando dois grupos separados de jogadores, cada grupo passando uma bola entre seus próprios membros. Os participantes eram instruídos a prestar atenção num dos grupos e apertar um botão sempre que um dos jogadores desse grupo passasse a bola para outro. A tarefa não era difícil, mas exigia muita atenção — tanto assim que, quando uma mulher, inesperada e incoerentemente, atravessou a tela com um guarda-chuva aberto poucas pessoas notaram sua presença. Intuitivamente, temos a sensação de que continuamente "assimilamos" todos os detalhes do nosso mundo visual — mas claro que não é bem assim! Se o fizéssemos, como poderíamos deixar passar um acontecimento tão evidente e estranho? Na verdade, intensificando o nível de incoerência, os psicólogos Dan Simons e Christopher Chabris repetiram o estudo de Neisser, mas dessa vez o intruso inesperado era alguém vestido de gorila indo até o centro do palco e parando para bater no peito, antes de sair de cena.[9] Mais uma vez, as pessoas que monitoravam as passadas de bola no time ignoraram o gorila — e quando viram o vídeo de novo não conseguiam acreditar que tinham deixado de perceber um acontecimento tão inusitado.

A *natureza efêmera da linguagem* 57

Ainda inspirado na obra de Neisser, outro estudo de Simon, dessa vez com Dan Levin, revelou um resultado igualmente contraintuitivo.[10] No campus de Cornell, um pesquisador aproximava-se de um pedestre e perguntava como chegar a um endereço. No meio da conversa, dois outros pesquisadores passavam carregando uma porta, na maior falta de educação, entre o primeiro pesquisador e o pedestre. Na confusão, o pesquisador original sub-repticiamente trocava de lugar com um dos que carregavam a porta, que, por sua vez, continuava a conversa com o pedestre. Quando o pedestre terminava de dar suas instruções, perguntavam-lhe se tinha notado alguma coisa estranha. Notavelmente, metade dos participantes não percebia que a pessoa com quem estavam falando tinha sido trocada por outra, apesar de os participantes estarem olhando diretamente para elas. Quando Simon e Levin refizeram o experimento vestidos de operários e se aproximaram de pedestres em idade universitária, só um terço percebeu a mudança (sugerindo o possível papel das categorias sociais em nossa percepção das outras pessoas). A maioria de nós prefere achar que temos representações elaboradas do mundo à nossa volta, e que não teríamos a menor dificuldade para lembrar a aparência de uma pessoa com razoável precisão em poucos segundos, mas estamos lamentavelmente enganados. A riqueza aparente das nossas percepções não passa de uma miragem — um conto engendrado por nosso cérebro para dar sentido ao mundo.[11]

Apesar de na maior parte do tempo ignorarmos as notáveis limitações da nossa atenção e da nossa memória, todos nós já sentimos seu impacto na maneira como usamos a língua, como quando um breve momento de desatenção nos faz perder completamente o fio da meada. À luz das severas limitações dos nossos sentidos e de nossas lembranças, isso não surpreende: essas limitações conspiram para criar um gargalo incrivelmente estreito através do qual a linguagem precisa ser canalizada. Portanto, se nossa atenção for desviada da conversa de que participamos para outra ideia ou outro incidente, intrusivos e talvez momentaneamente mais interessantes, esse lapso impedirá nosso cérebro de compreender o fluxo iminente da linguagem — nossa lembrança do "que estávamos falando agora mesmo" acaba sendo surpreendentemente frágil.

O verdadeiro mistério disso não é o fato de que a nossa compreensão da linguagem possa vir a sair dos trilhos, mas que sejamos de alguma maneira capazes de lidar com o assalto avassalador da linguagem. Para que tenha êxito, o cérebro precisa compreender os sons e os sinais imediatamente, à medida que vão chegando, antes de serem eliminados para sempre. Chamamos esse estreito funil de "gargalo do agora ou nunca".[12] A linguagem, seja falada ou sinalizada, tem que ser rapidamente espremida nesse estreito gargalo mental para que possamos entender alguma coisa.

Quando nós dois começamos a pensar no gargalo, em suas potenciais implicações sobre a maneira como o cérebro lida com a linguagem e sobre a natureza da própria linguagem, achávamos que as teorias existentes ofereceriam alguma explicação sobre como a linguagem se espreme por ele. Porém quanto mais procurávamos, mais nos espantávamos ao descobrir que o gargalo não tinha sido inteligentemente encarado ou mesmo driblado. Na verdade, tinha sido quase completamente ignorado: uma verdade inconveniente em boa parte bloqueada pelos pesquisadores das ciências da linguagem por meio de uma coisa muito parecida com amnésia coletiva.

A natureza efêmera da linguagem 59

A linguagem pelo gargalo

Como poderíamos esperar conseguir canalizar mais do que algumas palavras através do gargalo incrivelmente apertado do agora ou nunca? E ideias filosóficas complexas ou as fábulas orais entretecidas no *Beowulf*, na *Odisseia* ou no *Mahabharata,* ou mesmo instruções para chegar ao supermercado mais próximo? Extraviadas pela metáfora do computador, muitas teorias de linguística e da psicologia da linguagem partiram historicamente do pressuposto de que o cérebro é capaz de apreender e guardar longos fluxos de material linguístico antes de começar a descobrir um jeito de encaixar todas as peças. Afinal, um computador convencional não tem problema para armazenar vastas quantidades de informações indefinidamente, e com a mais absoluta precisão; então, com o software adequado ele pode inspecionar à vontade os padrões à espreita nos dados. No entanto, o cérebro não funciona assim, de forma alguma — não dispõe de discos rígidos para baixar arquivos de áudio e guardá-los para recuperar e rever posteriormente. Como é, pois, que conseguimos passar mais do que um fiozinho de linguagem através desse gargalo apertado?

Enquanto nós dois refletíamos sobre a ideia da linguagem como jogo de mímica naquela crucial noite de junho no Instituto Max Plank para Psicolinguística, chegamos a uma importante conclusão: com seu foco na cooperação e na improvisação de momento, a perspectiva "das mímicas" também trazia uma revelação fundamental sobre como o cérebro resolve o desafio do gargalo. Quando adivinhamos o que alguém tenta gesticular, precisamos ser capazes de subdividir os diferentes movimentos da sua cabeça, das suas mãos e dos seus membros em unidades separadas que possamos interpretar. Por exemplo, consideremos mais uma vez o campanário de dedos usado na família de Nick para representar a proa de um navio. As mãos podem se mover para cima e para baixo para indicar um navio no oceano (ou mesmo as viagens de Colombo), ou descer bruscamente para sugerir o afundamento do navio (talvez o *Titanic*). Nos dois casos, o gesto para navio precisa ser considerado separadamente dos dois tipos de movimento. Precisamos dividir o gesto em elementos distintos e reutilizáveis. Tipicamente, o significado desses tipos diferentes de movimento manual será altamente ambíguo quando examinado isoladamente, como acontece com a comunicação em geral. Se em vez de darmos forma de campanário a nossos dedos mantivermos as mãos ligeiramente separadas, fingindo segurar um volante, o balanço para cima e para baixo pode então representar a passagem por cima de uma sequência de lombadas, e o movimento para baixo pode representar a descida de um morro muito íngreme (ou mesmo de um penhasco, quando combinado com uma expressão facial adequadamente amedrontada). Ao separar um movimento contínuo em blocos separados, o gesto manual e o movimento, esses blocos podem ser reaproveitados e reinterpretados de maneira flexível e criativa em diferentes contextos.

O que funciona no jogo de mímica acaba funcionando também nos jogos de linguagem em geral. O segredo para superar o gargalo do agora ou nunca é a "formação de blocos": um processo fundamental da memória, pelo qual podemos combinar dois ou mais elementos numa só unidade (como quando lembramos um número telefônico de onze algarismos dividindo-o em dois blocos correspondentes ao código de área e ao

A natureza efêmera da linguagem

número da linha). Ao dividir o material linguístico que recebemos em unidades maiores, podemos entendê-lo no momento em que o recebemos. Essas unidades podem então ser passadas adiante para análise adicional, mais complexa, e possivelmente recombinadas em unidades ainda maiores. Para ter uma ideia intuitiva de como esse agrupamento em blocos funciona na linguagem, leia a seguinte série de letras aleatórias em voz alta para você mesmo, depois feche os olhos e tente lembrar o máximo possível de letras na ordem certa:

MUEGAGLEGANA

Se você for como a maioria das pessoas, só conseguiu lembrar quatro ou cinco letras. Na verdade, após muitas décadas de trabalho sabemos que a memória de curto prazo se restringe a apenas um punhado de itens, por isso é tarefa quase impossível lembrar as doze letras. Agora tente a mesma coisa, só que desta vez com a versão reorganizada da série de letras que aparece abaixo:

LANGUAGEGAME

Esta sequência de doze letras de repente fica mais fácil de lembrar, porque é possível agrupá-las em apenas duas palavras conhecidas, *language* [linguagem] e *game* [jogo]. Enquanto precisava lembrar doze letras aleatórias na primeira série, o que é praticamente impossível, você só teve que lembrar duas palavras e depois soletrá-las para recriar a segunda sequência. Na verdade, a restrição da nossa memória de curto prazo não se aplica a um determinado tipo de elemento, sejam letras ou palavras, e sim a blocos. Dessa maneira, agrupar em blocos pode nos ajudar a reunir elementos menores em elementos maiores, com isso reduzindo nosso esforço de memória e atenção.

Mas agrupar em blocos requer prática — e muita prática. Não seríamos capazes de lembrar muita coisa da segunda sequência de doze letras se não tivéssemos praticado muito a leitura, ao longo de milhares de horas, e se não dispuséssemos de um grande vocabulário de palavras em inglês. Se você não tivesse aprendido a ler, não veria as doze letras *como letras*, apenas como rabiscos desconhecidos e impenetráveis — caso em que guardar e reproduzir mesmo uma letra poderia ser um grande desafio. Segundo o célebre comentário de Periandro, um dos Sete Sábios da Grécia, "a prática é tudo".[13]

Se isso é verdade, então talvez devêssemos conseguir guardar longas sequências de dígitos sem sentido, combinando-as em blocos significativos e mais memorizáveis, e praticando esse truque muitas e muitas vezes. Na verdade, impor padrões a material sem sentido tem sido o cerne dos métodos mnemônicos desde os tempos dos oradores da Grécia antiga. No fim dos anos 1970, um jovem universitário chamado Steve Faloon, agora mais conhecido como sf na literatura sobre memória, demonstrou de uma maneira espetacular como isso funciona. Ele aprendeu a lembrar não apenas os cinco ou seis dígitos que a maioria de nós consegue reter, mas até 79 dígitos aleatórios! Quando aceitou participar de um experimento realizado na Carnegie Mellon University por Anders Ericsson, pesquisador de memória e mais tarde guru, sf era apenas um aluno comum, sem uma memória excepcional ou qualquer expertise em técnicas mnemônicas.[14] Suas incríveis aptidões de memória não surgiram do nada: ele passou centenas de horas no laboratório,

A natureza efêmera da linguagem 63

recordando tediosamente séries de dígitos aleatórios, cada qual lido para ele a um ritmo de um dígito por segundo. Com o tempo, aprendeu a agrupar as sequências de dígitos em blocos cada vez maiores, recodificando números como tempos de corrida (era um ávido corredor de cross-country) ou datas famosas, como no caso de 1944: "perto do fim da Segunda Guerra Mundial". Mais tarde desenvolveu maneiras de agrupar esses blocos em "superblocos" sempre maiores, cada um deles consistindo de múltiplos tempos de corrida ou datas. Ao praticar reiteradamente a rememoração de dígitos e aprender a construir blocos e superblocos, ele acabou conseguindo a proeza aparentemente sobre-humana de lembrar quase oitenta números randômicos. No tocante à linguagem, nosso cérebro adota uma estratégia similar de agrupamento em múltiplas camadas para lidar com a implacável torrente de input linguístico.

Como funciona, então? Para a língua falada, esse processo de agrupamento começa com o espectro complexo, continuamente cambiante, do sinal acústico que chega aos nossos ouvidos. Esse input contém não só a fala de interesse para nós, mas também qualquer quantidade de conversa, música e ruídos de fundo de todos os tipos que se misturam. O cérebro tem que separar a voz do falante do que costuma ser uma cacofonia de fundo. Definir claramente a direção da voz é de particular utilidade. O cérebro pode determinar onde o som se origina usando uma variedade de pistas, sendo a mais importante delas a diferença de tempo entre quando ele chega ao nosso ouvido esquerdo e ao nosso ouvido direito. Essa pista é usada também quando reproduzimos sons gravados em estéreo — de maneira que, por exemplo, as diferentes seções de uma orquestra soam como se estivessem em lugares diferentes quando ouvimos uma sinfonia com fones de ouvido estereofônicos. É por isso que compreender uma gravação monofônica de uma pessoa falando quando há um barulho de fundo costuma ser tão surpreendentemente difícil — perdem-se as indispensáveis pistas tridimensionais sobre de onde vem o som.

Uma vez separado dos ruídos de fundo, o sinal acústico da voz do falante é convertido de uma onda sonora complexa num formato inicial simples, de bloco, como fonemas (sons linguísticos individuais) ou sílabas. Como vimos, essas unidades baseadas em som chegam numa velocidade espantosa na fala fluente, e, assim, logo começam a interferir umas sobre as outras (exatamente como você viu no caso da primeira sequência de doze letras). A solução é agrupar esses sons em palavras (*language* e *game*). Esse truque dá ao cérebro um pouco mais de tempo para trabalhar sobre o input, mas logo as palavras que chegam no fluxo veloz da fala começam a se misturar umas com as outras e se perdem inteiramente (pense no quanto somos ruins para guardar uma lista aleatória de palavras). Assim, o cérebro precisa repetir o processo de agrupamento em blocos, rapidamente combinando palavras em blocos multipalavras e de frases. Mais uma vez isso nos dá algum tempo extra até que a interferência ocorra outra vez e o processo de agrupamento precise ser repetido, agora formando frases inteiras e, finalmente, unidades ainda maiores de discurso com significado, sejam as trocas de uma conversa, sejam histórias, sejam conjuntos de instrução.

Para ilustrar esse agrupamento em blocos, consideremos o exemplo seguinte, no qual os espaços entre palavras foram removidos para simular a natureza contínua do fluxo da fala e símbolos não alfabéticos foram usados para indicar sons acidentais não linguísticos no input acústico (ignoramos aqui a complicação adicional de que fonemas não se conectam de forma direta em letras):

N@osag%rupamos#afalarep&etidame%nteembl@#ocoscadavez maisoresd&ecrescen#teabst%ra@ção

Como primeiro passo, o sinal de fala é separado dos ruídos e de outros sons ambientes:

Nósagrupamosafalarepetidamenteemblocoscadavezmaiores decrescenteabstração

Como não podemos guardar o sinal de fala por muito tempo, logo que o ouvimos nós rapidamente o agrupamos em sílabas:

Nós a gru pa mos a fa la re pe ti da men te em blo cos ca da vez mai o res de cres cen te abs tra ção

Mas, quando temos apenas algumas sílabas, ocorre uma interferência entre elas, de modo que tão logo seja possível nós as agrupamos em palavras:

Nós agrupamos a fala repetidamente em blocos cada vez maiores de crescente abstração

E as palavras, em seguida, nós agrupamos em sintagmas, para ganhar mais tempo:

[Nós agrupamos a fala repetidamente] [em blocos cada vez maiores] [de crescente abstração]

O agrupamento desses diferentes níveis se dá em paralelo, enquanto incorporamos aos poucos o significado das palavras, o que elas transmitem no contexto em que estão sendo usadas e o que mais soubermos a respeito do mundo. Finalmente, a interpretação da frase inteira é absorvida em nossa memória da conversa em curso. O que temos, então, é uma atividade mental em cascata, contínua e em paralelo. Para conter a rápida inundação de input linguístico, agrupamos novos materiais com a maior rapidez possível em unidades cada vez maiores, e imediatamente passamos esses blocos para o "nível" seguinte de abstração, para novas análises e agrupamentos, partindo de sílabas para palavras, de palavras para frases, de frases para grandes blocos de enunciado.

Quando se trata de agrupar em blocos, é imperativo acertar de primeira: o sempre presente gargalo do agora ou nunca torna muito difícil desfazer um bloco depois de criado, decompô-lo em subunidades (digamos, reduzir uma palavra agrupada aos sons que a compõem) e reagrupá-lo de outra forma. Uma vez criado um bloco, seus subcomponentes originais rapidamente desaparecem, e só guardamos a substância do input original, seja ele falado ou sinalizado.[15] Mas à luz da natureza notoriamente ambígua da linguagem humana, não podemos depender só do input para construir os blocos corretos de maneira confiável. Imaginemos um caso em que ouvimos alguém pronunciar a seguinte frase (transcrita em inglês fonético — tente ler em voz alta): /tOOrEkuhnIEspEEch/. Esse fluxo sonoro pode ser agrupado em pelo menos duas formas diferentes, resultando em interpretações radicalmente distintas. No contexto do momento, parece óbvio agrupar o enunciado em *"to recognize speech"* [reconhecer a fala]. Mas se

A natureza efêmera da linguagem

ouvirmos o mesmo fluxo sonoro enquanto caminhamos na praia durante a construção de um gigantesco terminal petrolífero, podemos agrupá-lo em *"to wreck a nice beach"* [estragar uma bela praia].[16] Portanto, para ter certeza de que o agrupamento está correto já na primeira vez, precisamos usar todas as pistas disponíveis. Chegar à interpretação correta depende da parte submersa do iceberg da comunicação, exatamente como quando brincamos de mímica. Na interpretação "estragar uma bela praia" essas pistas podem vir da conversa do momento (falávamos sobre a obra de construção), de conversas passadas (sobre nossas preocupações ambientais), do ambiente onde nos encontramos (o canteiro de obras acaba de despontar à nossa frente) ou simplesmente do conhecimento do mundo (sobre petroleiros, projetos de construção, estética, segurança para nadar e muito mais). O agrupamento em blocos só funciona quando o cérebro é capaz de levar em conta o contexto: em grandes quantidades, e com grande rapidez.

A necessidade que o cérebro tem de agrupar continuamente o input e formar novos blocos de blocos explica por que as línguas humanas, apesar da enorme variação, são todas organizadas em hierarquias de unidades, como fonemas, sílabas, palavras e frases.[17] Já a transmissão de informações entre computadores, ao contrário, não obedece, de forma alguma, a essa arrumação. Por exemplo, na transmissão da gravação de uma voz humana pela internet não há elementos que correspondam a quaisquer das nossas conhecidas unidades linguísticas — na verdade, um fluxo de zeros e uns é usado para transmitir uma versão digitalmente comprimida do sinal acústico. A estrutura hierárquica, agrupada em blocos, da linguagem humana não resulta da simples necessidade de comunicação — resulta das profundas limitações da memória humana e dos processos de agrupamento e reagrupamento que o cérebro precisa executar incansavelmente para lidar com o dilúvio incessante de input.

Produção linguística *just-in-time*

Até agora temos refletido sobre como o gargalo modela a nossa compreensão da linguagem. Mas igualmente desconcertante é o nosso jeito de produzir linguagem. Como conseguimos gerar fluxos de centenas de palavras por minuto fazendo apenas pausas ocasionais para tomar fôlego? Ao falar, muitas vezes temos a sensação de estar "falando no vácuo", não sabendo exatamente aonde uma frase nos levará depois que começamos a pronunciar as primeiras palavras. A pesquisa sobre como as pessoas produzem enunciados revela que essa intuição tem muito de verdade. Apesar de podermos iniciar uma frase com uma ideia geral do que queremos dizer, nosso cérebro não planeja desde o começo exatamente como vamos dizer, frase por frase, palavra por palavra ou sílaba por sílaba. Na verdade, a série exata das etapas que finalmente expressarão nossos pensamentos — desde a escolha específica de palavras, indicadores de tempo e padrões prosódicos até a sintonia fina dos movimentos da nossa boca e da nossa língua enquanto exalamos e vibramos as cordas vocais — vai sendo improvisada enquanto falamos. Se tentarmos planejar tudo antecipadamente, acabaremos produzindo uma salada verbal: frases iniciais interferindo em frases posteriores, palavras iniciais em palavras posteriores, e os fonemas atropelariam uns aos outros. É assim porque o

A natureza efêmera da linguagem

onipresente gargalo do agora ou nunca se aplica tanto quando produzimos fala como quando a ouvimos. Na verdade, os processos de compreender e gerar fala acabam sendo imagens espelhadas um do outro.[18] Ao ouvirmos, começamos com pequenos blocos (sons da fala) e os agrupamos em unidades cada vez maiores; já ao falarmos começamos com grandes blocos (mais ou menos a substância do que pretendemos dizer) e os subdividimos em unidades cada vez menores, até chegarmos aos movimentos motores específicos usados para produzir linguagem (falada ou sinalizada).

Para contornar o gargalo quando falamos, nosso sistema de linguagem usa uma estratégia que, surpreendentemente, reflete a elegância eficiente da chamada fabricação *just-in-time* [bem na hora] de automóveis.[19] Nos anos 1960, a fabricante japonesa Toyota adotou uma estratégia de produção pioneira e revolucionária para economizar dinheiro minimizando a quantidade de peças e outros materiais em estoque: a fábrica só receberia peças dos fornecedores *quase na hora de colocá-las num carro*. Em outras palavras, as peças chegariam em cima da hora e, idealmente, nem um minuto antes. Essa estratégia teve tanto êxito que a General Motors enviou alguns administradores seus ao Japão para aprender com a Toyota a implementar essa produção em suas fábricas nos Estados Unidos. Acontece que, ao falarmos, adotamos uma estratégia *just-in-time* parecida, mantendo apenas alguns blocos na memória em determinado momento para evitar que eles interfiram uns nos outros. Exatamente como nas fábricas de automóvel, onde manter um grande estoque de componentes custa muito dinheiro e espaço, o gargalo significa que nossa memória não pode guardar um "estoque" de fonemas, palavras ou frases.

Podemos ver o processo de agrupamento funcionando ao tentarmos pronunciar palavras desconhecidas ou palavras muito longas. Um grande exemplo vem de *Mary Poppins*, transformado em filme da Disney em 1964: *supercalifragilisticexpialidoce*.[20] Essa palavra inventada, supostamente significando qualquer coisa como "extraordinariamente bom" ou "maravilhoso", é um terrível trava-língua, quase impossível de pronunciar sem cometer erros quando o encontramos pela primeira vez. Para facilitar a pronúncia precisamos agrupar esse trava-língua em partes mais fáceis de manejar. De início, podemos dividi-lo da seguinte maneira (com colchetes indicando um bloco):

[Super] [cali] [fragi] [listic] [expi] [ali] [doce]

Com a prática, porém, podemos combinar esses blocos em blocos maiores:

[Supercali] [fragilistic] [expiali] [doce]

E, repetindo o processo, acabamos com apenas dois grandes blocos, como estes:

[Supercalifragilistic] [expialidoce]

Quando era pequena, a filha de Morten era uma grande fã do filme *Mary Poppins*, nunca se cansando de assisti-lo, de modo que ele pode confirmar que, finalmente, com prática suficiente, todos somos capazes de aprender a pronunciar *supercalifragilisticexpialidoce* com notável rapidez e precisão (embora possivelmente retendo vestígios do nosso agrupamento em blocos no padrão da entonação).

A natureza efêmera da linguagem

Aprender e praticar são essenciais para alguém se tornar um falante fluente. As crianças passam a maior parte do primeiro ano de vida aprendendo a fazer os lábios e a língua trabalharem juntos suficientemente bem para produzir as primeiras palavras. Não demora muito, porém, para que cheguem a uma velocidade aproximada de trezentas a 350 sílabas, mais ou menos 150 palavras, por minuto. E algumas pessoas podem falar ainda mais depressa.[21] Atingindo mais de 667 palavras por minuto, a americana Fran Capo é a mais rápida falante de inglês de que há registro, pronunciando mais de quatro vezes mais palavras por minuto do que uma pessoa comum. Em segundo lugar temos Seán Shannon, do Canadá, capaz de produzir 655 palavras em inglês por minuto. Isso lhe permitiu recitar as 260 palavras do solilóquio "Ser ou não ser", de *Hamlet*, em apenas 23,8 segundos! Felizmente, a maioria de nós não tem taquilalia (como é chamada a fala extremamente rápida) voluntária: a essa velocidade, não é fácil captar muita coisa do que esses tagarelas dizem, a não ser, talvez, uma ou duas palavras.

Atingir a velocidade de falantes super-rápidos como Fran Capo e Seán Shannon exige um investimento de tempo substancial. Eles parecem particularmente bons em agrupar combinações multipalavras (como o que sf fez no caso dos dígitos). Mas acontece que via de regra recorremos a um estoque imenso de combinações de palavras comuns. Na verdade, usando computadores para vasculhar milhões de palavras na língua escrita e na língua falada, linguistas computacionais descobriram que blocos multipalavras formam cerca de metade de tudo que dizemos.[22] Esses blocos assumem muitas e variadas formas, incluindo expressões idiomáticas como

72 *O jogo da linguagem*

"chutar o balde" e "engolir sapo", sequências "congeladas" de palavras de uso frequente como "ao vivo e em cores" e "redondamente enganado", expressões compostas como "velho de guerra" e "cachorro-quente" e banalidades sociais como "Oi, tudo bem?" e "Boas Festas". Como já memorizamos a maioria das combinações multipalavras com que costumamos deparar, ao falarmos podemos prontamente empregá-las como convenientes blocos linguísticos "pré-fabricados".

Isso é verdade para falantes nativos e não nativos. Referindo-se a um artigo de autoria de Morten e seu colega Inbal Arnon, da Hebrew University, Michael Skapinker escreveu um artigo para o *Financial Times* sobre o uso de blocos multipalavras por dirigentes estrangeiros de times de futebol na English Premier League.[23] Ele notou que esses dirigentes cometiam erros de todos os tipos quando tentavam juntar palavras às pressas, mas os erros desapareciam quando usavam sequências multipalavras ouvidas com frequência em contextos futebolísticos. Por exemplo, apesar de ter dito numa entrevista a frase pouco comum *"We miss a little bit to be more aggressive"* [algo como "sentimos falta de ser um pouco mais agressivos"], o argentino Mauricio Pochettino, ex-técnico do Tottenham Hotspur, prosseguiu com um perfeito bloco multipalavras geralmente usado no jargão futebolístico: *"I think we need more consistency"* [Acho que precisamos de mais consistência]. O resultado de tudo isso é que, sejamos ou não falantes nativos, nós nos aproveitamos da fluência que os blocos multipalavras nos oferecem quando falamos sob a pressão incontornável do gargalo do agora ou nunca.

Embora quase sempre seja fluente, nossa fala está longe de ser impecável. Como acontece com qualquer outra habi-

A natureza efêmera da linguagem 73

lidade, todos nós, falantes nativos ou não, cometemos erros continuamente. Mas, pelo fato de, como ouvintes, estarmos geralmente concentrados em compreender *o que* outros tentam transmitir, em vez de *como* o fazem, a maioria desses pequenos deslizes passa despercebida. Um falante adulto pronuncia uma palavra erradamente ou usa um termo errado a cada mil palavras, e, como seria de esperar, crianças cometem de quatro a oito vezes mais erros desse tipo.[24] Como pronunciamos cerca de 150 palavras por minuto quando falamos num ritmo normal, isso significa que em média cometemos deslizes a cada sete minutos de fala. E essa estimativa não leva em conta outros erros que geralmente cometemos, como parar no meio da frase, corrigir o que acabamos de dizer reformulando a frase, ou as ubíquas hesitações e pausas que tentamos desesperadamente preencher com *hm*, "é...", *ahn*. Como é de esperar, todos esses erros de fala ocorrem com ainda mais frequência quando estamos cansados, nervosos ou sob efeito de drogas ou álcool.

Para os psicólogos, no entanto, esses erros de fala são um tesouro de informações: o jeito de errar na fala expõe alguns mecanismos internos na nossa produção linguística *just-in-time*. Na verdade, os erros se coadunam perfeitamente com os diferentes níveis de agrupamento em blocos, mostrando sinais de interferência entre blocos que estão à espera de serem produzidos. Cometemos erros envolvendo sons de fala individuais, truncamos a ordem das palavras e até invertemos frases inteiras.[25]

74 *O jogo da linguagem*

Dança conversacional

Não bastasse a dificuldade que o gargalo do agora ou nunca representa para o nosso sistema linguístico, há outro desafio: as conversas vão e vêm entre os falantes a um ritmo estonteante, cada um de nós ora falando, ora escutando, em rápida sucessão. Assim como a mímica não é um jogo de uma pessoa só, a linguagem não tem nada a ver com monólogo.[26] Uma conversa não se resume a uma sucessão de solilóquios. Longe disso. Na verdade, a linguagem é parecida com uma dança improvisada entre parceiros, na qual o intercâmbio rápido e coordenado é fundamental. Mas, assim como no caso do gargalo do agora ou nunca, as ciências da linguagem até recentemente costumavam ignorar nossa dança conversacional, tratando a linguagem como se estivéssemos todos desfiando nossos solilóquios, à maneira do Hamlet de Shakespeare, a falar para a noite sem saber se haverá resposta.[27]

A rigor, a realidade da linguagem cotidiana é bem diferente.[28] A obra do antropólogo linguístico (e escultor de talento) Stephen Levinson demonstra lindamente o quanto é diferente. Com seus colegas, ele mostrou que em diversos conjuntos de linguagens e culturas, do dinamarquês e do holandês ao laosiano e o yélî dnye, as pessoas são estupendamente rápidas para assumirem a sua vez na conversa: na média, o intervalo entre uma pessoa acabar de falar e a outra começar a responder é de apenas um quinto de segundo (duzentos milissegundos). A título de comparação, nosso cérebro leva mais ou menos o mesmo tempo para reconhecer um rosto familiar; meio segundo para começar a ler em voz alta uma palavra escrita; e um segundo inteiro para "designar" a imagem de um objeto conhecido, por exemplo um cachorro. Assim, para ser capaz

A natureza efêmera da linguagem 75

de começar seu turno de fala "a tempo", o ouvinte precisa começar a se preparar bem antes de o falante acabar de falar.

Para assumirmos a nossa vez na conversa nessa velocidade, primeiro temos que descobrir o que o falante está dizendo com eficiência o bastante para conseguirmos formular a resposta certa: é um pedido, uma pergunta ou algum tipo de declaração? E que pedido, que pergunta ou que declaração? Em seguida, precisamos descobrir pistas de todos os tipos sobre "o fim da vez do outro" (conteúdo, tom, até expressão facial) e prever quando o falante terminará, para começarmos a falar quando ele acabar (Figura 2.1). Ao mesmo tempo, precisamos integrar continuamente o que a pessoa está dizendo agora ao que foi dito antes, ao que sabemos a respeito do falante e ao que sabemos acerca do mundo. E precisamos responder rápido. Se não o fizermos, qualquer atraso poderá ser interpretado como significativo. Por exemplo, uma pausa mais longa do que a média depois de um pedido pode ser entendida como relutância mesmo que na verdade nosso desejo seja ajudar. A mudança rápida de falante na conversação não é uma raridade. Conversas informais são tipicamente disparos rápidos — em que os falantes se alternam a cada dois segundos. No entanto, apesar dessa tremenda pressão de tempo, a capacidade de assumir a nossa vez geralmente se torna tão automática e funciona tão bem que podemos até (quase sempre irritantemente) completar a frase do nosso interlocutor.

Apesar dos desafios, os humanos são dançarinos conversacionais tão tarimbados que nem sequer se preocupam com essa complexidade. Mas há uma pegadinha: o ritmo alucinante com que os falantes se alternam na conversa, juntamente com a onipresente pressão do gargalo do agora ou nunca, significa que

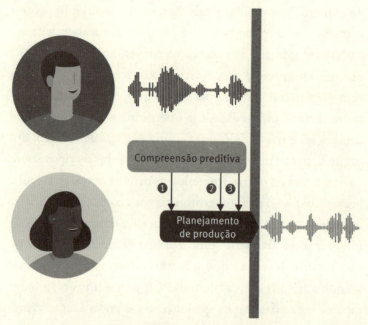

Figura 2.1. Ilustração da sobreposição do tempo dos turnos de fala numa conversa. Logo depois que um falante inicia seu turno, o ouvinte começa a (1) planejar a sua vez de responder, (2) prever o fim da vez do outro e (3) usar indícios do fim da vez do outro para assumir a sua própria vez de falar. A barra cinza vertical indica a breve pausa de mais ou menos um quinto de segundo entre o turno de um e o turno do outro (Ilustração de autoria de Sunita Christiansen, adaptada de S. C. Levinson, "Turn-taking in human communication").

muitas vezes não assimilamos os detalhes daquilo que ouvimos — ficando apenas com uma impressão geral. Na verdade, nossa compreensão é quase sempre notavelmente superficial.[29] Por exemplo, quando alguém pergunta "Quantos animais de cada espécie Moisés levou na Arca?" a maioria das pessoas responde "Dois", sem notar nada de estranho. Claro, foi Noé o homem da Arca, e não Moisés, mas nosso cérebro entende o

A natureza efêmera da linguagem 77

suficiente do que está sendo dito para fazer a ligação com a história bíblica, e isso quase sempre é "bom o suficiente".

O jogo de mímica gira em torno de transmitir nossa mensagem. Da mesma forma, ao lidarmos com a linguagem, não nos importamos com cada palavra e cada significado que ouvimos, concentrando-nos, em vez disso, na substância geral do que está sendo dito. Em vez de tentar alcançar um entendimento completo de cada enunciado que ouvimos, sem exceção, tentamos chegar a uma interpretação que seja boa o bastante para a tarefa do momento. Essa estratégia funciona bem na maioria dos casos, e quando não funciona é sempre possível pedirmos mais esclarecimentos, adotar uma expressão de perplexidade ou empregar uma palavrinha especial fácil de dizer que línguas e culturas diferentes usam para indicar que perdemos alguma coisa na vez anterior — como *"Huh?"* em inglês, *"Hã?"* em espanhol ou *"응?"* (*eung?*) em coreano.[30]

Claro, isso significa que as conversas comuns de todos os dias não são de forma alguma como os diálogos ordenados, às vezes graciosos, que lemos nos livros ou ouvimos na televisão e no cinema. Os diálogos da vida real são bagunçados, repletos de frases pela metade, de interrupções e de pessoas que não deixam as outras falarem. Isso é ilustrado pelo seguinte trecho de uma conversa presencial que ocorreu em Albuquerque, Novo México, entre os irmãos Lisa e Kevin e uma amiga de Lisa chamada Marie.[31] A discussão gira em torno de uma visita recente de Marie ao pronto-socorro com seu bebê doente (as falas sobrepostas são indicadas por colchetes e frases recuadas).

78   *O jogo da linguagem*

MARIE: Bem, ele estava com febre de mais de quarenta.

LISA: ... Isso é muito alto.

KEVIN: Teve sorte [de não] —

LISA: [Quanto tempo] ele ficou lá?

LISA: Alta [assim].

KEVIN: [Quanto tem]po,

KEVIN: ... sabe?

MARIE: Ah, a febre dele?

KEVIN: [Isso].

MARIE: [Não] sei.

KEVIN: ... Isso é perigos —

KEVIN: Quer dizer [é...] —

MARIE: [O médico d]isse,

LISA: [Porque ele poderia ter],

LISA: dano cerebral.

A conversa inteira durou menos de doze segundos, com rápida alternância de falantes interrompendo uns aos outros, o que os obrigava a continuar o que queriam dizer em muitas ocasiões separadas. Para manter a conversa nos eixos, os participantes usam vários truques, incluindo retroalimentação [*back-channeling*] para sinalizar que estão prestando atenção (dizendo *hm*, *ãhã* e "Isso," como Kevin no diálogo); fazendo "reparos" para consertar possíveis mal-entendidos (que vão do já mencionado "Huh?" a pedidos de esclarecimento, como quando Marie pergunta "Ah, a febre dele?"); e "alinhamento interativo", quando falantes reciclam as formas linguísticas uns dos outros usando exatamente as mesmas palavras, outras palavras com o mesmo significado ou tipos semelhantes de blocos multipalavras (como quando Kevin e Marie usam

A natureza efêmera da linguagem   79

"sabe?" e "sei" e Lisa e Kevin dizem ambos "quanto tempo"). Essas táticas conversacionais, contudo, não são apenas verbais, e rotineiramente incorporam gestos e expressões faciais, como balançar a cabeça para dizer que está de acordo ou franzir a testa para indicar perplexidade. Juntos, esses dispositivos colaborativos nos ajudam a entender uns aos outros e a corrigir rapidamente mal-entendidos enquanto fazemos nosso turno na conversa passar pelo gargalo do agora ou nunca.

É FÁCIL SUPOR QUE o aparente caos da conversa espontânea é uma forma degenerada da prosa elegantemente formulada — mas o estado natural da linguagem é a conversa interativa, não o monólogo. No entanto, como é possível que interações tão caóticas tenham algum sentido? Uma mera interação complexa decerto não basta. Do contrário, teríamos que atribuir significado aos planetas do nosso sistema solar, executando sua dança intricadamente coordenada em círculos elípticos em torno do Sol. Aqui também devemos procurar a resposta no jogo de mímica.

Não é que comecemos retendo o que pretendemos dizer nas profundezas da mente e só depois decidimos como traduzir nossos pensamentos para o inglês, o hindi, o suaíle ou qualquer outra língua que falemos. Em vez disso, improvisamos sentido na hora, em regime de colaboração, canalizando-o através do gargalo do agora ou nunca para resolver os desafios de comunicação que enfrentamos. Embora só consigamos perceber as palavras, as frases e orações que formam a ponta do iceberg da comunicação, a parte oculta — nosso conhecimento de cultura, de estruturas sociais, do mundo e uns dos outros —

é fundamental para o entendimento mútuo. Na verdade, só podemos ter a esperança de compreender o que é significado quando vemos a linguagem primeiramente enquanto conversação, e depois como monólogo. A linguagem é essencialmente interativa, fluente e cooperativa: a mímica linguística é uma dança conversacional lindamente coordenada, criando sentido à medida que avança, passo a passo, cadenciados uns com os outros.

3. A insustentável leveza do significado

> Vejamos, por exemplo, as atividades que chamamos de "jogos". Estou falando de jogos de tabuleiro, jogos de cartas, jogos de bola, jogos olímpicos e assim por diante. O que há de comum entre eles? [...] Não pensem, olhem... E o resultado desse exame é: vemos uma complicada rede de semelhanças sobrepostas e cruzadas; às vezes semelhanças gerais, outras vezes semelhanças de detalhe [...]. Não conheço expressão melhor para caracterizar essas semelhanças do que "semelhanças de família".
>
> LUDWIG WITTGENSTEIN, *Investigações filosóficas* (1953)

O ESCRITOR TCHECO Milan Kundera ficou famoso por explorar a vertigem induzida pelo confronto com a imprevisibilidade momentânea, efêmera e ilimitada de nossa existência. É a "insustentável leveza do ser" de cada vida humana, o primeiro e único ensaio de uma peça sem autor e sem uma encenação final — uma peça cujo significado, se é que existe, só percebemos muito vagamente.[1] Mas a leveza do significado da vida não é mais notável do que a espantosa flexibilidade, criatividade e leveza metafórica do significado na linguagem. E essa leveza não é apenas questão de poesia ou pensamento abstrato; é tão onipresente na conversa diária que quase não nos damos conta da sua própria existência.[2]

Tomemos como exemplo a palavra "leve". Coisas que chamamos de leve incluem uma manhã, um ambiente, uma peça, uma música, um pacote, um avião, uma metralhadora, um batalhão de infantaria, uma refeição, um tom de vermelho, uma cerveja... a lista parece infinita. E, no entanto, o que essas coisas leves têm em comum? Filósofos e linguistas tendem a supor que existe uma "essência" comum que cada palavra apreende. Essa essência comum talvez seja um conceito único, de alguma forma representado nas nossas mentes; talvez seja, também, uma propriedade da realidade. Assim, desse ponto de vista, supõe-se que o significado de cada palavra está de algum modo ligado a algo para além da própria linguagem, seja um componente dos nossos pensamentos ou uma propriedade do mundo exterior.[3] Na verdade, entender o que são essas essências comuns em palavras que parecem particularmente importantes para a compreensão da condição humana tem sido uma grande preocupação filosófica desde a época de Platão. Se pudéssemos ter clareza com relação ao significado de verdade, valor, bem, justiça e, inclusive, o significado de significado, parece que daríamos um grande passo para resolver muitos dos grandes problemas conceituais que nos intrigam, e de modo geral corrigir nosso confuso pensamento. Mas, como logo veremos, a própria ideia de essências comuns é uma miragem, mesmo em se tratando de palavras corriqueiras como leve.

Até o século xx, a maioria dos filósofos seguia a sensata linha de raciocínio segundo a qual as palavras "apontam" diretamente para aspectos correspondentes do mundo. Afinal, o livro do Gênesis conta a história tranquilizadoramente simples de nomes e coisas que remontam a Adão: "Havendo, pois, o Senhor Deus formado da terra todo animal do campo, e toda

A insustentável leveza do significado

ave dos céus, os trouxe a Adão, para este ver como lhes chamaria; e tudo o que Adão chamou a toda a alma vivente, isso foi o seu nome".[4] Santo Agostinho adota um ponto de vista parecido ao explicar como o significado das palavras passa para a geração seguinte: "Quando eles (os mais velhos) citavam o nome de um objeto, e apontavam para alguma coisa, eu via e entendia que a coisa era chamada pelo som que eles pronunciavam quando queriam indicá-la".[5]

Simplesmente atribuir rótulos a objetos específicos não serve para explicar muita coisa sobre o que as palavras significam. Por exemplo, colocar um "rótulo" linguístico num determinado cão, Fido, não é muito informativo. Cão se refere a cães em geral, designa esse animal em particular ou se aplica à raça específica de Fido? Refere-se a toda a classe de animais domésticos ou a mamíferos e mesmo a todos os viventes? Nesse sentido, por que "o cão" se refere a Fido como um todo e não apenas ao seu pelo, flanco, corpo (em vez de pernas e cabeça), tamanho ou tendência a latir?[6]

Há, contudo, outro problema com a ideia simples de que palavras apenas rotulam objetos visíveis ou ações observáveis: muitíssimas palavras em nosso vocabulário têm sentido altamente abstrato, que não pode ser apontado. No caso da frase anterior, por exemplo, observemos o desafio que é explicar o sentido de há, de contudo, de outro, de problema ou de qualquer palavra dessa frase fornecendo-se exemplos rotulados. Essas palavras são significativas em relação a outras palavras — não designam apenas "blocos" de realidade que possamos tocar, ver ou ouvir.

Apesar disso, é difícil resistir à tentação de achar que existe alguma "coisa", ainda que vaga e misteriosa, associada a cada

84 *O jogo da linguagem*

palavra — pelos menos a substantivos e verbos. Afinal, aprendemos na escola que substantivos supostamente se referem a coisas e verbos se referem a ações. E cada palavra não deve ter um significado bem definido que corresponda a algum aspecto do mundo exterior?[7] Ludwig Wittgenstein, criador da noção de "jogos de linguagem" que discutimos no prefácio, alerta contra essas ideias. Pouquíssimas palavras, se é que existe alguma, têm um fio condutor comum, ou uma definição unificadora, que una todas as maneiras de usá-las. Onde está o fio condutor de significado para leve, por exemplo? Na melhor hipótese, há, talvez, algum vínculo metafórico entre cerveja leve e refeição leve; entre ventos leves e comentários leves; e entre exercícios leves e trânsito leve nas ruas.

Mas, tendo em mente a analogia do jogo de mímica, isso é tudo de que precisamos: vagos vínculos metafóricos são mais do que suficientes para nos comunicarmos com eficiência. Na famosa metáfora de Wittgenstein que abre este capítulo, as palavras abrangem um padrão complexo de semelhança de família. Alguns membros da família têm um queixo distinto, outros um determinado físico ou jeito de andar, outros, ainda, um nariz de certo formato, e assim por diante, em várias combinações. Não existe uma essência comum da qual os membros da família sejam pequenas variações. Existem apenas padrões cruzados de similaridades.

Um café da manhã, um almoço, uma ceia e um lanche leves estão estreitamente ligados, claro, por seu modesto valor calórico. Da mesma forma, tanques leves, fragatas leves e infantaria leve estão ligados no que diz respeito à facilidade de manobra, à rapidez de movimento e à ausência de blindagem. A flexibilidade com que deslocamos a linguagem para outros usos

A insustentável leveza do significado 85

também transparece nos nomes dados por falantes do código navajo para termos militares. Por exemplo, *da-he-tih-hi* (a palavra para beija-flor) é usado para denotar um avião caça, enquanto *jay-sho* (a palavra para urubu) se refere a bombardeiro. *Ca-lo* (tubarão) designa destróier, enquanto *lo-tso* (baleia) significa encouraçado. A língua navajo não tem vocabulário para termos militares, mas esses termos podem ser facilmente cooptados do vocabulário existente, graças à capacidade humana de praticar jogos de mímica. A propósito, as palavras em inglês para equipamento militar passaram pelo mesmo processo. A própria ideia de aviões *fighting* [combatendo] é uma extensão metafórica de pessoas combatendo, e um *fighter plane* [caça; literalmente avião de combate] é mais um salto linguístico adiante. É a leveza de sentido, sua metafórica qualidade de transformação, que permite que os significados no nosso estoque de palavras existentes acompanhem o mundo em constante mudança. Nossa capacidade de praticar o jogo de mímica nos permite conceber novas palavras (muitas vezes a partir de componentes antigos) quando há necessidade de um novo vocabulário.

Não costumamos falar em leveza do ser, como Kundera — nem em leveza de significado —, mas podemos atribuir um sentido aproximado a esses usos mais modernos, também. E, como no caso do jogo de mímica, a comunicação precisa apenas ser "boa o bastante" para funcionar no momento. Podemos até adivinhar que o filme é *King Kong* mesmo sem entendermos direito as tentativas de um participante do jogo de mímica de imitar aviões derrubados do topo do Empire State ou seus esforços para repetir os gritos característicos de Fay Wray.[8]

A complexidade e a falta de disciplina do significado até mesmo das palavras mais simples são ao mesmo tempo muito

86   *O jogo da linguagem*

conhecidas e desconcertantes. Afinal, as palavras não têm definições registradas no dicionário, aliás bem sucintas? Quer dizer que não basta consultar o dicionário para aprendermos o significado de uma nova palavra? Examinando melhor, no entanto, a história é bem diferente. O verbete do *Oxford English Dictionary* para o adjetivo *light* [leve] relaciona mais de vinte sentidos da palavra, e por sua vez esses verbetes são, em sua maioria, divididos em sentidos adicionais e mais específicos. Tais sentidos incluem, entre muitos outros:

- "Aplicado a elementos cuja gravidade específica (ou peso atômico) é relativamente baixa; metal leve, metal de baixa gravidade específica, esp. alumínio ou magnésio."
- "Que porta uma carga pequena ou comparativamente pequena. De um navio: que leva uma carga pequena ou (o sentido usual) descarregado, sem carga."
- "Que tem pouco impulso ou força; suave, não violento; que age suavemente; que se move, impele ou manipula algo sem muita pressão ou violência. Diz-se especialmente da mão, do passo, do vento, de um remédio."

Lembremo-nos ainda que *light* não é só adjetivo. Funciona também como substantivo [luz, fósforo, claridade] e como verbo [acender, iluminar], e pode ser transformado em advérbio, *lightly* [levemente, gentilmente, ligeiramente]. A variedade de significados e os vínculos metafóricos cruzados entre eles são notáveis.

O verbete de dicionário não é a destilação de um significado único, essencial e literal de uma palavra, mas sim o compêndio de uma grande variedade de usos, explicados por muitos

A insustentável leveza do significado 87

exemplos ilustrativos. Assim, quando interpretamos uma palavra numa determinada ocasião, precisamos recorrer à parte oculta do iceberg da comunicação: nossa experiência compartilhada dos detalhes da ocasião específica, nosso conhecimento uns dos outros, e nosso conhecimento do mundo e dos infinitos contextos nos quais já deparamos com aquela palavra. Mas não é só isso. Sem acessar as partes ocultas do iceberg da comunicação, seríamos incapazes de dar sentido ao próprio dicionário. Afinal, o dicionário simplesmente nos dá pistas e exemplos úteis, contando conosco para "pegar a ideia". Embora pretendam ser tão explícitos quanto possível, os lexicógrafos são inevitavelmente obrigados a transmitir o significado das palavras usando mímicas linguísticas também. Isso porque é assim que a linguagem funciona. A riqueza e a complexidade da linguagem não são arbitrárias, de forma alguma. Pelo contrário. O significado é produto de uma rede de analogias criativas unindo cores leves, líquidos leves e ceias leves. Os significados até mesmo das palavras mais banais são construídos pela ação contínua de gerações de usuários da linguagem, cada um dotado de uma imaginação notavelmente poética.

Examinamos até agora adjetivos, como leve. Mas os mesmos argumentos se aplicam a palavras de todos os tipos. A citação de Wittgenstein no começo deste capítulo sugere a complexidade do sistema que vincula jogos de todos os tipos. Jogos podem ser competitivos (tênis), mas não precisam ser. Envolvem ou não times (futebol × sinuca), um único jogador (paciência), ou dezenas, centenas ou milhares de pessoas (colossais jogos de múltiplos participantes on-line). Jogos podem ter regras rigorosamente definidas (xadrez e Go), ou podem ser colaborativos e

88 *O jogo da linguagem*

irrestritos (jogos de RPG como Dungeons & Dragons). Podem envolver força física ou destreza verbal, a movimentação de peças num tabuleiro, a construção de uma cidade imaginária, a liderança de um time de futebol ou o comando de uma força militar num mundo virtual. Na verdade, o significado de jogo se estende contínua e imprevisivelmente em novas direções, à medida que novos tipos de atividade lúdica são inventados.

O jeito como o significado das palavras muda criativamente decorre muito mais dos desafios imediatos de comunicação da vida diária que de planejamento cuidadoso dos lexicógrafos. Mas algumas forças de fato conferem certa ordem aos significados. Palavras com significados parecidos tendem a se separar, encontrando seus próprios nichos comunicativos. Pensemos nas sutis distinções entre cheiros, fragrâncias, perfumes e fedores, ou entre sorrisos, risos e risadinhas — a rigor, sinônimos de verdade são notavelmente raros, em inglês e em qualquer outra língua. Exatamente como no caso das espécies biológicas, não há duas palavras que ocupem exatamente o mesmo nicho por muito tempo — se ambas vão sobreviver, têm que desenvolver funções diferentes. Assim, por exemplo, fragrâncias são mais agradáveis e mais sutis do que cheiros, enquanto fedores são exatamente o oposto. Perfumes são mais deliberadamente desenvolvidos, enquanto as fragrâncias não precisam ser. Na mesma linha, risos são sorrisos largos, divertidos, enquanto as risadinhas são insinuantes e talvez não muito sinceras. Para garantir o seu lugar na caixa de ferramentas da comunicação, cada palavra precisa fazer um trabalho comunicativo distinto.

E palavras trabalham juntas em alianças informais. Reparemos como o significado de um sintagma banal como "a frente

A insustentável leveza do significado 89

de" muda conforme o assunto de que estamos falando. "A frente de" uma casa, de um envelope, de uma cabeça, de um corpo, de uma fila, de uma moeda, de um relógio, de uma sala de aula ou de um grupo de corredores — todos esses usos estão apenas frouxa e metaforicamente ligados; mas, uma vez conhecida "a frente de", podemos também adivinhar o que deve ser a parte "de trás", as costas, os fundos, a retaguarda. Da mesma forma, coisas tão diversas como lâmpadas, diamantes, pessoas, trechos de diálogo e trilhas sonoras de filmes podem ser fulgurantes, brilhantes ou simplesmente insípidos; e um livro, um estado de espírito ou um dia de inverno podem ser não apenas leves, mas também pesados. Esses padrões são locais e irregulares. Temos a frente de uma loja e os fundos de uma loja — mas por algum motivo não falamos das costas de uma loja. Podemos tocar na frente, atrás e do lado da nossa cabeça; um pensamento pode estar à frente do seu tempo, ou no fundo da memória, mas não do lado da nossa mente. Assim, essas forças de competição entre as palavras estão continuamente levando os significados de palavras parecidas a um alinhamento parcial, à medida que mudam de um contexto para outro. A linguagem torna-se, portanto, um sistema parcialmente coerente para transmitir o que queremos dizer, e não apenas uma coleção aleatória de palavras. E essas redes parcialmente coerentes de significados se desenvolvem de maneiras diferentes em diferentes línguas: em português, *light blue* é azul-claro e não azul leve, e em espanhol *light jacket* é uma *chaqueta ligera* e não *chaqueta leve* e assim por diante. Esses diferentes sistemas de significados tornam cada língua maravilhosamente única. Isso quer dizer que a tradução jamais pode ser perfeita, e torna incrivelmente difícil para os computadores qualquer coisa além de uma compreensão aproximada da linguagem humana (como veremos mais adiante neste livro).

Os padrões locais de linguagem são muito bem exemplificados pela confusão de diferentes metáforas que usamos para descrever o mundo — muitas vezes recorrendo à linguagem do mundo físico para ajudar a descrever reinos mais abstratos.[9] Isso se dá, por exemplo, quando dizemos em inglês que uma ideia está *in the front* [na frente, no nível consciente] ou *at the back* [no fundo, no nível subconsciente] da nossa mente, a qual é claramente uma entidade nada espacial. Da mesma forma, falamos de pensamentos ou memórias "enterrados" nas nossas profundezas mentais e de vez em quando vindo à "superfície", onde se tornam conscientemente acessíveis; quanto mais enterrado estiver o pensamento, mais difícil será revelá-lo.[10] Podemos imaginar que as ideias, uma vez trazidas para a superfície mental, podem ser empacotadas em linguagem e "enviadas" para outra pessoa (ou "transmitidas" para muitas), onde são desembrulhadas e colocadas na mente do receptor — para talvez serem enterradas depois, ou simplesmente esquecidas, nas "profundezas" mentais dessa pessoa (como vimos no Capítulo 1, essa maneira de pensar sobre como a comunicação funciona é perigosamente equivocada).

Se atentarmos para isso, veremos que a frequência com que usamos a linguagem das coisas físicas e observáveis para falar de ideias abstratas é surpreendente. Pensemos por um minuto em como falamos a respeito de argumentos. Encontramos "furos" na lógica uns dos outros, assim como podemos procurar furos num suéter. Nosso raciocínio pode ter "lacunas" que precisam ser "preenchidas". Um argumento pode ser tênue ou sólido, fraco ou forte. Temos "cadeias" de raciocínio (que

A insustentável leveza do significado 91

podem se "enredar"), ou "passos" num argumento, alguns dos quais podem ser "forçados". Às vezes argumentos conflitantes parecem estar envolvidos num cerco medieval: uma linha de raciocínio pode tentar desgastar, solapar ou minar a outra. Argumentos podem ter alicerces sólidos ou ser inteiramente infundados; nossa causa pode precisar de reforço, ou estar correndo o risco de entrar em colapso total.

Dentro desse emaranhado de formas de falar acerca de mentes, de significados, de argumentos ou de qualquer outra coisa, ainda é uma tentação achar que deve existir uma única maneira "certa": que para cada palavra deve haver um verdadeiro sentido subjacente, uma fonte definitiva de onde deve emanar um delta fluvial de metáforas, que não param de se subdividir. Talvez, pode-se supor, essa essência seja o significado literal de cada palavra. Mas sustentamos que não existe essência subjacente, apenas uma infindável torrente de improvisações comunicativas de momento a momento — uma sequência quase infinitamente variada de jogos de mímica vaga e parcialmente conectados. Como na mímica, a comunicação aqui e agora é o objetivo, lançando mão de quaisquer experiências passadas e quaisquer truques criativos que conseguirmos usar. Nossas maneiras confusas e entrecruzadas de falar e pensar são tudo o que temos. A ideia de que palavras têm significados essenciais que de alguma forma revelem a verdade de como vemos (ou deveríamos ver) o mundo é uma ilusão. Em vez de encapsular um modelo ou imagem de realidade único e coerente, a linguagem invoca continuamente uma profusão de modelos diferentes e quase sempre inconciliáveis.[11] Se podarmos todos os emaranhados e todos os matagais da linguagem em nossa busca pela essência do que as palavras realmente significam, no fim vamos ficar sem nada.

As superficialidades do significado

Crianças na pré-escola aprendem o significado de mais de dez palavras novas por dia, e entendem o significado dessas palavras o suficiente para usá-las numa comunicação fluente. Usam-nas para expressar uma grande quantidade de opiniões sobre o que lhes parece bom ou ruim, certo ou errado, e para gritar prontamente "Não é justo!". Mas como pode uma criança pequena — e qualquer um de nós — saber o que essas palavras de fato significam? Afinal, ao longo de milênios, na visão dos pensadores mais brilhantes essas noções comuns — bondade, a diferença entre certo e errado, a natureza da justiça — facilmente afundam na areia movediça conceptual. Como é possível que crianças pequenas dominem conceitos que filósofos se esforçam para analisar?

A resposta é que os filósofos enfrentam o desafio de oferecer uma teoria geral sobre conceitos "profundos" — conceitos que supostamente funcionam em qualquer caso ou contexto imaginável — para explicar o significado fundamental de noções como bom, justo, causa, mente e assim por diante, mas crianças e adultos precisam apenas entender o significado com clareza suficiente para lidar com o desafio de comunicação específico do momento. Para se comunicar com sucesso, uma exclamação de "Não é justo!" só precisa expressar a indignação que a criança sente quando recebe um pedaço de bolo menor ou tem que esperar na fila. Mas essa comunicação não exige que a criança (ou o infeliz pai) traga na cabeça uma teoria geral de justiça. Na verdade, o "significado" que nos permite lidar bem com as dificuldades e seguir em frente é, quase sempre, inesperadamente superficial.

A insustentável leveza do significado 93

Vejamos, por exemplo, como as crianças usam vivo e morto.[12] Susan Carey, psicóloga do desenvolvimento em Harvard, teve diálogos instrutivos e deliciosos com sua filha Eliza sobre esse assunto. Quando alguém é morto num programa de TV, Eliza (de três anos e cinco meses) explica: "Ele está morto — eu sei disso porque ele não se mexe". Parece promissoramente parecido com a definição dos adultos para morto. Mas então Carey pergunta a Eliza sobre sua ursinha de brinquedo:

E: ... Ela sempre vai estar viva.

S: Ela está viva??

E: Não — está morta. COMO PODE?

S: Está viva ou morta?

E: Morta.

S: Ela estava viva?

E: Não, ela está no meio do caminho entre viva e morta. Ela às vezes se mexe.

Então vem a pergunta surpreendente:

E: Como é que gente morta vai ao banheiro?

S: O quê?

E: Talvez eles tenham banheiros debaixo do chão.

S: Gente morta não precisa ir ao banheiro. Gente morta não faz nada: fica só lá deitada. Não come, não bebe, por isso não precisa ir ao banheiro.

E: Mas eles comeram ou beberam antes de morrer — têm que ir ao banheiro por causa do que fizeram pouco antes de morrer.

94 *O jogo da linguagem*

Eliza certamente não tem um conceito claro e distinto sobre vivo e morto. Sua ursa de brinquedo não está viva; mas o fato é que sua ursa se mexe de vez em quando, portanto deve estar viva, ou talvez esteja num estágio intermediário. E os mortos, ao que parece, ainda continuam exercendo suas funções corporais normais. Noutra ocasião (com três anos e oito meses) ela disse: "As estátuas não estão vivas mas mesmo assim a gente consegue ver elas, não é esquisito?". E comenta que o seu avô não está vivo e ninguém consegue vê-lo.

Eliza, claramente, observa e raciocina bem. Além disso, é uma astuta praticante do jogo de mímica. As pessoas usam muito as palavras "vivo" e "morto", mas o que querem dizer com isso? Bem, aparentemente mortos não se mexem e não podemos vê-los. Mas a ideia de que os termos "vivo" e "morto" só se aplicam a organismos biológicos — tão fundamental do ponto de vista adulto — parece ausente ou talvez secundária para Eliza. O que realmente impressiona é que, na maioria das interações com crianças em idade pré-escolar, não temos a mais vaga ideia de que sua compreensão das palavras difere tão radicalmente da nossa. Assim como ocorre na interpretação de ações e gestos durante o jogo de mímica, as crianças aprendem a entender as palavras o suficiente para dar sentido ao contexto atual, específico, onde as ouvem ser usadas. A pessoa imóvel atingida por uma bala é chamada de morta. Parentes e animais de estimação que deixam de ser vistos também são descritos como mortos. Crianças pequenas podem criar seu próprio jogo de mímica para os adultos que as cercam, usando as mesmas palavras notavelmente bem — na verdade, tão bem que imensas contradições conceptuais (como ursas de brinquedo esta-

A *insustentável leveza do significado* 95

rem ao mesmo tempo vivas e mortas) quase nunca aparecem na conversa de todos os dias.

Mas os mesmos problemas aparecem quando adultos se comunicam. O que significa, exatamente, estar vivo? Tudo que os livros didáticos de biologia conseguem oferecer é uma lista descritiva: entes vivos crescem, se reproduzem, comem e evacuam, regulam sua química e sua temperatura internas, são compostos de uma ou mais células, transmitem seus traços através dos genes, e assim por diante. Mas isso deixa de fora casos complicados como os vírus (não compostos de células, nem capazes de se reproduzir independentemente), os viroides (fitas de RNA circulares que se replicam autonomamente, dentro de uma planta hospedeira), os príons (proteínas infecciosas) e até mesmo os androides do futuro (uma máquina pode ser consciente sem estar viva?). A definição de vida, como a definição de bem, de justiça, de certo e errado, tem sido tema de debates infindáveis e inconclusivos durante milênios. E nossa concepção de vida está repleta de contradições. Não seria a vida depois da morte um tipo de vida? E se fosse, os critérios biológicos deveriam ser jogados fora? Numa suposta vida depois da morte as pessoas não estão realmente mortas, estão? E o que dizer do congelamento criogênico — estar vivo em suspenso será uma forma de vida? Ou de morte? Ou fica situado entre as duas coisas?

Perguntas desse tipo são quase sempre irrelevantes na ampla maioria dos jogos de mímica linguísticos da comunicação diária — os casos mais complicados não costumam aparecer muito na conversa comum. O importante é que podemos lidar bem com as situações que de fato ocorrem na vida diária. Não precisamos de uma definição mental de vida para falar sobre parentes vivos ou animais de estimação mortos, não mais do que precisamos de uma definição biológica de gorila para fazer a mímica de King Kong.

Tanto as crianças em idade pré-escolar quanto os adultos usam palavras como os jogadores usam gestos no jogo de mímica — de formas criativas, contraditórias, suficientes para adivinharem os jogos de linguagem do momento. Ao aprender uma língua, aprendemos a praticar jogos conversacionais criativos com palavras. E praticar esses jogos conversacionais exige que se dê atenção aos prováveis objetivos de comunicação, aos conteúdos do ambiente e a usos linguísticos passados — as partes ocultas do iceberg da comunicação são tão importantes quanto as próprias palavras.

Wittgenstein nos pede para imaginar um jogo simples de linguagem entre um construtor e um ajudante, no qual ordens como "Lajota!" são suficientes para permitir que a construção prossiga com êxito. Talvez haja apenas um objeto vagamente parecido com lajota à vista — portanto "Lajota!" só pode se referir àquilo. Nenhum dos participantes do jogo se preocupa em delimitar exatamente a categoria representada pela palavra "lajota" (inclui ladrilhos, pedaços de concreto, pedaços achatados de pedra?). Ou, por falar nisso, em saber exatamente o que está sendo dito sobre a lajota. Há tantas variantes, tantos matizes possíveis de significado, mesmo para uma única palavra: "Me traz isso!" "Me traz isso já!", "Me dê isso com cuidado!" — ou, num contexto ligeiramente diferente, dizer "Lajota!" pode significar "Cimente-a no lugar!", "Quebre-a em pedaços!" ou "Tire-a daqui!". O que importa é que o ajudante entenda o que deve fazer, levando em conta os objetos à sua volta e a tarefa a ser executada.

A insustentável leveza do significado 97

Para Wittgenstein, a comunicação em situações específicas é o ponto de partida da linguagem — o objetivo é jogar o jogo comunicativo suficientemente bem para os propósitos imediatos. Aprender uma língua *não* envolve engolir um dicionário. Como já vimos, verbetes de dicionário, mesmo para termos científicos como vida, acabam sendo surpreendentemente banais. Eles nos dão sugestões, pistas e exemplos, mas deixam que a nossa imaginação criativa, a nossa experiência e o desafio comunicativo do momento façam o resto.

Dissemos que as crianças em idade pré-escolar aprendem cerca de dez palavras por dia — ou seja, seu vocabulário cresce nessa velocidade espantosa. Mas não quer dizer que elas engulam o significado das palavras, uma depois da outra — na verdade, aprendem aos poucos a fazer uso de um número cada vez maior de "ferramentas" para ajudá-las a conviver com as pessoas à sua volta. Assim, embora dez palavras por dia sejam mais ou menos a velocidade com que o vocabulário de uma criança aumenta, o processo de aprender a usar cada palavra numa conversa é lento e gradual, e não uma espécie de tudo ou nada. E não há um momento em que um sentido totalmente maduro se aloje na cabeça da criança.

A abordagem do jogo de mímica nos ajuda a compreender dados experimentais aparentemente intrigantes. Vejamos a seguinte situação: um menino de dois anos e um pesquisador adulto estão brincando com vários objetos, alguns bem conhecidos da criança, outros nem tanto. O pesquisador se refere a um dos objetos desconhecidos com um nome inventado, que a criança jamais tinha ouvido (por exemplo, *cheem*). A criança espertamente deduz que esse nome muito provavelmente se refere ao novo objeto (porque ela sabe os nomes dos demais objetos). Na interação momentânea, a criança é capaz de passar o *cheem* para o pesquisador quando solicitada, graças a um processo de eliminação. Mas o que a criança aprendeu, exatamente? Numa extremidade desse espectro está a possibilidade de que ela, como uma plateia atenta no jogo de mímica, tenha entendido um sinal no momento da interação concreta — mas a memória da criança é fugaz no que diz respeito a essa dedução. Na outra extremidade, Susan Carey sugeriu, talvez a criança tenha formulado uma hipótese relativa ao significado essencial de *cheem* (ou seja, um significado que supostamente se aplicaria a qualquer contexto), o qual será checado e atualizado quando *cheem* vier a ser mencionado no futuro. Qual dessas possibilidades está certa? Acontece que os dados são inequívocos: as palavras que a criança espertamente interpretou no calor do momento são quase todas esquecidas, mesmo quando ela é submetida a um teste cinco minutos depois. Os jogos de mímica são o ponto de partida da linguagem — mas o significado da mímica do momento quase sempre é rapidamente esquecido (sobretudo por crianças de dois anos).[13]

O significado é efêmero, surgindo no momento da comunicação ("você só pode estar se referindo àquele objeto estranho"). Mas não pode ser acumulado ao longo do tempo. Em infindáveis episódios comunicativos, nossa mente aos poucos ordena os indisciplinados significados que surgem no momento, refinando, modificando e reorganizando o modo como as palavras são usadas. E a metáfora permite que o significado das palavras pule abismos ("frente/ fundos da casa", "fila", "mente") não só na poesia, mas na fala de todos os dias. Ao longo de gerações de falantes, as palavras adquirem novos sentidos, e geram e descartam inúmeros padrões. O resultado

A insustentável leveza do significado

é uma tapeçaria de insights coletivos — uma coleção de séries de convenções superficiais, contraditórias, e imensamente úteis — tecida não em torno de profundas teorias científicas ou filosóficas, mas em torno das coisas que de fato queremos transmitir na rodada diária de conversas.

À beira da arbitrariedade

Nos jogos de mímica, para usar o jargão linguístico, os gestos costumam ser "icônicos": parecem o que representam. Esperamos que uma batida no peito vá trazer à mente dos outros um gorila; tentamos cambalear como um zumbi, imitar a decolagem do Super-Homem ou recriar os braços tipicamente minúsculos do *Tyrannosaurus rex*. Se usamos sons em vez de gestos, tentamos fazer ruídos sibilantes, assobios de pássaro e rugidos para invocar o objeto certo na mente da plateia. E, como vimos no Capítulo 1, somos surpreendentemente bons nessas mímicas vocais.

Se as línguas humanas tiveram origem numa coisa parecida com um jogo de mímica (usando gestos ou sons), então seria de esperar que vestígios dessas ligações icônicas entre símbolos e o mundo ainda existissem. Em muitas línguas de sinais, podemos ver ligações diretas entre gesto e significado. Por exemplo, na Língua de Sinais Americana o sinal para livro é abrir as palmas das mãos de um modo que lembra o gesto de abrir as páginas de um livro; o símbolo para árvore posiciona um braço verticalmente (o tronco) com dedos abertos (galhos) e o outro braço na horizontal (o chão). Da mesma forma, nas línguas faladas temos onomatopeias — o próprio som de palavras como blá-blá-blá, tique-taque, tibum e clique nos faz lembrar das coisas que elas designam. Mas, se a linguagem é tão parecida com jogo de mímica, o "simbolismo sonoro" não deveria ser universal? Parece, no entanto, que o simbolismo sonoro é a exceção e não a regra. Vejamos as palavras para cão em várias línguas: *chien* (francês), *perro* (espanhol), *hund* (dinamarquês), *anjing* (indonésio), *собака* (russo). Nenhuma dessas palavras soa, nem mesmo remotamente, como as outras, ou como um latido ou rosnado. Em suma, nosso enigma é o seguinte: por que cada língua não se refere a cachorro com alguma variante do símbolo sonoro *au-au*?

A arbitrariedade do vínculo entre som e significado tem sido um pressuposto essencial em linguística há mais de um século.[14] Do ponto de vista da linguagem como jogo de mímica, no qual ligações entre som e sentido parecem facilitar a comunicação, como pode surgir essa arbitrariedade? Uma resposta óbvia é o que podemos chamar de "deriva" (análoga à deriva genética em biologia). Como sons e sentidos estão mudando continuamente ao longo do tempo, a probabilidade é que qualquer iconicidade se torne cada vez mais obscura. Sons (ou gestos) se desgastam à medida que vão sendo simplificados e estereotipados com o passar do tempo, assunto a que voltaremos no próximo capítulo. Lembremo-nos do campanário de dedos nos jogos de mímica da família de Nick. Esse gesto representa iconicamente a proa de um navio rompendo as águas; mas, quando ele é reformulado para representar Colombo, as Américas ou expedições em geral, a iconicidade desaparece.

Derivas à parte, há também uma força ativa empurrando em direção à arbitrariedade, como ressaltou nosso amigo e colaborador de longa data Padraic Monaghan, das universidades de

A insustentável leveza do significado

Lancaster e Amsterdam.[15] O insight de Padraic é que uma ligação muito estreita entre som e significado pode, na verdade, dificultar a comunicação (mesmo facilitando o aprendizado de línguas). Para entender por que é assim, suponhamos que cada raça de cão fosse designada pela imitação do seu latido. Mas os latidos de akitas, beagles, collies e dachshunds soam terrivelmente iguais — e são, portanto, difíceis de distinguir. Pistas contextuais (como estarmos numa feira de cachorros ou no parque) podem nos dizer que o falante está se referindo a cães, mas é improvável que nos ajudem a definir a raça. O argumento de Padraic leva essa ideia ainda mais longe. O contexto nos dá pistas sobre o que as pessoas provavelmente querem dizer (akitas, beagles, collies), enquanto os sons/ sinais nos dão pistas sobre a palavra específica que estão usando (foles, moles, collies). Portanto, dado o contexto e alguns sons/ sinais de fala específicos, podemos determinar a palavra exata com grande precisão (nesse caso, collie). Acontece que esse tipo de argumento pode ser generalizado usando-se a matemática da teoria da informação de Shannon de que já tratamos no Capítulo 1. Para que a comunicação funcione otimamente, quaisquer duas fontes de pistas comunicativas (aqui, som e contexto) precisam ser tão independentes quanto possível, a fim de que uma possa ajudar a outra — e isso, por sua vez, significa enfraquecer a conexão entre som e significado. Desse ponto de vista, a relação (bastante) arbitrária entre som e significado é impulsionada pela pressão contínua para nos comunicarmos com eficiência.

Esse insight sobre o que compõe um sistema de comunicação eficiente *não* estava de modo algum presente na cabeça de John Wilkins, clérigo e erudito do século XVII que propôs uma língua na qual as letras mapeassem precisa e sistematicamente os significados (ver Figura 3.1).[16] As plantas, por exemplo, deveriam começar todas com "g"; os animais com "z". A segunda letra se subdivide mais ainda: plantas folhudas começam com "gα," sementes com "ga," pericarpos com "ge," arbustos com "gi" e árvores com "go." As letras subsequentes de uma palavra estreitam ainda mais as categorias. De acordo com o argumento de Padraic, no entanto, na prática essa abordagem provavelmente levará a uma terrível confusão, porque as pistas contextuais (o fato de que falamos de plantas quando estamos no jardim) não ajudam a distinguir nomes de planta sutilmente diferentes. Como Umberto Eco notou, Wilkins inadvertidamente exemplifica essa armadilha ao ilustrar o próprio sistema, escrevendo por equívoco *gade* (cevada) em vez de *gape* (tulipa) como pretendia.[17] Ao fazer letras ou sons corresponderem tão precisamente a sentidos, Wilkins criou uma língua artificial absolutamente imprestável.[18]

O que acontece, portanto, é que uma boa dose de arbitrariedade que encontramos nos vínculos entre signo e significado não é uma imperfeição das línguas naturais, e sim uma força essencial. Apesar disso, se a língua surge do jogo de mímica, em que a semelhança de símbolos com seus significados é a norma, ainda é lícito indagarmos se vestígios de iconicidade podem transparecer, num exame mais atento.

Existem casos individuais em que os sons e os significados das palavras parecem relacionados — algumas famílias de palavras com significados semelhantes ocasionalmente têm sons parecidos. Mas, para saber se existe uma conexão mais sistemática nos vocabulários das línguas do mundo, precisamos adotar uma abordagem "big data". Numa colaboração internacional, Morten e colegas analisaram cuidadosamente uma

A insustentável leveza do significado

General	Ba	Exanguious	Za	Spiritual	Ca			
Rel. mixed	Ba	Fifh	Za	Corporeal	Ca			
Rel. of Action	Be	Bird	Ze	Motion	Ce			
Difcourfe	Bi	Beaft	Zi	Operation	Ci			
God	Da	Peculiar	Pa					
World ·	Da	General	Pa	Oecon.	Co			
Element	De	Magnitude ·	Pe	Poffef.	Cy			
Stone	Di	Space	Pi	Provif.	Sa			
Metal	Do	Meafure	Po	Civil	Sa			
Leaf	Ga	Power Nat.	Ta	Judicial	Se			
Flower	Ga	Habit	Ta	Military	Si			
Seed-veffel	Ge	Manners	Te	Naval	So			
Shrub	Gi	Quality fenfible	Ti	Ecclef.	Sy			
Tree	Go	Difeafe	To					

FIGURA 3.1. Fragmento da estranha língua "filosófica" de Wilkins. A classificação criada por ele tem quarenta categorias mais gerais em que todas as coisas se dividem, incluindo "hábito", "partes peculiares", "eclesiástica", "maneiras", "arbustos" e "movimento".

lista de quarenta a cem palavras de cada língua em quase dois terços de todas as 7 mil línguas do mundo.[19] A análise deles utilizou os mais recentes métodos estatísticos para determinar se certos significados tendem a estar associados a certos sons de fala — mesmo em diferentes partes do mundo, onde quaisquer vínculos entre som e significado não possam ser explicados por uma história comum.

Os resultados mostraram que vínculos entre som e significado persistem, mas que esses vínculos são sutis. Descobriu-se que, mesmo entre línguas não relacionadas, de diferentes continentes, alguns sons são usados com mais frequência para se referirem a certos conceitos e ideias do que seria de esperar que ocorresse por acaso. Por exemplo, se você escolhe aleatoriamente uma língua que inclua o conceito de vermelhidão, é mais provável que a palavra para esse conceito tenha um som de "r" do que o simples acaso explicaria. A análise revelou muitas relações desse tipo — ao todo, 74. Em alguns casos a relação era negativa, significando que determinados sons costumam ser evitados quando transmitem certos significados — por exemplo, os pronomes eu e você tendem a evitar sons de "p", "t" e "s".[20]

De onde vêm esses vínculos entre som e significado? Como as relações abrangem grupos de línguas sem relação entre si, a resposta não pode ser os vínculos históricos entre línguas. Em vez disso, deve haver alguma conexão inerente entre certos tipos de som e certos tipos de significado. Se for esse o caso, então pseudopalavras não são tão sem sentido como supomos — e não só devido à sua semelhança com palavras verdadeiras em qualquer língua que falemos. Uma linha de pesquisa recuando quase um século até o grande psicólogo alemão Wolfgang Köhler mostra que é exatamente esse o caso.[21]

Suponhamos que num jogo de "mímica verbal" nos apresentem uma forma pontiaguda, parecendo uma estrela, e uma coisa arredondada, parecendo um borrão (ver Figura 3.2). Que forma é chamada de *kiki* e que forma é chamada de *bouba*? Se a relação entre sons e sentidos é arbitrária, então qualquer das opções serve ou não serve: os sons não nos dirão coisa alguma sobre qual figura combina com qual palavra. Mas quase todo mundo tem a sensação de que *kiki* deveria denotar a forma pontiaguda e *bouba*, a forma arredondada. No estudo que introduziu essas figuras, conduzido por Edward Hubbard e o célebre cientista da visão V. S. Ramachandran, 95% de falantes da língua inglesa acharam a mesma coisa. Não só isso: o "efeito bouba-kiki" não se limita a falantes

FIGURA 3.2. *Kiki* ou *bouba*? Você decide!

do inglês ou a sociedades industriais. Funciona do mesmo jeito com os seminômades himba do norte da Namíbia, que falam otjihimba, uma língua banta totalmente desconectada do grupo linguístico indo-europeu.[22] Mapeamentos de som e forma semelhantes, porém mais fracos, têm sido vistos até em bebês de quatro meses de idade, que ainda não aprenderam língua alguma.[23]

De onde vêm esses vínculos entre som e forma? Morten e seus colaboradores Arash Aryani e Erin Isbilen se perguntavam se nossos estados emocionais não desempenham um papel nesse caso.[24] Afinal, *bouba* e formas arredondadas parecem de algum modo calmantes — têm o que os psicólogos chamam de baixo "alerta emocional". Já *kiki* e formas pontiagudas parecem comunicar atividade e tensão, ou alto alerta emocional. Na verdade, as pessoas classificavam *kiki* (e palavras parecidas) e formas pontiagudas como mais altas em alerta emocional do que *bouba* e formas arredondadas. A equipe criou então uma série de novas pseudopalavras associadas a diferentes níveis de alerta. Como era de esperar, pseudopalavras de alto alerta estavam associadas a formas pontiagudas e pseudopalavras de baixo alerta, a formas arredondadas. Assim, pelo menos alguns vínculos entre som e significado parecem direcionados por nossas respostas emocionais. Do ponto de vista da linguagem como jogo de mímica, esse é exatamente o tipo de vínculo que seria de esperar. O participante criativo de jogos de mímica pode se utilizar de qualquer terreno comum com a plateia, seja usando semelhança, referindo-se a jogos de mímica anteriores ou explorando nossas respostas emocionais comuns. E as línguas que resultam de gerações de jogos de mímica trarão, portanto, a marca dessas e outras forças que se sobrepuseram para produzir complexos padrões interligados com uma mescla de regularidade e desordem.

A linguagem da razão perfeita

A criatividade imprevisível do jogo de mímica é o que o torna digno de ser jogado. Os melhores jogadores são os mais criativos; um estilo rígido, laborioso e previsível (por exemplo, imitar sílaba por sílaba, sempre usar rima) é penosamente lento e ineficaz. Praticantes astutos do jogo de mímica definem sua estratégia em torno das particularidades da mensagem, da plateia e do momento — a flexibilidade é uma qualidade vital. E o mesmo se aplica às línguas do mundo, que têm sido moldadas por incontáveis gerações de demandas comunicativas diversas e díspares. O fato de podermos falar de "cerveja leve", "exercício leve", "infantaria leve", "insustentável leveza do ser" e, agora, da "leveza do significado" é produto de gerações de criatividade comunicativa humana.

Mas a natureza indisciplinada das línguas humanas tem sido vista como imperfeição, e não como força. Estudiosos há muito imaginam que deve haver (ou talvez tenha havido) uma língua

A insustentável leveza do significado 107

capaz de representar, com transparência, tanto o pensamento como a realidade. O vocabulário da língua perfeita corresponderia a conceitos claros e distintos e representaria nitidamente o mundo, classificando-o. Uma língua perfeita, além disso, poderia oferecer um meio transparente para expressarmos nossos pensamentos, eliminando ambiguidades e mal-entendidos. Se existe uma só forma de conceber o universo, e de raciocinar sobre ele, talvez as línguas do mundo possam ser empurradas, lenta mas inexoravelmente, na direção de um reflexo único e perfeito do pensamento e da realidade. Desse ponto de vista, as línguas do mundo são apenas passos trôpegos rumo a esse ideal. Tal ideia dá aos estudiosos um objetivo arrebatador: ajudar a construir a linguagem perfeita da razão, da matemática e da ciência. Essa linguagem ideal promete trazer a chave para resolver muitos (e talvez até mesmo todos) problemas filosóficos, para criar a inteligência artificial e para compreender a natureza da mente humana.

Esse era o sonho do grande matemático e filósofo alemão do século XVII Gottfried Wilhelm von Leibniz — criador do cálculo (independentemente de sir Isaac Newton, com quem brigou pela questão da precedência). Leibniz imaginou uma *characteristica universalis*: um sistema universal para expressar pensamentos e avaliar argumentos, na esperança de que diferenças de opinião pudessem ser resolvidas por cálculo, assim como diferenças de opinião sobre como dividir uma conta de restaurante podem ser resolvidas seguindo-se as leis da aritmética. Como funcionaria? Leibniz, como Wilkins, imaginou que o conhecimento humano pudesse ser dividido em ideias simples, cada qual com seu próprio número ou símbolo.[25] Achava que seria possível criar uma gramática precisa para combinar ideias simples em unidades complexas, e um conjunto de regras matemáticas para raciocinar com solidez nessa língua perfeita. A ambição de Leibniz para esse projeto era grande. Ele esperava mostrar como representar todo conhecimento e todo raciocínio de uma forma que pudesse resolver definitivamente qualquer discussão. Disputas científicas, morais, jurídicas e teológicas supostamente dariam lugar a análises inequívocas depois de traduzidas para a *characteristica universalis*. Princípios aceitos de cálculo — uma espécie de aritmética do pensamento — seriam aplicados, e dariam uma resposta única para cada questão em pauta. As partes de qualquer disputa ficariam, então, na mesma posição de pessoas com diferentes palpites sobre a resposta para 1982 x 76. Para resolver a disputa, elas declarariam, na famosa frase de Leibniz: "Vamos calcular!".[26]

A realidade foi menos espetacular. Na época da sua morte, o sonho de Leibniz não estava realizado e talvez fosse irrealizável. No entanto, sua visão prenunciou a criação das linguagens artificiais da lógica moderna que, na filosofia do século xx, se tornaram ferramenta fundamental nas tentativas de sistematizar e elucidar a aparente bagunça da nossa linguagem diária. O matemático alemão Gottlob Frege, o polímata britânico Bertrand Russell e o grande filósofo americano Willard Van Orman Quine apresentaram diferentes versões do sonho de que os emaranhados conceptuais da linguagem comum poderiam ser desfeitos usando-se uma linguagem de precisão absoluta. Em inglês, por exemplo, podemos nos meter numa grande enrascada se tentarmos descobrir que tipo de entidade os substantivos *nobody* [ninguém] e *everything* [tudo] seriam, ou indagando sobre o significado de *it* na frase *"it's raining"* [está chovendo] e se é igual ou diferente de *it* em *"it's possible"* [é

A insustentável leveza do significado   109

possível], ou a que se refere exatamente "*a round square*" [um quadrado redondo] na declaração aparentemente verdadeira "*a round square is a contradiction in terms*" [um quadrado redondo é uma contradição em termos]. Esperava-se que traduzindo do inglês para a lógica a confusão e o paradoxo desaparecessem.

Para pôr em prática esse programa, matemáticos e filósofos do século xx criaram e aplicaram linguagens lógicas artificiais e tentaram traduzir nossos pensamentos da bagunça da linguagem natural para uma forma sistematizada, organizada e matematicamente ordenada. Em linguagens lógicas, pode-se atribuir significados precisos às palavras usando-se a matemática da teoria dos conjuntos: nomes se referem a indivíduos ("Fido"), conceitos ("é um cachorro") a conjuntos de indivíduos, relações ("pai de") a conjuntos de duplas de indivíduos. E, o mais impressionante, nas linguagens lógicas o significado de qualquer declaração pode ser construído mecanicamente a partir do significado dos seus elementos e da maneira como são arranjados. Assim, um número infinito de significados possíveis pode ser construído a partir de um número finito de palavras e regras.

Outro grande atrativo das linguagens lógicas artificiais em comparação com a linguagem natural era o fato de elas oferecerem a possibilidade de descrever nitidamente sentido a partir do que não tem sentido. Os místicos podem falar na "unidade de todas as coisas". Os padres católicos podem falar em transubstanciação (a suposta identidade literal do corpo e do sangue de Cristo com a hóstia e o vinho da Eucaristia). Filósofos alemães podem postular uma "vontade de poder",[27] um incognoscível mundo "numênico" fora do alcance dos sentidos,[28] ou a etérea "fenomenologia do espírito".[29]

Mas será que essas declarações podem ser convertidas numa forma precisa e passível de ser testada? Poderiam, em particular, ser traduzidas para o contexto exigente de uma linguagem lógica? Muitos filósofos desconfiam que não. E desconfiam, também, que quaisquer declarações que possam ser traduzidas em lógica deveriam ser descartadas como imprestáveis. Em seu período inicial, até mesmo Wittgenstein teria feito uma afirmação célebre: "O que se pode dizer, pode ser dito com clareza; e sobre aquilo que não se pode falar deve-se calar".[30] Esse austero ponto de vista coloca uma linguagem lógica sistematizada no centro do universo intelectual, especificando os contornos e os limites do que pode ser dito e pensado. Desse ponto de vista, se a linguagem humana é constituída de jogos de mímica improvisados, pior para a linguagem humana.

Depois da Segunda Guerra Mundial e da invenção do computador digital, os estudiosos começaram a ver a ligação entre línguas naturais e artificiais sob uma nova luz. Além de tentar simplificar, aguçar e no geral arrumar a bagunça das línguas naturais, começaram a usar ideias da lógica matemática como um conjunto de ferramentas para analisar (em vez de simplesmente eliminar) a complexidade das línguas humanas reais. Na verdade, o desenvolvimento da nova disciplina de inteligência artificial, que tinha como objetivo construir modelos computacionais de inteligência, deu um passo ainda mais ousado: afirmar que a própria lógica tem que ser a base da linguagem de pensamento sobre a qual nossa razão opera.[31] Compreender ou falar uma língua deve envolver a representação da aparente desordem de cada uma das milhares de línguas humanas numa só língua lógica de alguma forma implantada na mente humana. Assim sendo, como escreve o filósofo Steven Pinker: "As pessoas não pensam em inglês, chinês ou apache; pensam numa linguagem do pensamento".[32] E essa linguagem do pensamento foi imaginada não para ter os caprichos e as peculiaridades das línguas reais, mas para ser uma linguagem precisa, lógica, projetada para facilitar ao máximo o raciocínio.

Os métodos lógicos para compreender significados nas línguas humanas empregadas no dia a dia foram desenvolvidos de muitas maneiras, tornando-se amplamente usados em muitas áreas da filosofia, da linguística e da ciência cognitiva. Um dos mais importantes foi a obra do brilhante matemático e filósofo Richard Montague. Nos anos 1960, Montague tentou criar regras matematicamente precisas para representar frases de línguas naturais (especificamente o inglês), peça por peça, em frases lógicas que capturassem seu significado. O objetivo final era encontrar um método para representar frases da vida cotidiana em suas formas lógicas de uma maneira totalmente automática, que pudesse, em princípio, ser realizada por um computador. De posse das formas lógicas, podemos então aplicar a lógica para descobrir o que pode e o que não pode ser deduzido de cada frase, usando regras também programáveis num computador. Se esse projeto fosse viável em toda a variedade de frases das línguas naturais, estaríamos bem perto de escrever um programa de computador capaz de entender a linguagem humana — um dos santos graais da inteligência artificial. A obra de Montague tornou-se imensamente influente, fundando uma subdivisão inteira da linguística conhecida como "semântica formal", que oferece um poderoso conjunto de ferramentas para ajudar filósofos e linguistas a analisar e descrever fragmentos de línguas reais.[33]

Apesar de ser uma proeza intelectual notável, o programa de semântica formal é, na melhor hipótese, uma moldura estreita para analisar aspectos restritos do significado das línguas humanas. O objetivo de criar uma só moldura lógica (talvez correspondendo à linguagem do pensamento de Pinker, citada acima) para a qual toda uma língua (na verdade, todas as línguas) pudesse ser traduzida não é mais viável do que a língua filosófica de John Wilkins, ou a *characteristica universalis* de Leibniz. A exemplo das nossas ações de pantomina no jogo de mímica, as palavras não têm significados estáveis; são ferramentas usadas no momento. Tanto para crianças como para adultos, a instabilidade da linguagem, tal como refletida na onipresença de analogias e metáforas, acaba sendo sua essência, e não uma anomalia curiosa. Não é só o fato de que, como no jogo de mímica, o significado na linguagem é fundamentalmente público e social por natureza — como as ideias de valor monetário, propriedade ou ser casado. Isso, por sua vez, implica que a própria ideia que tanto fascinou os primeiros pesquisadores de inteligência artificial — de que uma linguagem lógica perfeita pode capturar sentidos que residem numa mente individual — é irremediavelmente incoerente.

Na verdade, à medida que o século xx avançava e mesmo antes de o programa de Montague começar, a própria ideia de uma linguagem lógica que pudesse estar por trás do sentido da linguagem humana aos poucos começou a perder credibilidade.[34] Em filosofia, foi Wittgenstein, inicialmente o arquiexpoente desse ponto de vista, que veio a ser seu destruidor: seus conceitos de jogos de linguagem e das vastas semelhanças de família (em vez de essências comuns) subjacentes ao sentido das palavras destruíram a ideia de que o significado possa ser destilado, pu-

A insustentável leveza do significado   113

rificado e engarrafado usando-se as ferramentas da lógica matemática. "Que o uso das palavras te ensine o significado delas", observou ele — e os usos de palavras, como vimos (pensemos em leve e seus múltiplos significados), acabam sendo quase ilimitados.[35] E, conforme os alicerces filosóficos da abordagem do significado com base na lógica se dissolviam, dissolvia-se com eles o ideal da linguagem universal do pensamento baseada na lógica, tão essencial para muitas teorias em linguística, ciência cognitiva e inteligência artificial em seus primórdios.[36]

Obviamente é verdade que as línguas artificiais, da lógica às linguagens de programação, são inovações imensamente importantes. Na verdade, têm sido fundamentais para a ciência da computação e para as revoluções econômicas e sociais que os computadores ajudaram a criar. Mas equiparar essas "línguas" às línguas humanas é se deixar enganar pela força das nossas próprias metáforas. Imaginar que o significado das mímicas linguísticas humanas possa ser traduzido para um sistema matemático preciso é um equívoco fundamental. A flexibilidade, a natureza lúdica e a imprevisibilidade da linguagem não são fraquezas a serem eliminadas com a aplicação das austeras ferramentas da lógica formal. Elas são a própria essência do funcionamento da linguagem. É a leveza de sentido que nos permite manejar a linguagem com tanta destreza — para lidar com desafios comunicativos sempre novos num mundo em constante mutação. A linguagem humana é, em primeiro lugar, poesia, e só depois é prosa.

Mas, seja ou não poesia, a linguagem é ordenada numa grande diversidade de formas, dos padrões sonoros que constituem as palavras aos padrões de acentuação e entonação que moldam nossa fala e às regularidades gramaticais que governam a harmonização das palavras. Se cada jogo de mímica linguístico se concentra puramente em transmitir uma mensagem no momento, de onde vêm os ricos e complexos padrões de palavras, orações e frases inteiras? A resposta é que a ordem surge pouco a pouco, à medida que novos padrões emergem, criam raízes e são empurrados na direção de um alinhamento (parcial) através do uso e reuso contínuos, por muitos falantes, em sucessivas gerações. Como veremos no próximo capítulo, é apenas gradualmente que uma ordem linguística surge do caos da comunicação.

4. Ordem linguística à beira do caos

> *Words strain,*
> *Crack and sometimes break, under the burden,*
> *Under the tension, slip, slide, perish,*
> *Decay with imprecision, will not stay in place,*
> *Will not stay still.**
>
> T. S. Eliot, "Burnt Norton" (1935)

O CÉLEBRE RADIALISTA BRITÂNICO John Humphrys está preocupado. Esbraveja contra o que chama de "obesidade linguística", que lhe parece "a consequência de nos alimentarmos de palavras desnecessárias. A tautologia equivale a comer batata frita com arroz. Falamos de planos futuros e de história passada; de sobreviventes vivos e de refúgios seguros". Humphrys vê o declínio da língua inglesa como inexorável: "No fim, sem dúvida, vamos nos comunicar com uma série de grunhidos".[1] Sempre houve certo pânico em relação aos efeitos especialmente deletérios de textos, emojis e tuítes. Será que a compressão excessiva está desfigurando nossa língua, minando potencialmente os poderes de expressão de novas gerações de

---

* Em tradução livre: "As palavras esticam/ Racham e às vezes quebram sob o fardo/ Sob a tensão, deslizam, escorregam, perecem/ Apodrecem de imprecisão, não ficam no lugar/ Não ficam paradas". (N. T.)

seus usuários? Humphrys escreve, em tom talvez um pouco zombeteiro, mas com paixão genuína, sobre "a marcha implacável de *texters*, os vândalos do sms que fazem com a nossa língua o que Gengis Khan fez com seus vizinhos oitocentos anos atrás".[2] De vez em quando, há um medo mais sinistro, famosamente citado num discurso do ex-ministro de Estado Norman Tebbit, de que "se permitirmos que o nível despenque para um estágio em que o bom inglês não é melhor do que o mau inglês", isso "levará as pessoas a não seguirem norma nenhuma, e quando não há normas não existe imperativo para não se cometerem crimes".[3] Uma ladeira escorregadia, sem dúvida! Felizmente, dispomos da Queen's English Society, que se apresenta como "guardiã do bom inglês [...] que luta para impedir qualquer declínio nas normas do seu uso".[4] Apesar disso, há um clima de medo.

Curiosamente, porém, o medo de que a língua entre em colapso parece ser uma preocupação perene. O prefácio do célebre *Dicionário da língua inglesa*, de 1755, de autoria de Samuel Johnson, adverte: "As línguas, como os governos, têm uma tendência natural a degenerar". Jonathan Swift, escritor irlandês do século xvii, lamentava que

> nossa língua [inglesa] seja extremamente imperfeita; que seu aprimoramento diário de forma alguma seja proporcional à sua degradação diária, que os que pretendem poli-la e refiná-la têm principalmente multiplicado os abusos e os absurdos, e que em muitos casos ela ofenda todas as regras da gramática.

Podemos recuar ainda mais na história. O linguista Jean Aitchison observa que um monge do século xiv se queixava

Ordem linguística à beira do caos 117

de que o inglês praticava estranhos *"wlaffyng, chytering, harryng, and garryng grisbittyng"* (gagueiras, tagarelices, rosnados e ranger de dentes).[5]

E o medo da decadência linguística não se limita ao inglês. Desde 1635, a Académie Française tem batalhado para manter a pureza da língua francesa, impedindo a entrada sub-reptícia de palavras "de empréstimo" do inglês (*le weekend, le sandwich, le hashtag*) e de outras línguas, e mantendo normas gramaticais rígidas. De forma muito parecida, o Instituto da Língua Islandesa vem tentando, desde 1985, preservar e estender o islandês para que o idioma possa lidar com o mundo moderno — de modo que um computador, *tölva*, é uma "bruxa de números", a partir de *tala* (número) e *völva* (bruxa). Além disso, livros de gramática e dicionários em todas as línguas parecem estabelecer a lei linguística para crianças em idade escolar, escritores e falantes em geral. Esse sombrio quadro de declínio inexorável vê a perfeição linguística sepultada profundamente no passado, uma perfeição continuamente desvirtuada e solapada pelos estragos do tempo e pelos descuidos da fala.

Algumas dessas preocupações dizem respeito a embotamento e obscurecimento de sentido, como quando as palavras são vaga ou "incorretamente" usadas. Mas a preocupação mais profunda, e nosso tema central neste capítulo, é que a própria gramática da língua esteja mudando. Não se trata apenas de uma preocupação sobre a chamada gramática normativa — as regras bastante seletivas que aprendemos na escola (por exemplo que o verbo haver com sentido de existir é impessoal e não flexiona). Para os linguistas, a gramática é muito mais fundamental. É a coleção de padrões que ditam nossa maneira de juntar as palavras — que nos permitem dizer, em inglês,

Ella sings jazz mas não *sings Ella jazz*. Da mesma forma, está certo dizer *I like jazz*, *I dislike jazz* e *I like to play jazz*, mas seria esquisito dizer *I dislike to play jazz*. As pessoas preocupadas com a decadência linguística não estão preocupadas apenas com detalhes de estilo (embora muitas vezes vejam o estilo como algo que pode parecer sem importância agora mas que virá a ter grandes consequências); temem que o desleixo no uso da linguagem esteja nos empurrando para a anarquia linguística.

Mas como pode ter surgido a complexidade da linguagem humana, com suas camadas de padrões de sons, palavras e significados? Aprender uma nova língua torna o altíssimo grau dessa complexidade por demais evidente — quem estuda uma segunda língua luta para aprender a pronúncia, a sílaba tônica, os verbos e seus muitos tempos, as regras sobre a ordem das palavras e assim por diante. É difícil não se perguntar: de onde vêm esses infinitos padrões? E precisavam ser tão terrivelmente complicados?

Ordem espontânea

Ninguém planejou as línguas. As complexidades na ordem da linguagem surgem do caos de incontáveis jogos de mímica linguísticos. Em cada jogo, a única preocupação dos falantes era serem entendidos por determinada pessoa numa ocasião específica. No entanto, ao longo de gerações de uso, padrões linguísticos incrivelmente ricos e sutis aos poucos apareceram. As línguas exibem emaranhados desconcertantes em suas categorias sintáticas de tempo, aspecto, caso e ordem das palavras. Elas têm estranhos e variados repertórios de sons de fala a par-

Ordem linguística à beira do caos 119

tir dos quais as palavras são formadas. E cada língua contém vastos estoques de palavras para descrever todo o conjunto dos mundos físico, biológico, moral e espiritual. Essa complexidade, e muito mais, surge do poder cumulativo da ordem espontânea, não planejada. Num sentido muito real, a invenção humana mais importante é uma acumulação de acidentes.

Como isso é possível? Nas mímicas linguísticas, o tempo é essencial: cada nova mensagem é seguida urgentemente por outra. A pressa em improvisar aqui e agora nos obriga a reutilizar e recombinar mensagens anteriores. Novas formas linguísticas são moldadas a partir das antigas; interações específicas de formas linguísticas geram padrões parciais que com o tempo se tornam cada vez mais ricos e mais sutis. Todavia essa mudança contínua de linguagem não é uma trajetória negativa de inevitável declínio linguístico; pelo contrário, é sinal de uma língua "viva" que se adapta o tempo todo a fim de tornar mais fácil para seus usuários expressarem o que têm em mente.

Insights sobre o surgimento da ordem linguística a partir das interações desordenadas de todos os dias nos vêm de uma fonte inesperada: um *think tank* privado de especialistas em física aninhado ao pé dos montes Sangre de Cristo no Novo México. O Instituto Santa Fé (SFI na sigla em inglês) é o centro mundial das ciências da complexidade: um estimulante ambiente intelectual onde podemos nos deparar com o prêmio Nobel Murray Gell-Mann conversando com o prêmio Pulitzer Cormac McCarthy. No SFI e em outros lugares, teorias da complexidade mostram que interações "locais" entre elementos de um sistema podem levar a inesperados padrões "globais" em todo o sistema. Exemplos ocorrem no mundo natural. Regras simples que governam a contração de pedaços vizinhos de lava derretida em processo de esfriamento criaram as mais de 40 mil colunas hexagonais de basalto da Calçada dos Gigantes. Simples moléculas se juntam espontaneamente para formar proteínas complexas dentro de cada célula viva. Cupins individuais criam e seguem trilhas de feromônio, levando em última análise à organização espontânea de imensas colônias.

Morten passou nove meses no SFI, de agosto de 2006 a maio de 2007, quando Nick apareceu para uma visita de uma semana, na primavera. Era um ambiente inspirador, onde qualquer coisa parecia possível, e todas as perguntas eram aceitáveis. O SFI dedica-se a investigar como processos simples geram padrões complexos e como a complexidade se desenvolve e cria complexidades ainda maiores. Pesquisadores de física, antropologia, economia e psicologia examinam perguntas que vão das precondições para a origem da vida aos motivos que levam algumas religiões a progredirem enquanto outras desaparecem. A linguagem — especialmente suas origens, sua diversidade e seus padrões de mudança — é um assunto que frequentemente vem à tona.

Assim como os especialistas em ciências naturais ficam fascinados com o surgimento da complexidade nos mundos físico, químico e biológico, os cientistas sociais têm descoberto princípios semelhantes de ordem espontânea que levam ao surgimento de regras, normas, sistemas jurídicos e sociedades inteiras. Afinal, assim como ninguém planejou as línguas, nenhum planejador central inteligente projetou as infinitas regras e estruturas que governam a vida coletiva. Claro, podemos e devemos debater ativamente as regras e instituições que regem nossa vida. Aos poucos reformulamos atitudes e comportamentos com relação a gênero, raça, classe, respeito e muito

Ordem linguística à beira do caos

mais. Mudamos as leis e reestruturamos interminavelmente as instituições pelas quais as leis são feitas e asseguradas. E, embora a economia esteja repleta de indivíduos e negócios que planejam incessantemente, seus planos são limitados e basicamente dizem respeito a vantagens imediatas (produzir uma quantidade maior das coisas mais vendidas, subindo ou baixando preços de acordo com a demanda).[6] No entanto, do caos dessas ações individuais surge uma ordem econômica imensamente complexa, com uma vasta rede de fabricantes, banqueiros, advogados, comerciantes, lojistas, varejistas on-line e, na outra ponta, consumidores, cujas atividades e interações excedem, em muito, o entendimento de qualquer de nós. Somos mais parecidos com cupins do que gostaríamos de admitir, vivendo alheios às complexidades da nossa sociedade. A rigor, como as ações dos cupins, nossos pensamentos, nossas reações e nossas escolhas individuais do momento são, cada qual, apenas uma parte minúscula da vasta dança que é nossa criação coletiva, embora em grande medida a gente nem se dê conta disso.

Esse ponto de vista, apesar de ser natural no SFI e dentro da ampla rede de ciências da complexidade em todo o planeta, parece estranhamente em desacordo com grande parte do pensamento sobre a natureza da linguagem. Segundo uma abordagem influente (à qual voltaremos adiante), a complexidade de linguagem não é explicada em termos mais simples. Em vez disso, a complexidade de uma determinada língua, como o finlandês, é explicada nos termos de uma coisa igualmente complicada, a chamada gramática universal, que supostamente captura nas línguas humanas todos os padrões interessantes do ponto de vista linguístico. Nessa visão de "planejamento central" da ordem linguística, o código genético dirige a construção de um "órgão de linguagem", que de alguma forma incorpora padrões gramaticais de linguagem supostamente universais.

O foco na organização espontânea sugere um ponto de vista bem diferente, que decorre naturalmente da visão da linguagem como jogo de mímica. Em primeiro lugar, a ordem espontânea surge da ação recíproca de interações momentâneas e das restrições mútuas dessas interações. Em segundo lugar, algum mecanismo permite que a ordem espontânea se propague, e, mais importante, se acumule. As línguas, como os cupinzeiros, as normas sociais e os sistemas econômicos, não surgem já formadas, num instante. A complexidade é produto da história.

Em busca da primeira língua

Desde o início dos tempos, as pessoas se indagam por que nós humanos, ao que tudo indica um caso único no reino animal, temos linguagem.[7] Quase sempre, o dom da palavra é tido, literalmente, como um dom, concedido por misteriosas potências espirituais ou divinas. Na mitologia nórdica, a aptidão de falar e ouvir, juntamente com a vida e a inteligência, foi dada aos dois primeiros seres humanos, Ask (homem) e Embla (mulher). De acordo com os habitantes indígenas das ilhas Andaman, na baía de Bengala, entre a Índia e Mianmar, a língua foi dada a seu antepassado e a sua antepassada pelo deus Puluga. O povo okanagan, cujo território se estende dos dois lados da fronteira canadense-americana, entre o estado de Washington e a Colúmbia Britânica, fala de um ancestral,

Ordem linguística à beira do caos 123

Coyote, que assentou as pessoas em diferentes lugares e deu a cada grupo uma língua diferente. Os aborígenes australianos falam de "Sonhadores", espíritos ancestrais que viajavam por toda a terra criando vida, como quando Emu, Corella (uma cacatua branca) e Jurntakal (uma cobra gigante) confiaram as línguas ngarinman, bilinara e malngin a três diferentes grupos que viviam no distrito do rio Vitória, no Território do Norte. E, no Oriente Médio, a tradição abraâmica atribui a origem da linguagem a Adão, que pacientemente deu nome a todos os entes vivos, como mencionado no capítulo anterior. Como a linguagem é parte da nossa natureza, essencial para a nossa interação uns com os outros, e para os intricados mecanismos da sociedade, variações dessas histórias de origens brotam reiteradamente em todos os cantos do mundo, ressaltando o quanto nossas habilidades linguísticas são indispensáveis para o nosso jeito de pensarmos em nós mesmos: *falar é ser humano*.

Não surpreende que estudiosos e pensadores religiosos também sejam obcecados pelo problema da origem da linguagem. O século XVI viu surgirem os primeiros glotólogos, especialistas no estudo da origem da linguagem.[8] Seu objetivo era descobrir a língua original de Adão, falada por todos antes da *confusio linguarum*, a confusão de línguas que, de acordo com a Bíblia, a humanidade provocou ao construir a Torre de Babel numa tentativa de alcançar os céus. Encontrando a língua original, os eruditos descobririam de onde vem a ordem na linguagem — o motivo pelo qual a linguagem é governada por complexos padrões gramaticais, em vez de ser um embaralhado caótico de sons e palavras. E que fonte dessa primeira e perfeita língua poderia ser mais natural do que a intervenção divina?

Em vista disso, não é de surpreender que a primeira aposta fosse no hebraico como a língua adâmica original. O hebraico, afinal de contas, era a língua do Antigo Testamento e, portanto, supostamente a "única língua e o único modo de falar" do Gênesis. Em 1493, o rei Jaime IV da Escócia teria ordenado a uma mulher surda e muda que criasse dois filhos em total isolamento linguístico na ilha de Inchkeith, poucos quilômetros ao norte de Edimburgo. Consta que as crianças espontaneamente começaram a falar bom hebraico. Essa conclusão implausível foi respaldada também por eruditos europeus que estudavam as fontes da variedade cada vez maior de línguas com que deparavam. Por exemplo, o erudito francês Guillaume Postel, do século XVI, enquanto trabalhava como intérprete do serviço diplomático nacional viajou pelo Império Otomano e pela Europa Central, onde reuniu textos esotéricos numa variedade de escritas e línguas, e ampliou seu vasto conhecimento de línguas europeias contemporâneas, clássicas e semíticas. Em 1538, publicou *De originibus seu de hebraicae linguae et gentis antiquitate* (Das origens ou antiguidade da língua e do povo hebraicos), obra na qual afirma ter descoberto padrões ocultos subjacentes a línguas tão diversas como caldeu, hindi, árabe e grego, sugerindo que todas elas, de fato, descendiam do hebraico. No mesmo ano, seu *Linguarum duodecim characteribus differentium alphabetum* (Caracteres alfabéticos de doze línguas diferentes) defendeu a primazia do alfabeto hebraico com base numa comparação de doze escritas.

Mas novas ideias proliferaram com o avanço do conhecimento a respeito de outras civilizações antigas e de suas línguas, nos séculos XVII e XVIII. Em 1669 o arquiteto britânico John Webb sugeriu que a Arca de Noé tinha baixado à terra

Ordem linguística à beira do caos

na China depois do Dilúvio. Isso, na opinião de Webb, fazia do chinês a provável língua original, porque o povo da China não se envolveu no fiasco da Torre de Babel e, portanto, não foi castigado com a *confusio*. Um século depois, o filólogo francês Antoine Court de Gébelin sugeriu que o celta era a verdadeira língua adâmica, pelo fato de ser a língua original de toda a Europa. E enquanto os Estados-nação, velhos e novos, disputavam poder e posição no cenário europeu, o nacionalismo crescente contaminava o pensamento glotológico. Logo muitas línguas europeias seriam elevadas à categoria de herdeiras legítimas da língua original de Adão, entre elas o holandês, o alemão, o castelhano, o toscano e o sueco. Essa concessão ao orgulho nacional na pesquisa erudita atraiu certa dose de zombaria. Respondendo à afirmação de que o sueco era a língua original, feita pelo sueco Olof Rudbeck, o Velho, num tratado de 1675, seu compatriota Andreas Kempe escreveu uma paródia ambientada no Éden, com Deus falando com Adão em sueco e Adão respondendo em dinamarquês, o que resultou na serpente aliciando Eva em francês.

No século XIX, a ênfase na Bíblia começou a perder força. Pensadores pós-iluministas já viam a língua como criação humana e não divina. No entanto, a busca da língua adâmica, apesar de condenada, abriu caminho para o que hoje é conhecido como "linguística comparativa", o estudo das semelhanças e diferenças entre as línguas e de suas origens históricas. A tentativa de reconstruir vínculos históricos entre as línguas assumiu papel central na pesquisa, chegando ao auge na Alemanha do século XIX. Na primeira parte daquele século, Friedrich Schlegel e Franz Bopp começaram a perceber vínculos entre o sânscrito, o grego, o latim, o persa e o alemão, lançando dessa maneira as fundações do que hoje se conhece como a família linguística indo-europeia. Mas foi o filólogo dinamarquês Rasmus Rask que deu sólida base científica a essas observações.[9] Rask era um personagem inusitado, que já se destacava dos outros alunos na adolescência, na escola de latim. Um colega dessa época diria mais tarde que "sua baixa estatura, seus olhos vivos, a facilidade com que se movia e pulava por cima de mesas e bancos, a incomum extensão dos seus conhecimentos, e até mesmo suas pitorescas roupas de camponês, atraíam a atenção dos colegas". Rask tinha um apetite voraz por línguas, e acabou aprendendo 25 idiomas e dialetos e desenvolvendo um conhecimento básico de talvez outros 25.

Rask usou seu fabuloso conhecimento linguístico para revelar como os sons de consoantes mudam com as línguas e com o tempo, não apenas estabelecendo a relação entre o nórdico antigo e as línguas germânicas, mas esclarecendo também que as línguas bálticas e eslavas são aparentadas com o latim e o grego clássicos. Por exemplo, nas línguas germânicas o som de "p" mudava para "f". Assim, a palavra para "pé" era, em grego antigo, πούς, ποδός (poús, podós); em latim, *pēs, pedis*; em sânscrito, *pāda*; em lituano, *pėda*, em letão, *pēda*; mas em frísico ocidental, *foet*; em alemão, *Fuß*; em gótico, *fōtus*; em islandês, *fótur*; em dinamarquês, *fod*; em norueguês e sueco, *fot*; em inglês *foot*. Esses e outros padrões foram codificados poucos anos depois no que veio a ser conhecido como Lei de Grimm, proposta por Jacob, o mais velho dos irmãos Grimm, os colecionadores de contos de fadas. Infelizmente para Rask, que só publicou em dinamarquês (à exceção de *Uma gramática da língua dinamarquesa para uso de ingleses*), boa parte do crédito pela sua obra pioneira sobre mudança de som acabou ficando com Grimm, e não com ele.

Ordem linguística à beira do caos
127

O estudo cuidadoso das línguas mostra que elas estão em constante mudança desde sempre — e que o resultado do amálgama de mudanças graduais não é de forma alguma uma história de declínio contínuo. Por exemplo, o nórdico antigo metamorfoseou-se no dinamarquês, no sueco, no norueguês, no islandês e no feroês modernos mediante inúmeros passos minúsculos. Seria estranho ver essas línguas simplesmente como versões decadentes do nórdico antigo, em processo de completa degeneração. Recordando a sensação constante de declínio contínuo ao longo da história da língua inglesa, dá para imaginar as objeções veementes surgidas a cada fase da transição linguística, e o pressentimento angustiante de que a língua estava "indo para o brejo". Mas os escandinavos de hoje são capazes de se comunicar perfeitamente bem! Por razões desse tipo, linguistas acadêmicos (e não esses que assumem o papel de guardiões da língua) tendem a ver os temores modernos de alarmante decadência linguística com considerável ceticismo. O principal insight que a história das línguas nos revela é que a dissolução das normas existentes é sempre acompanhada pela criação simultânea de novas normas. A linguagem passa por um processo contínuo, não de declínio, mas de metamorfose.

Mas os insights sobre como as línguas se transformam ao longo dos séculos não parecem responder à questão mais fundamental de como a linguagem surgiu.[10] Em meados dos anos 1800 muitas propostas fantasiosas vieram à luz, incluindo a teoria onomatopaica, sugerindo que a linguagem começou com seres humanos imitando sons naturais do seu ambiente, do latido de um cão para significar cão ao barulho de um rio para sinalizar água. Ao mesmo tempo, a teoria interjecional propôs que os sons instintivos emitidos pelos humanos ao expressar emoções intensas, como dor, medo, surpresa, prazer e alegria, eram a fonte original das nossas habilidades linguísticas. Outra ideia, expressa na teoria da ressonância universal, era a de que existe uma harmonia onipresente (ou ressonância) entre as propriedades das coisas no mundo e os sons humanos usados para designá-las, tal como exemplificado na tendência a usar as vogais produzidas na parte dianteira da boca para descrever coisas pequenas, como *teeny-weeny* [pequenininho], e vogais articuladas na parte de trás da boca para descrever grandes objetos, como *homongous* [colossal]. Mas outra abordagem, a teoria do ritmo comunal, via as palavras como produtos derivados de grunhidos, gemidos e cantos que as pessoas emitem quando executam juntas um trabalho físico pesado, como o *Heave-ho* berrado por marinheiros puxando a corda para içar uma vela. Cada uma dessas teorias, supostamente incompatíveis, era defendida ferozmente pelos proponentes e ridicularizada pelos detratores. A zombaria persiste nos epítetos nada lisonjeiros até hoje colados a elas. A teoria onomatopaica era chamada de "teoria bow-wow" [au-au]; a interjecional, de "teoria pooh-pooh" [besteirol]; a teoria da ressonância universal, de "teoria ding-dong"; e a teoria do ritmo comunal era dita "teoria yo-he-yo".

Embora essas teorias tenham sido praticamente descartadas como especulações infundadas de um tempo que já passou, cada uma deve conter pelo menos um grão de verdade. No Capítulo 1, vimos que as mímicas vocais usando sons que não são de fala podem, na verdade, funcionar inesperadamente bem, como seria de esperar da teoria onomatopaica ("bow-wow"). Da mesma forma, estados emocionais de fato

Ordem linguística à beira do caos

estão ligados ao som das palavras, como refletido no experimento "bouba-kiki" mencionado no Capítulo 3, que é consistente com a teoria interjecional ("pooh-pooh"). Os padrões universais de associação entre som e significado (também discutidos no Capítulo 3), como nomes para conceitos de "vermelho" que tendem a incluir sons de "r", são compatíveis com a teoria da ressonância universal ("ding-dong"). E a ênfase da teoria do ritmo comunal ("yo-he-yo") nos sons emitidos pelas pessoas para coordenar esforços quando executam tarefas pesadas parece compatível com a natureza colaborativa da nossa abordagem da linguagem como jogo de mímica. O que, em última análise, arruinou essas primeiras especulações glotológicas foi o fato de todas elas assumirem a tarefa impossível de defender uma origem única para todos os aspectos da linguagem. Max Müller, filólogo e professor de Oxford do século XIX, fez o seguinte comentário, depois de um flerte inicial com a teoria da ressonância universal: "Minha única dúvida é se devemos nos limitar a essa explicação, e se um rio tão grande, tão largo e tão fundo como a linguagem não terá mais de uma fonte".[11]

Os debates glotológicos ficaram mais acirrados e cada vez mais especulativos com o passar do tempo. Sem nenhuma prova empírica à vista para respaldar qualquer das teorias rivais, o principal órgão acadêmico de estudo da linguagem, a Société de Linguistique de Paris, decidiu, a partir de 1866, proibir qualquer discussão sobre a origem e a evolução da linguagem, o que também pôs um ponto-final nas pesquisas em busca da língua adâmica universal.[12] Essa proibição não calou totalmente os glotólogos, mas reduziu a um fiozinho de água o dilúvio de livros, panfletos e artigos, abolindo o assunto da evolução da linguagem do discurso científico convencional por mais de cem anos.

Linguagem como biologia

Apesar de muitas vezes fantasiosas, as especulações do século XIX sobre as origens da linguagem concordavam em um ponto: a linguagem é uma criação humana desenvolvida, de alguma forma, a partir de esforços comunicativos elementares. A linguagem era considerada, em resumo, como parte da cultura humana, assim como a música, a arte, a dança, a religião e a tecnologia. E, como essas outras formas culturais, as línguas do mundo eram vistas como produtos de inovações acumuladas através de longos processos históricos. O enfoque cultural da linguagem foi tido como ponto pacífico, também, durante toda a primeira metade do século XX, quando a linguística (o estudo dos sons, normas e significados expressos em linguagem humana) era adotada em departamentos de antropologia, de línguas clássicas, inglês e línguas modernas das universidades. Ver as línguas do mundo como parte da tapeçaria da cultura humana parece natural, inevitável e, na nossa opinião, inteiramente correto. Mas algo de extraordinário aconteceu em meados do século XX — uma virada sísmica que deu origem a uma perspectiva da linguagem totalmente diferente — que via a linguística como ramo da *biologia*.

A entrada de Noam Chomsky no estudo da linguagem em meados dos anos 1950 provocou uma revolução, em termos de ideias e, mais literalmente, como um golpe de estado acadêmico. O jovem Chomsky era um estudioso iconoclasta e bri-

Ordem linguística à beira do caos 131

lhante, profundamente envolvido com filosofia, lógica e com o que agora seria chamado de ciência da computação teórica. Ele tinha um plano radicalmente novo que visava arrancar a linguística do estudo da cultura e reconstruí-la sobre alicerces matemáticos e científicos abstratos.[13]

Chomsky viu que os lógicos estavam construindo rigorosas línguas artificiais para raciocínio lógico, como mencionado no Capítulo 3. Eles se interessavam acima de tudo pelo uso da lógica para capturar *significado* em línguas humanas. Já o interesse de Chomsky, diferentemente, era pela *gramática* das linguagens lógicas — as regras que determinavam como fórmulas lógicas complexas podiam ser construídas a partir de componentes simples. No caso das linguagens lógicas e das linguagens de programação de computador, a gramática é uma série de regras matemáticas cuidadosamente projetadas, que explicam como os símbolos podem ser combinados numa ordem apropriada. O grande apelo dessa abordagem está na sua exatidão: as regras matemáticas da gramática não deixam margem para ambiguidade e julgamento. As regras especificam com precisão se a gramática permite ou não cada possível sequência de símbolos lógicos, separando as sequências que contam como "frases" lógicas daquelas que são apenas amontoados de símbolos. Mas as línguas humanas são muito mais complicadas do que linguagens lógicas ou linguagens de programação. Chomsky se indagava se os princípios matemáticos para arranjar as gramáticas das línguas artificiais se aplicavam às línguas naturais.

Era uma mudança verdadeiramente radical — descrever o caos aparente da linguagem humana usando métodos matemáticos precisos. O resultado foi o que viria a ser conhecido como gramática gerativa, ideia que dominaria o campo da linguística por várias décadas. Para Chomsky, o rigor matemático poderia transformar a linguística num empreendimento científico.

Para sentir um gostinho da gramática gerativa, tomemos o seguinte conjunto de regras, que captura um minúsculo fragmento do português.

O → SN SV

SN → D S

SV → V SN

D → o/a, um/a, algum/a, todo/a, ...

S → cão, pássaro, gato ...

V → viu, gostou, comeu ...

Essas regras podem ser usadas para gerar frases simples, como "O cão viu um pássaro". A primeira regra significa que uma oração (O) consiste num sintagma nominal (SN) e num sintagma verbal (SV). Aplicando-se a regra SN, podemos, então, decompor o sintagma nominal inicial como um determinante (D) — palavras como o/a, um/a, algum/a, todo/a — e um substantivo (S). Isso nos permite criar o sintagma nominal "o cão". Em seguida, empregamos a regra SV para gerar um sintagma verbal consistindo em um verbo (V) e um sintagma nominal (SN). Inserindo "viu" como verbo e empregando novamente a regra SN, temos o sintagma verbal "viu um pássaro", que pode ser combinado com o sintagma nominal inicial "o cão" para produzir a frase "O cão viu um pássaro" (ver Figura 4.1).

No entanto, as mesmas regras podem, se aplicadas de maneiras diferentes, criar outras frases, como "Um pássaro gostou de todos os cães", ou "Algum cão comeu um pássaro". A ideia

Ordem linguística à beira do caos 133

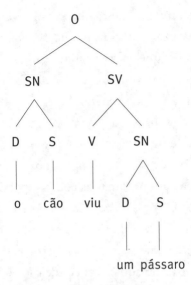

FIGURA 4.1. A estrutura "de árvore" sintática para a frase "O cão viu um pássaro", gerada usando-se nosso minúsculo fragmento de gramática. Em linguística, as regras gramaticais geralmente são usadas para criar essas representações visuais das relações sintáticas entre diferentes elementos de uma frase, como sintagmas nominais (SN) e sintagmas verbais (SV).

por trás da gramática gerativa é que dispomos de um conjunto preciso de regras matemáticas que criam um grande (potencialmente infinito, na verdade) conjunto de frases possíveis. É claro que as regras do nosso exemplo são absurdamente simplificadas em inúmeros sentidos — mas pelo menos são matematicamente precisas. A tarefa do linguista é tentar formular o conjunto bem mais complexo de regras igualmente precisas que geram todas as frases — e não mais que elas — de inglês, árabe, iorubá ou outra língua que seja o foco de interesse. O fator determinante é que as regras definam um procedimento preciso e inteiramente automático para gerar todas as frases — e não mais que elas — de uma língua. Não há necessidade de se preocupar com o que as frases significam. As regras matemáticas de gramática devem executar seu trabalho sem qualquer insight ou intervenção humanos.[14]

Chomsky deu um segundo passo, igualmente radical, em sua tentativa de tirar o estudo da linguagem da área das humanidades. Em vez de ver a linguagem simplesmente como matéria-prima para produzir as coisas específicas que de fato dizemos e escrevemos (e, consequentemente, como parte do mundo externo, cultural), ele fez uma reconceituação da própria linguagem como sistema matemático abstrato que de alguma forma está alojado na cabeça de cada falante. Do ponto de vista de Chomsky, linguística diz respeito, na verdade, a tentar sistematizar as *intuições* que temos — nós, os falantes nativos de uma língua — sobre quais frases são permitidas e quais não são. A linguística não precisa se preocupar demais com o que as pessoas dizem ou escrevem, que está sempre eivado de tentativas inválidas, excentricidades e erros de todos os tipos. Em vez disso, a teoria linguística precisa atenuar as arestas afiadas da língua de todos os dias para ter alguma esperança de revelar o sistema matemático oculto.

A tarefa do linguista, portanto, passa a ser o desafio científico de conceber um sistema matemático — a gramática gerativa — que capture as intuições linguísticas dos falantes de uma língua. E, na opinião de Chomsky, quando está aprendendo uma língua, cada criança deve, da mesma forma, tentar conceber uma gramática abstrata, e precisa fazê-lo a partir da estaca zero, só de ouvir o que as pessoas dizem, sem instruções explícitas ou ajuda. Ou seja, cada criança é vista como um mi-

Ordem linguística à beira do caos 135

nilinguista, tentando juntar as peças das normas matemáticas da língua particular que a cerca. Para Chomsky, dominar essas normas é a essência do aprendizado de uma língua.

Mas como é possível que isso funcione? Ao longo de séculos, estudiosos têm quebrado a cabeça para entender os padrões gramaticais abstratos do inglês e de outras línguas. Como pode uma criança esperar decifrar isso em poucos anos? É aqui que entra a terceira ideia radical de Chomsky: como a criança não pode aprender todos esses padrões matemáticos abstratos a partir da experiência, somos obrigados a concluir que eles já devem fazer parte do cérebro da criança, e em última análise dos nossos genes, desde o início. Para Chomsky, a conclusão lógica é que as crianças devem nascer com uma "gramática universal" inata — um modelo genético que compreende os princípios matemáticos abstratos que governam a linguagem. Aprender as normas que governam uma língua específica, como o mandarim, o hopi ou o basco, é só uma questão de ajustar a gramática universal para capturar os detalhes desse idioma.

Esse ponto de vista traz sua própria resposta para os arautos da desgraça que insistem na decadência linguística contínua. Não há perigo de degeneração linguística, porque a essência da linguagem está trancada, com segurança, em nossos genes. Na verdade, Chomsky compara a linguagem a um órgão do corpo, e à asa em desenvolvimento de um pássaro, que se desdobra mediante a operação de um programa biológico. A questão do que as pessoas de fato dizem, e de saber se o discurso está se tornando cada vez mais desleixado, não tem a menor relevância. É apenas um problema superficial de variação cultural. Essa variação parecia importante quando pensávamos nas línguas surgindo ao longo da história. Mas, para Chomsky, essa contínua turbulência linguística é meramente superficial: as mudanças linguísticas que tanto fascinaram Rasmus Task e os seus colegas filólogos são detalhes sem consequências — a arquitetura subjacente da linguagem permanece inalterada. E essa arquitetura vem da biologia, não da cultura. É uma essência imutável de linguagem humana de alguma forma codificada em nossos genes.

A tese de Chomsky tem outras consequências notáveis. Do ponto de vista dele, segue-se, logicamente, que todas as línguas que as crianças podem aprender devem se encaixar nos padrões de gramática universal. Chomsky pode assim concluir, triunfantemente, que todas as línguas têm que ser essencialmente a mesma. Refletindo sobre um hipotético extraterrestre olhando para a Terra, ele sugeriu que "o cientista marciano pode razoavelmente concluir que só existe uma língua humana, com diferenças apenas marginais". Uma única língua humana, não 7 mil línguas — as variações seriam tão banais que não valeria a pena mencioná-las. E não só: apesar das fortes aparências em contrário, as línguas *na verdade* também não mudam; em vez disso, mudam apenas de maneiras desinteressantes, superficiais. A essência da linguagem humana, sua gramática universal geneticamente codificada, mantém-se constante.[15]

Parece extraordinário, até mesmo incrível, tirar tantas conclusões da simples lógica. Mas no ambiente intelectual de alta voltagem do Prédio 20 do MIT, famosamente decrépito, afirmações teóricas radicais eram lugar-comum, e muitas vezes espetacularmente bem-sucedidas. O Prédio 20 era uma estrutura provisória de madeira, construída em 1943, que abrigou nove cientistas agraciados com o prêmio Nobel em seus primeiros 55 anos de serviço. Desse ponto de observação, onde o pensa-

Ordem linguística à beira do caos 137

mento abstrato se mostrara tão triunfante era fácil imaginar que a luz fulgurante da teoria pura pudesse revelar padrões universais aos quais todas as línguas do mundo teriam que se submeter. Usando o inglês como guia, Chomsky e seus colegas tentaram explicar a natureza dos padrões universais aplicáveis a todas as línguas.[16] O trabalho de encaixar os detalhes específicos das línguas do mundo nessa estrutura universal seria deixado como um exercício adicional para os linguistas do futuro.

Não foi assim que aconteceu. Por mais de um século, linguistas e antropólogos se espalharam pelo mundo para documentar as línguas de grupos remotos, como os ona (os vizinhos sobreviventes dos aush) e outros povos indígenas da América do Sul, do interior da Austrália e das florestas úmidas de Papua-Nova Guiné. Mas, em vez de depararem com infindáveis variações em torno de um único tema universal, o que descobriram foi um suprimento aparentemente ilimitado de novas, estranhas e maravilhosas maneiras de transmitir informações, como veremos com mais detalhes no Capítulo 7. As características supostamente universais de som, gramática e significado acabaram se revelando nada mais que um mito sem qualquer fundamento: dentro das línguas e entre as línguas reinam a variedade, a desordem e as exceções. Na verdade, se um cientista marciano removesse totalmente as peculiaridades do inglês, do aush, do dinamarquês ou do ona em busca de uma essência comum, acabaria de mãos vazias.

Já vimos essa história no capítulo anterior. Tínhamos a ingênua intuição de que para cada palavra deveria haver um núcleo comum unindo todos os seus usos — de modo que, para citar novamente nosso exemplo, "tanques leves", "vinhos leves", "música leve" e "estados de espírito leves" têm forçosamente que compartilhar uma essência de leveza. Mas o que descobrimos foi que as interconexões entre diferentes usos de uma palavra estão ligadas apenas por um padrão sobreposto de saltos metafóricos. A palavra linguagem (ou mesmo "gramática") não é diferente. As línguas do mundo apresentam muitos e complexos padrões de semelhança, mas nenhuma essência subjacente.

Mas, se não é de uma gramática universal, de onde vêm os padrões da linguagem? Para ver como os elaborados padrões de cada uma das 7 mil línguas do mundo surgem na ausência de uma gramática inerente, vamos precisar de um novo começo — ou melhor, de um retorno à ideia de língua não como parte da biologia, mas como parte da cultura. Precisamos ver as complexidades da linguagem como correlatas à complexidade da música, da arte, da tecnologia e das normas sociais — criadas não por um modelo existente nos genes ou no cérebro, mas por milênios de inventividade humana.

Os elementos da linguagem

Nas últimas décadas, o campo da linguística — ou pelo menos parte dele — passou por uma revolução silenciosa. Em vez de tentar formular "grandes sistemas" capazes de capturar padrões ocultos e supostamente universais em todas as línguas do mundo, muitos linguistas decidiram ir devagar. A nova abordagem é definida pelo termo genérico de gramática de construções.

Em resumo, a ideia é que para compreender a complexidade da linguagem precisamos começar com unidades básicas conhecidas como construções. Podemos desvendar como os ricos

Ordem linguística à beira do caos

padrões da linguagem resultam das interações — e de frequentes conflitos e inconsistências — entre esses elementos; surgem através da disputa entre construções tentando se harmonizar coerentemente, em vez de colidir umas com as outras. Assim sendo, os padrões linguísticos são o desfecho e não o ponto de partida. E nós, como aprendizes e falantes individuais de uma língua, apenas conhecemos as construções e como elas interagem. Não conhecemos, nem precisamos conhecer, os padrões complexos criados pela interação dos elementos da linguagem — da mesma forma que um cupim não precisa consultar um modelo para construir e fazer funcionar sua colônia.

E o que são construções? Elas costumam ser vistas como pareamentos aprendidos de forma e significado, que vão de partes significativas de palavras (como as terminações das palavras, por exemplo "-s", "-ndo") e palavras propriamente (por exemplo pinguim) até sequências multipalavras (por exemplo "xícara de chá") e padrões mais abstratos (como "dar uma __-da", por exemplo dar uma surtada, dar uma varrida). Essas construções correspondem claramente a pedaços que o nosso cérebro usa para decodificar o fluxo contínuo de input linguístico. Desse ponto de vista, podemos pensar em construções como equivalentes a operações mentais: procedimentos utilizados por nosso cérebro para dar sentido a (e produzir) linguagem. Se uma construção não fizer sentido para nós imediatamente (se não entendermos o significado de palavras, terminações de palavra, expressões idiomáticas e assim por diante), então será tarde demais — a mensagem jamais passará pelo gargalo do agora ou nunca, e será eliminada pela torrente de linguagem.

Notemos que, como os jogos de mímica, as construções não são apenas "pacotes" independentes ligando uma forma (um som, um gesto) a um significado que pode ser comunicado por meio dessa forma. Construir o significado de uma sequência de gestos para deduzir a mensagem subjacente requer conhecimento compartilhado de contexto, requer criatividade e requer imaginação — exige que se recorra a partes cruciais, ocultas, do iceberg da comunicação. Não se trata apenas do "casar de repente" os componentes padronizados de peças de Lego usando um conjunto de regras igualmente padronizadas. A própria ideia de padrões perfeitamente abstratos de categorias linguísticas é uma miragem. A linguagem é uma colcha de retalhos de construções rivais, uma mescla de ordem e caos, padrões e exceções. Examinando atentamente, afirmam os adeptos da gramática de construções, veremos que a linguagem na verdade não parece de forma alguma bem planejada: a ordem linguística está sempre a um passo do caos.

A linguagem é feita a partir de construções recicladas. Se isso for verdade, então devemos esperar que as crianças aprendam uma língua de construção em construção — e na verdade parece ser o que fazem, como revelado pelos padrões intrigantes, por vezes divertidos, dos erros que elas cometem. Assim, por exemplo, erros como *"me do it!"* (o que a criança provavelmente jamais ouviu alguém dizer) fazem sentido quando nos damos conta de que é um naco de *"Let me do it!"* [Deixe-me fazer isto].[17] A criança está continuamente tentando descobrir e generalizar a partir de nacos — ou construções — na linguagem. Mas, vez por outra, esse processo desanda, deflagrando erros estranhos e reveladores.

Um aspecto particularmente significativo desses exemplos, e da fala de crianças pequenas em geral, é o foco em nacos e em padrões específicos de variação em torno desses nacos.

Ordem linguística à beira do caos

De acordo com a gramática tradicional dos livros didáticos, e com a abordagem da gramática gerativa popularizada por Chomsky, as palavras podem ser divididas em categorias sintáticas distintas: substantivos, verbos, adjetivos, advérbios, preposições e assim por diante. As regras de linguagem explicam como essas categorias sintáticas podem ser combinadas (conforme vimos em nosso fragmento gramatical acima). Usando a terminologia dos velhos livros de gramática, suponhamos que a criança aprendeu que "João" é substantivo próprio (talvez um substantivo próprio animado) e que "canta" é um verbo intransitivo, e que um substantivo próprio e um verbo intransitivo podem formar uma frase: "João canta". Mas suponhamos que a criança conheça muitos outros substantivos próprios animados ("Fido", "Billy", "Pops") e muitos outros verbos intransitivos ("corre", "come", "foge"). Podemos, portanto, esperar que uma grande variedade de combinações estará imediatamente à disposição da criança: "Fido come", "Billy foge" etc. E, dando prosseguimento à história, à medida que aprende palavras, e suas categorias sintáticas, e mais padrões, a criança deverá ser capaz de gerar fluentemente um conjunto cada vez mais amplo de combinações, empregando tempos verbais ("totó está fugindo/ fugiu/ vai fugir"), voz passiva ("o bolo foi comido"), perguntas ("Quem comeu o bolo?" "O que foi comido?" "O que Billy comeu?") e assim por diante.

Mas não é assim que as crianças aprendem uma língua, de forma alguma! Em suas primeiríssimas fases, a linguagem infantil parece consistir de um repertório de pedaços completos — acabou, papai, "que isso?", suco, baixo, alto —, cada um deles com uma ou mais palavras. Esses padrões, considerados em sua totalidade, quase sempre transmitem uma mensagem compreensível apenas (se tanto) por quem cuida da criança. Assim sendo, em diferentes circunstâncias uma exclamação de "Bola!" pode ser usada para significar "Olha a bola", "Me dá a bola" ou "Vamos brincar de bola" (exatamente como o mesmo gesto pode significar coisas diferentes nos jogos de mímica). As crianças pequenas logo começam a usar a língua de maneira mais flexível — porém introduzem combinações de palavras de um jeito bem peculiar: atendo-se a padrões que contêm palavras específicas ou combinações específicas de palavras.

Michael Tomasello, o grande pesquisador de linguagem de quem falamos no Capítulo 1, realizou uma exaustiva análise da linguagem da sua filha Travis quando ela tinha dois anos. Entre as frases comuns por ela usadas, ele descobriu muitos exemplos intrigantemente padronizados (ver Tabela 4.1). Exemplificando: *"find it ____"* é uma construção com uma "lacuna" que Travis preenche principalmente com substantivos mas também, de vez em quando, com um adjetivo. E, claro, *"to find something funny"* [achar algo engraçado] é uma expressão comum em inglês — uma que Travis quase certamente ouviu e supostamente está replicando. Outra construção usada por ela é *"____ get it"*, dessa vez com uma lacuna inicial preenchida por substantivos. Às vezes o substantivo se refere ao objeto a ser "pegado" [*got*], como em *"block get it"* [algo como "bloco pega ele"]; mas, em outros casos, uma interpretação mais provável é que o substantivo é o sujeito do verbo — o potencial pegador, como em *"Mama get it"* ["Mamãe pega"]. Não apenas isso, a construção *"____ gone"* é aplicada a todos os tipos de substantivo — *"raisins gone"* [passa foi] ou *"doo-doo gone"* [cocô foi] — embora, como nos outros casos, não haja variação na ordem das palavras ou no tempo verbal. Finalmente, note-se que essa construção parece ser aprendida independentemente

Ordem linguística à beira do caos

de outros usos do verbo *"to go"* [ir], do qual, linguisticamente, *"gone"* é uma palavra derivada, claro.

TABELA 4.1. Os padrões estranhos, parecidos com regras, no uso de verbos por uma criança de dois anos

Find it ____	____ get it	____ gone
find-it funny [acha ele engraçado]	*block get-it* [bloco pega ele]	*Peter Pan gone* [Peter Pan foi]
find-it bird [acha ele passarinho]	*bottle get-it* [garrafa pega ela]	*raisins gone* [passas foi]
find-it chess [acha ele xadrez]	*phone get-it* [telefone pega ele]	*doo-doo gone* [cocô foi]
find-it bricks [acha ele tijolos]	*towel get-it* [toalha pega ela]	*cherry gone* [cerejas foi]
find-it Weezer [acha ele Weezer]	*Bedus get-it* [Bedus pega ele]	*fox gone* [raposa foi]
find-it ball [acha ela bola]	*coffee get-it* [café pega ele]	*hammer gone* [martelo foi]
find-it stick [acha ela vareta]	*mama get-it* [mamãe pega ele]	*french fries gone* [batata frita foi]

O recado transmitido por essas declarações multipalavras depende muito do que está acontecendo na conversa com a criança.[18] Por exemplo, a construção *"no ____"* é usada pela criança de três maneiras pelo menos: objeção (*"no bed"* [cama não] = "Não quero ir para a cama"), negação (*"no wet"* [molhada não] = "Não estou molhada") e expressão de não existência (*"no pocket"* = "Não há bolso [na saia da mãe]"). Essa flexibilidade é exatamente o que poderíamos esperar de um ponto de vista da língua como jogo de mímica. O sinal comunicativo só precisa ser "bom o suficiente" para que o pai ou a mãe compreenda o recado pretendido, e a criança deve usar quaisquer recursos linguísticos à sua disposição.

O que é interessante em todos esses padrões é a inflexibilidade deles, em nítido contraste com a flexibilidade com a qual podem ser usados para transmitir significados. Uma frase fixa e conhecida como *"Find it!"* [Encontra!] ou *"Get it!"* [Pega!] é cooptada para servir a novos objetivos — para falar sobre encontrar e pegar coisas específicas. Claro, para um adulto o *it* em *"find-it ball"* [algo como "encontra ela bola"] ou uma *"towel get-it"* [algo como "toalha pega ela"] é redundante. O adulto diria: *find the ball* [encontre a bola] ou *get the towel* [pegue a toalha]. Mas, para a criança, *find-it* é simplesmente uma unidade comunicativa única e confiável, a ser displicentemente reutilizada e adaptada às circunstâncias da vez.

Em cada troca conversacional, a criança (que quer ir para outro lugar, ser alimentada, apossar-se de um brinquedo e assim por diante) tipicamente enfrenta o problema específico e imediato de direcionar as ações de um adulto que pode não entender o que ela quer. Assim sendo, a criança se atém a padrões comunicativos simples, que parecem funcionar, e explora pequenas variações desses padrões (por exemplo colocando palavras diferentes numa lacuna fixa) para obter o resultado comunicativo correto. O estratagema da criança consiste em encontrar e explorar construções reutilizáveis. À medida que a linguagem da criança evolui, esse repertório de construções e suas variações vai ficando mais rico.[19] Mas, quando diferentes convenções momentâneas se tornam estabelecidas e generalizadas, elas começam a entrar em conflito e a disputar precedência.

A pressão para resolver esses conflitos cresce à medida que o alcance comunicativo da criança se amplia. A criança começa a falar usando construções como unidades comunicativas in-

Ordem linguística à beira do caos 145

dependentes, mas com o tempo passa a juntar essas unidades como elementos para comunicar mensagens cada vez mais complexas. E, como qualquer bom elemento de construção, eles precisam ser moldados em "formas" cada vez mais padronizadas, com quinas aparadas e protuberâncias atenuadas, para se interligarem com sucesso. Esses processos contínuos de ajustes mútuos dos elementos da linguagem tanto pela criança como por falantes adultos oferecem um poderoso mecanismo de mudanças linguísticas.[20]

A colcha de retalhos da linguagem

A mera vastidão de qualquer língua humana é extraordinária. Por exemplo, todo adulto falante de inglês sabe o significado, o uso sintático e a pronúncia de dezenas de milhares de palavras — o suficiente para preencher centenas de páginas de dicionário. E a isso devem-se acrescentar as regularidades gramaticais que governam a maneira de combinarmos essas palavras: a monumental *Gramática de Cambridge da Língua Inglesa* se estende por mais de mil páginas, e apesar disso continua incompleta.

De alguma forma, a criança aprende todas essas complexidades a partir do zero, em apenas alguns anos, ao mesmo tempo que aprende a andar, contar, manipular um lápis e, em geral, lidar com o complexo mundo físico e social. Não só isso: a criança tem que aprender os complicados padrões linguísticos a partir das coisas distorcidas, incompletas e em geral superficiais que as pessoas falam. E, como estudiosos começaram a descobrir, a língua do dia a dia acaba sendo de fato caótica. Para ressaltar uma fonte de evidências que recebeu bastante atenção, o projeto Childes, coordenado por Brian MacWhinney da Carnegie Mellon University, reúne mais de 44 milhões de palavras de interação conversacional entre crianças pequenas e adultos em trinta línguas. O objetivo do projeto é descobrir o que as crianças de fato ouvem e como isso está ligado ao que falam. Imensos bancos de dados de conversas apenas entre adultos também foram criados, contendo centenas de milhões de palavras. E a internet oferece fácil acesso a vastas quantidades de linguagem escrita, de bate-papos a blogs, artigos de jornal e ficção literária.

Essas transcrições da linguagem "em estado bruto" revelam que nossa fala diária tende a ser desfigurada, fragmentada e vacilante (como vislumbrado no Capítulo 2). Estamos sempre retrocedendo, corrigindo, parando no meio da frase, completando frases dos outros e falando enquanto outros falam. Na verdade, um estudo recente entre diferentes línguas mostrou que durante uma conversa normal precisamos corrigir o que dizemos em média a cada oitenta segundos.[21] Além disso, a conversa diária é altamente formulaica — as mesmas velhas saudações, expressões idiomáticas, interjeições e queixas de sempre constituem boa parte do que dizemos. Segundo uma estimativa, cerca de metade do que usamos em nossas conversas é construído com recombinações e ligeiras variações de fragmentos e padrões linguísticos desgastados.[22] No que diz respeito à abordagem baseada em construções, até aí tudo bem.

Mas e o restante do que falamos? Não seria essa parte elegantemente governada pelas regras de gramática, em vez de

Ordem linguística à beira do caos 147

abranger um balaio de gatos de construções específicas? Na verdade, se nos concentrarmos em quase qualquer padrão linguístico específico, descobriremos que as regras gerais se rompem e que o caos e a complexidade reinam. Por exemplo, em inglês podemos dizer as três primeiras frases seguintes, mas a quarta é distintamente peculiar (assinalada aqui com o asterisco linguístico, que indica inaceitabilidade):

I like skiing
[Eu gosto de esquiar]

I enjoy skiing
[Eu aprecio esquiar]

I like to go skiing
[Eu gosto de ir esquiar]

*I enjoy to go skiing
[Eu aprecio ir esquiar]

Ou examinemos os padrões incompreensíveis que de alguma forma aprendemos, mesmo para frases enigmáticas como *"no matter"* [não importa]:

No matter how clever he is, I'm not hiring him
[Não importa o quanto é inteligente, não vou contratá-lo]

No matter how clever he is or isn't, I'm not hiring him
[Não importa o quanto é ou não é inteligente, não vou contratá-lo]

*No matter how clever he isn't, I'm not hiring him
[Não importa o quanto não é inteligente, não vou contratá-lo.]

Ou o inescrutável padrão:

What you said was unclear
[O que você disse não ficou claro]

It was unclear what you said
[Não ficou claro o que você disse]

Your answer was unclear
[Sua resposta não foi clara]

*It was unclear your answer
[Foi não clara a sua resposta]

De um ponto de vista abstrato, matemático, esses casos são todos intrigantes. As coisas "estranhas" que não podemos dizer parecem seguir de perto os padrões das coisas que podemos dizer. O problema não é sermos incapazes de entender o significado. Não temos a menor dificuldade para compreender uma pessoa que diga *"I enjoy to go skiing"* ou *"It was unclear your answer"*. Mas essas frases não são naturais, e não são "permitidas" para falantes de inglês. A resposta não está na estrutura matemática dos padrões — certamente, não há nada na teoria da gramática universal de Chomsky que ajude de alguma forma a explicar essas e outras incontáveis esquisitices.

A rigor, quanto mais se debruçam sobre as minúcias da linguagem, mais os linguistas descobrem padrões parciais, subpadrões e exceções. As regras matemáticas da linguagem são uma miragem. De perto, a linguagem se revela instável e repleta de furos e idiossincrasias. Peter Culicover, ex-aluno de Chomsky cujas ideias divergem radicalmente das do seu

Ordem linguística à beira do caos

antigo mentor, chama esses padrões de *"syntatic nuts"* [loucura sintática] — mistérios linguísticos que estão por toda parte, exigindo análise e explicação próprias.[23] E toda língua tem seu próprio repertório idiossincrático de *syntatic nuts* que desafiam quaisquer princípios supostamente universais e, em vez disso, dependem de palavras e construções gramaticais específicas.

Se pudéssemos remover essas imperfeições e idiossincrasias, quem sabe um esqueleto de regras elegantes, matematicamente abstratas, se revelasse? As pesquisas de Culicover, e o movimento mais amplo da gramática de construções, sugerem exatamente o oposto: a linguagem é peculiar até a raiz. Do ponto de vista da perspectiva gerativa de Chomsky, toda essa desordem é desconcertante. O sistema perfeito, universal, que supostamente estaria embutido nos genes e no cérebro de cada criança na verdade é horrivelmente atrapalhado, com infindáveis exceções, que deveriam tornar o aprendizado e o uso da língua muito mais difíceis. Mas se vemos a língua, seja na cabeça de cada criança, seja através de gerações de uma comunidade linguística, como algo que surge por ordem espontânea a partir de episódios comunicativos díspares parecidos com jogos de mímica, então as imperfeições residuais, os choques e as discrepâncias são exatamente como seria de esperar. Querer que uma língua espontaneamente se encaixe num sistema gramatical regular é como querer que a superfície congelada de um lago forme, por milagre, um único e gigantesco cristal de gelo. Simplesmente não vai acontecer.

Com toda essa complexidade idiossincrática para aprender, é na verdade espantoso que crianças possam, ao longo de alguns poucos anos, assimilar as línguas em que estão imersas. Chomsky tentou encontrar resposta para esse mistério propondo que os aspectos universais da linguagem são inatos, dando a cada criança uma imensa vantagem inicial. Mas a ideia de um molde universal que serve de base para as línguas do mundo acabou se revelando um mito. Assim sendo, deve haver outro jeito de explicar como é possível aprender uma língua sem uma gramática universal inata. E de fato há, como veremos no Capítulo 6.

As forças da ordem e da desordem

As línguas mudam continuamente e das maneiras mais variadas. Novas palavras e frases aparecem, enquanto outras caem em desuso. Sutilmente, ou nem tão sutilmente, palavras mudam de significado ou desenvolvem novos significados, enquanto os sons e a entonação da fala estão constantemente mudando. No entanto, a alteração mais fundamental no processo de mudanças linguísticas talvez seja a convencionalização gradual: de início os padrões de comunicação são flexíveis, mas com o tempo vão se tornando estáveis, convencionalizados, e, em muitos casos, obrigatórios. Trata-se de ordem espontânea em ação: da desordem inicial vão surgindo padrões cada vez mais específicos. A tendência à convencionalização ocorre em todos os aspectos da linguagem, e é basicamente uma via de mão única. As convenções ficam mais rígidas, e não menos. Como nos jogos de mímica, quando nos deparamos várias vezes com os mesmos desafios comunicativos nosso comportamento vai ficando padronizado. Uma vez estabelecido um gesto para Colombo numa partida, prendemo-nos a ele no caso improvável de voltar a aparecer, e o gesto rapidamente se torna

Ordem linguística à beira do caos 151

mais simples. No entanto, ao depararmos com novos desafios comunicativos, preservamos nossa tremenda capacidade criativa — incluindo a habilidade de reformular e reaproveitar as convenções que já estabelecemos. Assim sendo, nosso gesto para Colombo pode mais tarde vir a ser reutilizado, com enfeites, para significar viagens marítimas, as Américas, marujos, e conceitos abstratos desde invasão a navegação ou descoberta, e muitos outros.

Como essas forças gêmeas — de convencionalização para transmitir mensagens familiares e de mistura criativa e reconstrução de convenções para lidar com mensagens não familiares — funcionam na linguagem? Para começar, devemos levar em conta um dos aspectos mais básicos de qualquer língua: a ordem das palavras. Em inglês, a ordem das palavras *"Mary likes dogs"* [Mary gosta de cachorros] nos diz que Mary é o sujeito do verbo (ela é a "gostadora") e os cachorros são os objetos (são os "gostados"). Em contraste, *"Dogs like Mary"* [Cachorros gostam de Mary] tem cachorros como sujeito e Mary como objeto da afeição deles. Em inglês, portanto, a ordem padrão das palavras é sujeito-verbo-objeto (SVO).

Para falantes de inglês, a ordem SVO é tão familiar que parece inevitável. Mas não é, de forma alguma. Há seis maneiras de ordenar três itens (S., V. e O.), e as línguas do mundo exibem todas elas (Tabela 4.2). Curiosamente, a ordem mais frequente não é a SVO do inglês e da maioria das línguas europeias, mas SOV (com o verbo no fim da frase), como em japonês, coreano e turco. As duas ordens colocam o sujeito no começo da frase; na verdade, mais de 80% das línguas do mundo obedecem a esse modelo. Mas, apesar disso, há muitas línguas que colocam o verbo no início da frase: VSO (por exemplo as línguas célticas, como o galês e o bretão) e VOS (por exemplo a família maia de línguas, incluindo o tseltal e o quiché). Por fim, um número relativamente pequeno de línguas coloca o objeto no começo da frase: OVS (por exemplo huarijio, uma língua uto-asteca falada no noroeste do México) e OSV (por exemplo xavante, uma língua falada na Amazônia brasileira).

TABELA 4.2. Frequência de ordens de palavras nas línguas do mundo

Ordem das palavras	Número (proporção) de línguas
sujeito-objeto-verbo (SOV)	2275 (43,3%)
sujeito-verbo-objeto (SVO)	2117 (40,3%)
verbo-sujeito-objeto (VSO)	503 (9,5%)
verbo-objeto- sujeito (VOS)	174 (3,3%)
objeto-verbo-sujeito (OVS)	40 (0,7%)
objeto-sujeito-verbo (OSV)	19 (0,3%)
Nenhuma ordem dominante	124 (2,3%)

Antes de mais nada, como a ordem das palavras se estabelece? Em jogos de mímica, sequências de gestos podem vir em qualquer ordem. Mas se usamos jogos de mímica para transmitir quem fez o que a quem, alguma ordem, talvez por acaso, pode vir a prevalecer. Em última análise, uma ordem pode se tornar inteiramente padrão. Uma determinada ordem (como SVO), uma vez estabelecida, tende a consolidar-se — afinal, se violarmos a ordem esperada, e tudo o mais permanecer igual, provavelmente não seremos bem compreendidos. Historicamente, as línguas de fato parecem evoluir inexoravelmente dos chamados padrões de ordem livre para ordens de palavras cada vez mais rígidas.

Ordem linguística à beira do caos 153

Vejamos, por exemplo, o caso das línguas românicas, a família de línguas europeias que descendem do latim, como o espanhol, o português, o italiano, o francês e o romeno. O latim clássico tem uma ordem de palavras livre:[24] *"Audentes fortuna iuvat"* (a sorte ajuda os audazes) funciona igualmente bem em qualquer das outras cinco ordens possíveis: *"Audentes iuvat fortuna"*, *"Fortuna audentes iuvat"*, *"Fortuna iuvat audentes"*, *"Iuvat audentes fortuna"*, *"Iuvat fortuna audentes"*. Apesar disso, mesmo no latim clássico, algumas ordens tendem a ser favorecidas. A versão-padrão da frase é na ordem OSV: *Audentes* (objeto) *fortuna* (sujeito) *iuvat* (verbo); porém o padrão mais comum no latim é SOV. Dessa maneira, supondo que esse padrão de palavras SOV com o tempo foi se tornando cada vez mais padronizado e arraigado, seria de esperar que as línguas românicas de hoje seguissem a ordem SOV. Mas não foi o que aconteceu. Por quê?

Embora o padrão mais comum no latim clássico seja SOV, o que de fato importa não é o latim literário de Cícero e de Júlio César, mas o latim "das ruas". Esse latim vulgar, falado coloquialmente em todo o Império Romano a partir do século II a.C., adotou uma ordem de palavras diferente: SVO. E é desse latim do dia a dia que descendem as línguas românicas modernas, que, consequentemente, herdaram a ordem SVO.

As línguas, como o latim, nas quais o sujeito, o verbo e o objeto podem vir em qualquer ordem precisam incluir alguma outra maneira de sinalizar a diferença entre sujeito e objeto (para distinguir entre "João ama Fido" e "Fido ama João"), porque a ordem das palavras não é nada confiável. Uma solução comum, utilizada pelo latim, é marcar o caso. O sistema latino de casos é muito mais complexo; usa o caso nominativo para sujeitos; o acusativo para objetos (diretos); e muitos outros casos além desses (dativo, genitivo, ablativo, vocativo e o raramente usado locativo). Casos são sinalizados em latim pela terminação diferente dos nomes, mas essas terminações são sempre vulneráveis à convencionalização e à simplificação (exatamente como um gesto muito usado nos jogos de mímica acaba se tornando cada vez mais simples). Assim, as terminações nominais se desgastam, e a ordem das palavras fica cada vez mais convencionalizada.[25] Dessa forma, historicamente, as línguas tendem a deixar de se basear na terminação indicativa de caso, passando a se basear na ordem das palavras, mas não o contrário. O inglês moderno é a fase final dessa tendência: o complexo sistema de casos do inglês antigo desapareceu quase completamente, com exceção de vestígios preservados nos pronomes (por exemplo, *she* e *her*; *he* e *him*).

Mas, antes de mais nada, de onde vêm as indicações de casos para nomes e de tempos para verbos? Como pode um processo de jogo de mímica — concentrado quase inteiramente em objetos e ações imediatos, visíveis, concretos — acabar transmitindo ideias abstratas como sujeito, objeto direto e objeto indireto? E como é possível que sucessivos jogos de mímica verbais criem a profusão de terminações verbais para diferentes sujeitos (eu, tu, ele/ela, nós etc.) e tempos? A esse propósito, de onde vêm todas as curtas palavras "gramaticais" (de, para, sobre, por) que dão liga a uma língua? Jogos de mímica parecem uma metáfora aceitável para pensarmos sobre as origens de nomes e verbos, que designam objetos e ações — mas o que dizer da gramática?

Ordem linguística à beira do caos 155

A resposta está no fascinante fenômeno da gramaticalização: o estranho processo pelo qual as palavras com significados concretos, específicos, se transmudam na maquinaria gramatical da língua.[26] A ideia de gramaticalização (e de pesquisa sobre mudança linguística de maneira mais ampla) foi uma revelação total para nós treinados, como fomos, na abordagem gerativa da linguagem (os "princípios e parâmetros" de Chomsky e seus muitos rivais), que vê a língua como um objeto matemático vastamente complexo mas imutável. A gramaticalização explicava o surgimento da complexidade gramatical, e o fato de a gramática estar continuamente em fluxo.[27]

E o que é gramaticalização? Em termos gerais, é uma série de passos pelos quais coleções de palavras individuais que se referem a objetos e ações aos poucos se transformam em sistemas de gramática complexos, com pronomes, preposições, conjunções, terminações verbais, concordâncias e assim por diante. Os passos operam em palavras (ou, mais amplamente, em construções multipalavras), uma a uma, e seguem (de modo geral) uma sequência previsível numa direção fixa. É da soma dessas mudanças, e de suas interações, que surge espontaneamente a complexidade da linguagem.

Tendo em mente os jogos de mímica, como podemos esperar que isso funcione? Em primeiro lugar, e mais obviamente, se comunicarmos a mesma mensagem repetidamente, o sinal se tornará cada vez mais simplificado e padronizado. A simplificação, com o tempo, leva ao que se conhece como "erosão." Assim, em inglês *going* se transforma em *gonna*; *did not* se torna *didn't*. Em períodos mais longos, a erosão pode ser muito mais dramática. Começando com o latim *mea domina* (minha dama), progredimos, através do francês *ma dame* ou *madame*, para o inglês *madam*, *ma'am*, *mum* e às vezes apenas *m* (como em "*Yes, m*").[28] Na mesma linha, a erosão esmaga formas com diferenças comunicativas supérfluas. Compare-se o inglês moderno inicial (a língua de Shakespeare e da Bíblia do rei Jaime) com o inglês moderno:

I have	*I have*
thou hast	*you have*
he/ she/ it hath	*he/ she/ it has*
we have	*we have*
ye have	*you have*
they have	*they have*

Aqui, *thou* e *ye* se fundiram em *you* (a distinção singular/plural desapareceu); *hast* desapareceu e *hath* se transformou em *has*.

Mas a escala de erosão do inglês fica ainda mais clara quando recuamos no tempo. O caminho que vai do inglês antigo (a língua de *Beowulf* e das lendas arturianas) passando pelo inglês medieval (a língua de Chaucer) até o inglês de hoje é uma história de distinções que desaparecem e de terminações que se perdem.[29] O inglês antigo, assim como o latim, tinha uma ordem de palavras relativamente livre, e substantivos e sistemas complexos de marcas de casos (nominativo, genitivo, dativo e instrumental) para sinalizar quem estava fazendo o que a quem. Havia três gêneros gramaticais que se aplicavam não só a substantivos, mas a demonstrativos e adjetivos. De modo que o equivalente no inglês antigo a "*that good woman*" [aquela boa mulher] teria o gênero neutro (não feminino, veja bem, porque "*wif*" [mulher] é neutro) sinalizado por cada palavra.

Ordem linguística à beira do caos 157

Mas aqui nos deparamos com um enigma. Se marcações complexas de casos e terminações verbais desaparecem inexoravelmente, ainda que aos poucos, de onde elas vêm? Mais uma vez, a analogia com os jogos de mímica oferece uma pista crucial: se repetirmos um padrão que envolva dois elementos, logo as formas abreviadas desses gestos começam a se fundir. Por exemplo, Wimbledon pode, de início, ser representado por uma mímica de jogada de tênis, seguida de dedos estirados em gestos ondulantes para sugerir a grama da quadra. Mas, depois de um tempo, os dedos estirados na vertical podem passar a seguir um sussurro suave, como o de uma raquetada, e isso tudo acabar se tornando um único gesto. De fato, em pouco tempo podemos até já ter esquecido como foi que esse gesto bizarro acabou tendo o significado que tem agora. O mesmo fenômeno de fundir padrões comuns ocorre historicamente em muitos aspectos da linguagem. Já mencionamos que em francês duas palavras, *ma dame*, acabaraam formando a palavra única *madame*. Em inglês, *into*, *onto*, *wanna*, *gonna* e muitas outras palavras ilustram o funcionamento da fusão. Mas esse processo também explica de onde vêm os padrões para casos e terminações de verbo. O que hoje é uma palavra só na verdade são os restos fossilizados de uma fusão de pares de palavras adjacentes que outrora existiram separadamente.

E aí está a chave do mistério sobre a origem das terminações dos verbos: elas um dia foram palavras independentes que aos poucos se fundiram ao "radical" para virar mero sufixo. As línguas românicas, descendentes do latim, oferecem uma bela ilustração. Começamos com construções latinas, como *cantare habeo* (hei de cantar [algo] ou ter de cantar [algo]).[30] Se você tem algo para cantar, então inevitavelmente o canto ocorrerá no

158 *O jogo da linguagem*

futuro, se ocorrer. Com o tempo, o significado se amplia para servir a qualquer evento futuro, mas o verbo independente *habere* permanece. O que isso cria é uma nova maneira de falar sobre coisas que acontecerão no futuro — ou seja, cria-se um tempo futuro. Agora vejamos descendentes mais modernos do latim: o francês, o italiano e o espanhol (Tabela 4.3). Notemos que em francês, italiano e espanhol as formas do verbo ter/ haver são acrescentadas à forma infinitiva do verbo (e em alguns casos sofreram erosão) para dar o tempo futuro.

TABELA 4.3. Pistas sobre a origem do tempo futuro em línguas românicas. Infinitivos (ter/ haver, cantar) são mostrados em *grifo*; formas compartilhadas entre as terminações do tempo presente e do tempo futuro são mostradas em ***grifo negrito***.

Francês		Italiano		Espanhol	
ter/ haver	cantará	ter/ haver	cantará	ter/ haver	cantará
avoir	*chanter*	*avere*	*cantare*	*haber*	*cantar*
j'*ai*	je chanter*ai*	io h*o*	cantar*ò*	h*e*	cantar*é*
tu *as*	tu chanter*as*	tu h*ai*	cantar*ai*	h*as*	cantar*ás*
il/ elle/ on *a*	il/ elle/ on chanter*a*	lui/ lei h*a*	cantar*à*	h*a*	cantar*á*
nous av*ons*	nous chanter*ons*	noi abbiam*o*	cantar*emo*	h*emos*	cantar*emos*
vous av*ez*	vous chanter*ez*	voi av*ete*	cantar*ete*	hab*éis*	cantar*éis*
ils/ elles *ont*	ils/ elles chanter*ont*	loro h*anno*	cantar*anno*	h*an*	cantar*án*

Há um último enigma a ser desvendado: de onde vêm palavras gramaticais como os verbos auxiliares *ter/ haver* (o latino *habere*)? Jogos de mímica lidam com ações e objetos concretos — como pode haver gestos para abstrações e, mais que isso, para palavras ao que tudo indica puramente gramaticais — de, em, o/a, um/a, e, porque e assim por diante?

Ordem linguística à beira do caos   159

Novamente os jogos de mímica oferecem aqui uma pista interessante. Uma vez que usamos um gesto para um significado específico, concreto, podemos cooptá-lo, mais adiante no jogo, para representar todos os tipos de significados relacionados. Nosso gesto de sussurro e dedos estirados ondulando pode, originariamente, denotar o campeonato de tênis de Wimbledon, mas, depois de estabelecido, pode ser reutilizado de várias formas possíveis, por exemplo para denotar a estação Wimbledon do metrô de Londres, ou para se referir a estrelas específicas do tênis, como Serena Williams ou Roger Federer. Significados concretos podem ser cooptados para transmitir mensagens muitos mais abstratas. Suponhamos uma mímica para um jeito de viajar (como o ato de andar com dedos virados para baixo sugerindo caminhar). Essa ação pode generalizar-se para viagens de todos os tipos, a pé ou não. É natural, portanto, completar esse gesto com outra ação simbolizadora, como um gesto de comer para significar ir à lanchonete almoçar. E, como as ações que ocorrem depois de viajar ocorrem no futuro, o gesto de andar pode em última análise vir a marcar o tempo futuro. Isso seria comparável ao desenvolvimento da construção inglesa que permite a frase *"I am going to swim"* [vou nadar], em que *to go* [ir] transformou-se numa marcação do futuro, já sem qualquer movimento implícito (o mesmo padrão aparece em francês, *"je vais nager"*, e em espanhol, *"voy a nadar"*).

Claro, os pormenores desses exemplos de jogo de mímica são pura especulação. Mas a análise histórica das línguas indica uma forte tendência de algumas palavras de semântica concreta a tornar-se aos poucos "descoradas" de significado, até finalmente desempenharem função padronizada, puramente gramatical. Assim sendo, enquanto os sons da língua estão continuamente sujeitos a simplificação e erosão, os significados são continuamente ampliados; e em alguns casos as palavras são quase totalmente esvaziadas de significado.

Vejamos como, em inglês, *that* evoluiu de uma palavra que indica um objeto próximo (*"Look at that!"* [Olhe para *isso*!]), passando a "apontar" para alguma coisa que uma pessoa falou (digamos, *"Mary shouted that the house is on fire"* [Mary gritou *que* a casa está pegando fogo!]), até se limitar a usos puramente gramaticais (*"John doubted that the proof had a fatal flaw"* [John duvidava de *que* a prova tivesse um erro fatal], ou *"It is possible that the film will have a sequel"* [É possível *que* o filme tenha uma continuação]). Da mesma forma, em francês a palavra para passo (*pas*) veio a denotar negação.[31] Começando com o latim *"non dico"* para "não digo", seguimos para *"je ne dis"* ([não digo], notemos a erosão de *non* para *ne*). Palavras adicionais, *pas* (passo), *point* (ponto), *mie* (migalha) são acrescentadas para dar ênfase, como em *"je ne marche (un) pas"* (não dou [um] passo), *"je ne mange (une) mie"* (não como [uma] migalha). As construções *ne... pas*, *ne... point*, *ne... mie* tornam-se descoradas de qualquer sentido relativo a passos, pontos ou migalhas, passando a significar simplesmente negação; aos poucos *ne... pas* domina, chegando à forma padrão que nos dá *"je ne dis pas"*. Em algumas variedades do francês coloquial o *ne* sofre erosão até desaparecer, deixando *"je dis pas"*. Um substantivo para uma ação concreta observável, um passo, agora assume plenamente a mais abstrata das funções gramaticais: converter uma declaração (*"je dis"*) em sua negação (*"je dis pas"*). Dessa maneira, palavras que um dia eram aplicadas a coisas e ações gradualmente se transformam nas palavras gramaticais pequenas mas cruciais que são os blocos de construção da gramática.

Afastando o fantasma do declínio linguístico

A linguagem está em declínio? As gramáticas do inglês, do francês, do islandês e do mandarim vêm afundando numa decadência cada vez maior? Como vimos no começo deste capítulo, essa é uma preocupação comum e eterna, semelhante à preocupação contínua com a "juventude de hoje". A não ser que saibamos apreciar as forças auto-organizadoras que moldaram a linguagem, é natural vermos a mudança linguística como um processo implacável de corrosão. Desse ponto de vista, os lexicógrafos e os gramáticos são baluartes essenciais contra a contínua decadência do discurso comum: as mudanças linguísticas são o resultado de negligência e de erros crassos, e as forças da corrupção linguística devem ser enfrentadas com o máximo vigor.

Mas, uma vez que compreendemos que os padrões complexos de linguagem surgem através de processos de ordem espontânea, vemos que essas preocupações são infundadas. A língua está em fluxo constante: é o produto de contínuas sobreposições de mudanças de som, de mudanças de palavras, de gramaticalização e de outras coisas que operam através de décadas, séculos, milênios. O resultado desses ajustes recorrentes é ordeiro, ao mesmo tempo que permanece deliciosamente caprichoso e capaz de capturar poesia, direito, ciência e toda a variedade da experiência humana. Cada geração de falantes tende a ver quaisquer indícios de mudança na língua não como prova de vigor e criatividade, mas como prenúncio de degeneração linguística, até mesmo de decadência mental e social. Na verdade, os processos de gramaticalização podem resultar em algo parecido com guerras linguísticas entre gerações.[32] Para muita gente, o emprego de "tipo" para indicar uma citação — "Eu fiquei, tipo, ai meu deus do céu!" — provoca arrepios e é considerado um uso pobre da língua. Mas veio para ficar, e até evoluiu para incluir elementos não linguísticos, como em "Eu fiquei, tipo [e o falante revira os olhos]" e emojis: "Ele ficou tipo 😕". Os padrões específicos de gramática estão sujeitos a mudanças contínuas; mas o equilíbrio entre as regularidades, as subregularidades e as exceções que abrangem a complexidade de cada língua humana permanece o mesmo.

A ORDEM NÃO ESTÁ SE DESINTEGRANDO no caos (como temem os fanáticos pela gramática, como John Humphrys e Jonathan Swift). Na verdade, a ordem da linguagem surge do caos: parcial e incompletamente, mas com resultado maravilhoso. As línguas que criamos coletivamente, de um episódio improvisado para o seguinte, são notavelmente eficientes para transmitir as coisas a que as pessoas dão importância, de um modo fácil de aprender, produzir e compreender. Os recursos expressivos à nossa disposição foram moldados para satisfazer às nossas necessidades imediatas ao longo de milhões de momentos interativos.

A língua não se desintegra numa série de grunhidos quando a deixamos atuar por conta própria, sem a interferência de professores, de veneráveis entidades acadêmicas e de autodesignados especialistas em gramática. Os que temem a anarquia linguística veem a língua como um jardim cujo crescimento logo fugirá ao nosso controle se não for continuamente cuidado, ou talvez como uma peça de máquina que exige reparos e ajustes incessantes. Mas é isso que acontece? Talvez a lingua-

Ordem linguística à beira do caos

gem devesse ser comparada aos padrões ordeiros surgidos no mundo natural — mais explicitamente, os designs estupendamente complexos dos seres vivos, de bactérias a faias, de besouros a morcegos, pássaros e tubarões-martelo. Os intricados padrões da biologia não necessitam de interferência contínua para escaparem de se degenerar. Da mesma forma, como veremos no próximo capítulo, a variedade e a complexidade das línguas do mundo surgiram mediante processos semelhantes de crescimento e evolução.

5. Evolução da linguagem sem evolução biológica

> A fala do homem em sua língua materna não é, como o canto dos pássaros, um instinto implantado pela natureza na constituição de cada indivíduo da espécie, e exercitado a partir do nascimento ou posto em funcionamento espontaneamente em determinada fase do crescimento [...]. A linguagem em sua condição atual é uma arte, como a panificação ou a tecelagem, passada de geração a geração.
>
> HENSLEIGH WEDGWOOD, *On the Origin of Language* (1866)

VOLTANDO À INGLATERRA em 2 de outubro de 1836, depois de passar quase cinco anos a bordo do HMS *Beagle*, circum-navegando a Terra enquanto colecionava fósseis juntamente com espécimes da flora e da fauna, Charles Darwin tinha muito assunto para pensar. As observações que fez durante essa viagem lançaram as sementes do que viria a ser sua revolucionária teoria sobre a origem das espécies. Dois anos depois, quando a ideia de evolução pela seleção natural finalmente começou a se cristalizar na sua mente, ele tinha perfeita consciência de que sua tese seria polêmica. Como observaria mais tarde na sua autobiografia: "Eu estava tão ansioso para evitar danos que resolvi não escrever sequer um esboço dela por um tempo".[1] Darwin sabia que precisava apresentar sua teoria com a argumentação mais sólida possível — do contrário suas ideias

Evolução da linguagem sem evolução biológica 165

seriam rapidamente ignoradas, ridicularizadas, ou coisa pior. A ajuda viria, no entanto, de uma área inesperada: do estudo das mudanças linguísticas.

Darwin provavelmente tomou conhecimento da filologia comparada por intermédio do seu primo e cunhado, Hensleigh Wedgwood, magistrado, filólogo e mais tarde espiritualista inglês, um dos fundadores da Sociedade Filológica, a mais antiga sociedade acadêmica do Reino Unido dedicada ao estudo da linguagem. Wedgwood ajudou a difundir nos círculos científicos britânicos a obra pioneira dos linguistas alemães sobre reconstrução da família de línguas indo-europeias (que discutimos no capítulo anterior).[2] Línguas tão diversas como o sânscrito, o grego, o latim, o persa, o inglês e o dinamarquês tinham tido sua evolução rastreada através de relações genealógicas até uma raiz comum numa protolíngua ancestral indo-europeia. A ideia de que mudanças contínuas ao longo do tempo poderiam resultar numa árvore genealógica linguística tão diversificada ofereceu um modelo para a proposta de Darwin de que a taxonomia de todos os seres vivos surgiu de uma árvore histórica de variações (ver Figura 5.1).[3] A luta pela existência das formas linguísticas (sons, palavras, frases) ao longo de gerações de uso da língua poderia ser vista como modelo para a luta pela vida entre formas biológicas — nas duas esferas, os ingredientes essenciais da evolução são a variação e a seleção.

Como defesa da teoria evolucionista de Darwin, a analogia línguas-espécies apresentava uma vantagem retórica extra. A filologia comparativa em meados dos anos 1800 era tida como ciência modelo, no mesmo nível da anatomia e da geologia comparativas, por causa da sua bem-sucedida aplicação de mé-

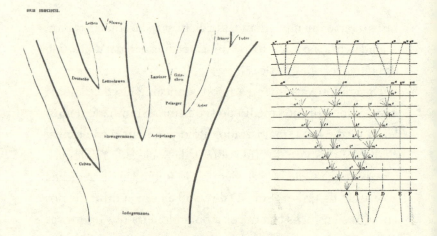

FIGURA 5.1. À esquerda, perspectiva de August Schleicher, datada de 1853, das relações genealógicas entre as línguas indo-europeias, uma das primeiras representações de uma árvore genealógica linguística; e, à direita, o diagrama da árvore da vida de Charles Darwin em *A origem das espécies*, de 1859. Nos dois casos, a diversidade resulta de um processo de ramificação, parecido com o de uma árvore, a partir de uma raiz comum.

todos da ciência natural. É provável que Darwin tivesse em mente o alto status acadêmico do estudo da linguagem ao redigir em seu caderno esta anotação, em março de 1839: "Posso argumentar que muitos homens de saber parecem achar que existem boas evidências na estrutura da linguagem de que ela foi formada progressivamente [...] ao ver a explicação muito simples que ela oferece para a diversidade radical de línguas".[4] Vinte anos depois, em *A origem das espécies*, ele usaria a analogia línguas-espécies várias vezes para respaldar sua teoria, inclusive para mostrar que classificações biológicas de espécies em gêneros, famílias e assim por diante podem resultar de um pedigree genealógico semelhante a uma árvore:

Evolução da linguagem sem evolução biológica   167

Talvez valha a pena ilustrar essa ideia de classificação usando o caso das línguas [...]. Os diversos graus de diferença entre as línguas do mesmo tronco teriam que ser expressos por grupos subordinados a grupos; mas o arranjo apropriado, ou quem sabe o único possível, ainda seria genealógico; e isso seria rigorosamente natural, pois ligaria todas as línguas, extintas ou recentes, pelas afinidades mais próximas, dando a filiação e a origem de cada língua.[5]

O paralelo entre a origem da diversidade linguística e a origem da diversidade biológica não era uma analogia extravagante: ela desempenhou papel crucial na defesa, e quem sabe também na inspiração?, da teoria da seleção natural de Darwin. Darwin voltou à analogia línguas-espécies em 1871, ao discutir a evolução da linguagem em *A origem do homem*: "A formação de diferentes línguas e de distintas espécies, e as provas de que ambas se desenvolvem por meio de um processo gradual, são curiosamente as mesmas [...]. A sobrevivência e a preservação de certas palavras favorecidas na luta pela existência são seleção natural".[6] Ele citou, em tom de aprovação, o filólogo de Oxford Max Müller, que disse que uma "luta pela vida entre as palavras e as formas gramaticais [...] ocorre constantemente em cada língua [...]. As formas melhores, mais breves e mais fáceis estão constantemente prevalecendo".[7] Em consonância com o pensamento de muitos outros da sua época (incluindo o primo Wedgwood, citado no começo deste capítulo), a opinião de Darwin sobre evolução linguística não dizia respeito a como os humanos podem ter desenvolvido uma capacidade biológica específica para a linguagem. Seu insight dizia respeito à evolução cultural da linguagem — o que descrevemos, no Capítulo 4, como surgimento gradual de padrões linguísticos parcialmente sobrepostos que emanam das nossas tentativas momentâneas de nos fazermos compreender. Em suma, evolução linguística é mudança linguística em grande escala.

O organismo da linguagem

Pode ser tentador, a esta altura, levantar a objeção de que mudança linguística não é o mesmo que evolução linguística. Certamente os humanos desenvolveram algum tipo de maquinaria neural especializada para tornar a linguagem possível. Afinal, só os humanos têm linguagem — nem mesmo os nossos primos evolutivos, os outros grandes primatas, têm qualquer coisa que se pareça com a linguagem humana. Assim sendo, seria razoável supor que a evolução nos possibilitou uma adaptação biológica apenas para a linguagem, e só depois disso é que processos de mudança linguística começaram a ocorrer. Na verdade, essa perspectiva é muito influente nas ciências da linguagem, e mais além.[8]

Mesmo como alunos de doutorado, jamais nos convencemos da ideia de um aparato genético desenvolvido para a linguagem. A separação entre evolução linguística e mudança linguística é uma ficção. Baseia-se amplamente na hipótese — incorreta, como já vimos — de que algum tipo de maquinaria inata específica para a linguagem se faz necessária para explicar como aprendemos e como usamos a língua. Se a linguagem funciona como propusemos neste livro, então não existe separação entre as duas. É mudança linguística do começo ao

Evolução da linguagem sem evolução biológica 169

fim — não é necessária nenhuma adaptação biológica específica para a linguagem.

Mas como a linguagem complexa pôde surgir se não houve um Rubicão linguístico, cuja travessia evolutiva nos transformou de meros brutos grunhidores em humanos modernos? Felizmente, nossa ideia da natureza fugaz, flexível e cooperativa da linguagem oferece uma resposta nova e convincente a essa pergunta. Tomando por base o insight darwiniano, vemos a linguagem em si como um sistema em evolução. Em vez de perguntar: "Como os humanos se adaptaram tão bem à linguagem?", perguntamos: "Como a linguagem se adaptou tão bem ao cérebro humano?".

Nossa perspectiva da evolução linguística muda o foco da adaptação biológica dos usuários das línguas para a evolução cultural das próprias línguas. Não significa dizer que os humanos nascem simplesmente como "lousas em branco" sobre as quais a linguagem pode ser escrita a giz durante o desenvolvimento, sem quaisquer restrições biológicas.[9] Longe disso! Só os humanos dispõem de uma linguagem complexa, e isso sem a menor dúvida tem muito a ver com nossa biologia. Como disse Liz Bates, falecida linguista de renome mundial, a questão "não é sobre Natureza *versus* Cultura, mas sobre a 'natureza da Natureza'".[10] Não precisamos discutir se há restrições biológicas à linguagem — pois está claro que há. Na verdade, a questão essencial aqui é se essas restrições são especificamente linguísticas em sua natureza, o que exigiria adaptações para a linguagem, ou se decorrem de outras aptidões não linguísticas anteriores ao surgimento evolutivo da linguagem e, portanto, não exigem quaisquer (ou exigem apenas mínimas) mudanças biológicas. Apostamos nesta última hipótese: a linguagem evoluiu sobre os ombros de mecanismos preexistentes de aprendizagem, memória e interação sociocomunicativa.

Mas o que define a evolução cultural de diferentes línguas? O que faz surgir a compatibilidade entre estrutura linguística e aprendizes e usuários da linguagem humana — uma compatibilidade que torna as línguas humanas particularmente fáceis para nosso cérebro aprender e usar? Mais uma vez, a ideia de linguagem como jogo de mímica pode fornecer proveitosos insights.

Em primeiro lugar, para podermos brincar de mímica precisamos estar afinados uns com os outros. Precisamos ser sensíveis ao que os outros podem saber e, talvez mais importante ainda, ao que não sabem, bem como ao tipo de dedução que provavelmente vão fazer. Sem isso, seremos incapazes de evocar as ideias e os conceitos corretos na cabeça dos nossos companheiros de equipe. Claramente, se o restante da equipe nunca ouviu falar em Super Mario, o personagem de video game, não iremos longe se ficarmos correndo e pulando para imitá-lo como uma pista para a palavra "encanador". Restrições nos vários processos mentais necessários para interpretar a mente uns dos outros formam boa parte da porção oculta do iceberg da comunicação e, portanto, desempenham papel essencial na definição da evolução das línguas. Para serem úteis, as línguas precisam nos fornecer recursos para transmitir uma ampla variedade de mensagens, rapidamente, e com a exatidão suficiente para manter o fluxo da conversa. Por exemplo, as línguas têm sido moldadas pela evolução cultural para ajudar parceiros de conversa a separar informações que ambos conhecem da mensagem crucial a ser transmitida. Na frase "O homem da casa ao lado adotou um novo cachorro", podemos

Evolução da linguagem sem evolução biológica 171

partir do princípio de que ambos sabemos que um homem vive na casa ao lado e que o falante está transmitindo a *nova* informação de que ele acaba de adotar outro cachorro.[11] Mais amplamente, as línguas nos ajudam a dizer o tipo de coisa que queremos comunicar, como quem fez o que a quem, quando e por quê. Os tipos de jogos de mímica linguísticos que criamos dependem dos tipos de coisas que queremos contar uns aos outros. Mas as maneiras específicas pelas quais as línguas do mundo, as faladas e as de sinais, atingem esses objetivos mostram uma prolífica variação.

Em segundo lugar, nossos corpos físicos restringem o que podemos fazer quando jogamos mímica. Não há sentido em representar o que outros não conseguem ver, ou tentar denotar ioga nos contorcendo pra chegar a uma pose de pretzel que não temos flexibilidade para executar. Da mesma forma, as línguas, sejam de sinais ou faladas, também são definidas por esses fatores percepto-motores, garantindo que envolvam unidades perceptuais facilmente reconhecíveis e produzíveis, levando em conta o funcionamento do nosso corpo. Os sons de fala que produzimos, por exemplo, precisam estar entre aqueles que possamos criar vibrando as cordas vocais e usando a língua e os lábios para moldar as ondas sonoras quando ressoam em nosso trato vocal — muito embora a variedade de padrões sonoros que as pessoas conseguem criar e compreender seja notavelmente ampla.

Em terceiro lugar, as limitações ao que podemos aprender, assistir e lembrar definem tanto os jogos de mímica como a evolução da linguagem. Por exemplo, uma longa e rápida sequência improvisada de movimentos intricados, que imaginamos ser uma mímica precisa de conserto de carro, provavelmente será complicada e desnorteante demais para provocar palpites bem-sucedidos da palavra "mecânico". Não apenas isso, mas será complexa demais também para "pegar" e ser reutilizada por outros em futuros jogos de mímica — embora algumas versões radicalmente simplificadas talvez o sejam. Da mesma forma, a evolução de estruturas linguísticas é definida por uma tendência a padrões breves, simples e fáceis de lembrar, que podem, com mais facilidade, passar pelo gargalo do agora ou nunca.

Em quarto lugar, o processo de transmissão de significados abstratos pela convencionalização de rótulos inicialmente icônicos surge tanto no jogo de mímica como na linguagem. Por exemplo, o já mencionado gesto com as mãos imitando um campanário, originariamente usado para barco, foi convencionalizado na família de Nick primeiro para indicar a viagem de Colombo ao Novo Mundo e depois para simplesmente denotar América. Também as línguas são influenciadas por processos semelhantes de convencionalização, para aumentar a eficiência comunicativa, como mostramos em detalhes no Capítulo 3. Como vimos, poderosas pressões comunicativas empurram na direção de um vínculo arbitrário entre sons e significados (de modo que nem todas as palavras para raças de cachorro soam parecido); em vez disso, temos akitas, beagles, collies e assim por diante. Isso faz os sinais de fala e as pistas contextuais se tornarem tão independentes e, portanto, tão complementares, quanto possível. Em última análise, então, para ganhar vida e continuar a florescer na linguagem uma palavra específica precisa ser adaptável a fim de atender as necessidades do momento comunicativo, mas ainda suficientemente baseada nas convenções para ser compreendida por aqueles com quem falamos.

Evolução da linguagem sem evolução biológica 173

Essas restrições — nascidas do nosso jeito de pensar nos outros, do funcionamento do nosso sistema percepto-motor, da nossa capacidade de aprender e recordar e da nossa maneira de criar sentido por meio da convencionalização — podem ser contempladas de várias maneiras, quando se juntam para formar diferentes línguas. O aprendizado e o uso repetidos fazem surgir padrões parcialmente sistemáticos de estrutura linguística através da força regularizadora da gramaticalização, como discutimos no capítulo anterior. Com o tempo, as formas que se ajustam bem às restrições tendem a proliferar, enquanto as formas que não se ajustam, se chegarem a ser geradas, logo sucumbem à "luta pela existência" darwiniana. Palavras e construções difíceis de aprender ou usar logo desaparecem da língua, enquanto as que aprendemos com facilidade e usamos com pouco esforço são passadas para as gerações subsequentes. Dito de outro modo, a evolução da linguagem é impulsionada pela gramaticalização, em combinação com outros processos de mudança linguística, e controlada pelas limitações do nosso cérebro e pelo nosso jeito de interagir uns com os outros.

Metaforicamente falando, podemos pensar na linguagem como uma coisa semelhante a um "organismo" que precisa se adaptar ao seu nicho ambiental.[12] E esse nicho é o cérebro humano — num sentido amplo, para incluir o corpo que o carrega de um lado para outro e a comunidade de outros cérebros às quais está ligado socialmente. Esse "organismo de linguagem" depende de nós para sua sobrevivência. A linguagem só existe porque nós existimos. Se toda a humanidade desaparecesse de repente numa nuvem de fumaça, a linguagem desapareceria também — salvo nos textos inertes guardados em bibliotecas abandonadas. Mas, se a linguagem desapare-

174   *O jogo da linguagem*

cesse, nós ainda permaneceríamos (embora com dificuldade para manter as sociedades em operação). Assim sendo, em termos biológicos, a linguagem forma uma relação dependente e simbiótica com seus hospedeiros humanos.

A simbiose, referindo-se à interação estreita de dois organismos distintos, é onipresente na natureza. Por exemplo, todos nós carregamos trilhões de microrganismos, vivendo sobre e no nosso corpo, do cabelo na cabeça à sola dos pés, da parte de dentro do nariz e da boca às profundezas do estômago e dos intestinos.[13] Juntos, esses minúsculos caronas formam o microbioma humano, pesando cerca de 1,5 quilo num adulto médio (peso que é também, mais ou menos, o de um cérebro adulto típico).[14] Muitos são "comensais", significando que se aproveitam do ambiente humano sem dar nada em troca além do benefício de não nos prejudicarem. Outros vivem uma parceria mutualística, simbiótica, que beneficia tanto o micróbio como o hospedeiro humano. Vejamos o caso dos *Bacteroides thetaiotaomicron*, ou simplesmente *B. theta*, uma das bactérias mais comuns em nosso intestino. Em troca da ajuda muito necessária na decomposição de carboidratos complexos, como amido, nós os alimentamos e cultivamos em nossas entranhas. Assim sendo, nossa aliança simbiótica com esses micróbios é uma relação em que todos saem ganhando.[15]

Nossa relação simbiótica com a linguagem também é reciprocamente benéfica: a linguagem sobrevive, cresce e prolifera, e os seres humanos se comunicam melhor, ensinam uns aos outros novas habilidades, transmitem conhecimento e criam culturas, sociedades e civilizações cada vez mais complexas. Quando duas espécies vivem esse tipo de simbiose mutualística, quase sempre coevoluem. Mas a relação evolutiva entre os

Evolução da linguagem sem evolução biológica 175

humanos e a linguagem é assimétrica, porque a adaptação biológica é consideravelmente mais lenta do que a evolução cultural de estruturas linguísticas. A evolução hominínia, desde os nossos antepassados *Australopithecus* aos humanos modernos, ocorreu numa escala de tempo de centenas de milhares, talvez milhões, de anos; mas em menos de 9 mil anos línguas tão variadas como o bretão, o catalão, o dinamarquês, o grego, o hindi, o lituano e o persa surgiram de uma língua ancestral comum, conhecida como proto-indo-europeu.[16] Simulações de computador dessas parcerias simbióticas assimétricas mostraram que o organismo que se desenvolve depressa acaba se adaptando mais estreitamente ao de evolução mais lenta, e não o contrário.[17] A espécie que muda depressa fica, essencialmente, atrelada à espécie hospedeira. Na verdade, muitos dos nossos simbiontes bacterianos se adaptaram para viver exclusivamente sobre e dentro dos nossos corpos.[18] E o mesmo ocorre com o organismo da linguagem, rapidamente mutável, que é forçado a adaptar-se ao seu hospedeiro humano. A linguagem é moldada pelo cérebro — e não o contrário.

Instintos de linguagem e genes de Prometeu

Ao vermos que a linguagem emerge de uma multidão de interações comunicativas momentâneas, fica claro que a linguagem deve ter evoluído basicamente por meio de evolução cultural. Na verdade, é difícil imaginar outra maneira. No entanto, não era assim que muitos cientistas da linguagem pensavam sobre evolução linguística quando o interesse pelo assunto ressurgiu no fim do século xx, depois de um longo sono induzido pela proibição imposta em 1866 pela Société de Linguistique de Paris.[19] A maioria daqueles pesquisadores se esquecera do insight original de Darwin sobre a linguagem como um sistema em evolução. Em vez disso, achavam que a questão central no campo da evolução da linguagem era encontrar uma explicação para a evolução biológica de um suposto molde genético para linguagem.

Um bom exemplo disso é a proposta apresentada em 1990 pelos psicolinguistas Steven Pinker e Paul Bloom de que a capacidade humana para a linguagem é uma adaptação biológica específica da espécie, desenvolvida por meio de um processo-padrão neodarwiniano.[20] Por analogia com relatos evolutivos estabelecidos do sistema visual, desde as células sensíveis a manchas grosseiras de luz que emergiram 500 milhões de anos atrás (e ainda encontradas hoje nas tênias) ao intricado design do olho dos mamíferos, eles afirmaram que a seleção natural pelo aprimoramento de habilidades linguísticas teria resultado na evolução gradual de "gramáticas universais" cada vez mais elaboradas, incorporadas nos nossos genes.[21]

A ideia básica é a seguinte. Imaginemos um bando de caçadores-coletores que já se comunicam uns com os outros usando um conjunto aprendido de convenções linguísticas, talvez um sistema que consista de palavras individuais e combinações multipalavras simples. Como resultado de variações genéticas aleatórias, alguns indivíduos são mais hábeis que outros no uso dessas formas linguísticas específicas para convencer e prender a atenção de ouvintes, consolidar amizades, vencer concorrentes, instruir os jovens e reforçar sua posição social no grupo. Consequentemente, esses indivíduos terão mais filhos sobreviventes, e os genes para produzir esse padrão de

Evolução da linguagem sem evolução biológica 177

linguagem idiossincrático particular, mas socialmente eficaz, serão aos poucos disseminados na população. Com o tempo, repetidas modificações genéticas surgirão, possibilitando estruturas linguísticas mais complexas, até que a gramática universal dos tempos atuais seja adotada. Esse dom inato pode ser visto como uma rede de princípios (ou regras) de sintaxe abrangendo todas as línguas do mundo, com um conjunto de interruptores que podem ser acionados para capturar o padrão específico de línguas individuais.

Essa noção de uma especialização biológica desenvolvida para a linguagem — o que Pinker chamou subsequentemente de "o instinto da linguagem" — logo se tornou o ponto de vista padrão da origem das nossas habilidades linguísticas.[22] Há, no entanto, vários motivos para duvidarmos da ideia de que nosso cérebro se adaptou à linguagem para nos dar uma gramática universal.[23] Em primeiro lugar, como já assinalado, o ritmo das mudanças das convenções linguísticas, e das línguas em geral, é mais rápido que o ritmo da evolução biológica. O ambiente linguístico muda depressa demais para que os genes se adaptem a ele por seleção natural.

Com nossa colaboradora Florencia Reali, da Universidad de los Andes, na Colômbia, confirmamos isso usando simulações computadorizadas da interação entre mudança genética e mudança linguística.[24] Embora uma disposição genética específica possa dar a um indivíduo uma vantagem temporária no uso de determinado padrão linguístico idiossincrático, isso logo se tornaria desvantagem quando esse mesmo padrão inevitavelmente viesse a se tornar algo diferente. Como a mudança linguística é muito mais rápida que a adaptação biológica, os genes têm que continuamente "caçar" a linguagem, para descobrir que, quando conseguem alcançar, ela já seguiu em frente. Mudando rapidamente, a linguagem é um "alvo móvel" que os vagarosos genes não conseguem acompanhar, tornando as adaptações biológicas para específicos padrões abstratos linguísticos altamente improváveis — e, na verdade, quase certamente contraproducentes.

A dispersão das populações humanas, de início na África e depois em todo o resto do planeta, oferece um segundo motivo para duvidarmos de que os humanos tenham desenvolvido um aparato genético para a linguagem. Como crianças adotadas de qualquer lugar do mundo podem aprender a língua do seu novo país, qualquer suposta gramática universal deve, portanto, ter evoluído antes do êxodo africano. Caso contrário, uma menina chinesa adotada por pais americanos em Nova York não conseguiria aprender inglês, e um menino inglês criado numa família chinesa em Beijing não conseguiria aprender mandarim. Mas vamos supor, só para argumentar, que um grupo inicial de seres humanos na África de alguma forma tenha conseguido assimilar geneticamente as convenções linguísticas arbitrárias da sua comunidade. À medida que a população crescia, subgrupos se disseminaram por novas áreas e logo se isolaram uns dos outros — e, por não terem como manter contato entre si através de longas distâncias, suas convenções linguísticas rapidamente passariam a divergir.

Simulações de computador revelam que, se a seleção natural fosse suficientemente rápida para codificar geneticamente o conjunto inicial de padrões linguísticos, os genes não teriam como não se adaptar a mudanças linguísticas posteriores também.[25] Dessa maneira os genes, se pudessem (o que é implausível) acompanhar o ritmo frenético das mudanças linguísti-

Evolução da linguagem sem evolução biológica 179

cas em nosso grupo imaginário de seres humanos na África, acompanhariam igualmente o ritmo das novas mudanças de padrões linguísticos que sem dúvida ocorreriam à medida que a população se espalhasse pela África e para além da África. Esse tipo de adaptação a línguas divergentes por subpopulações humanas é muito parecido com o que Charles Darwin observou nas ilhas Galápagos, onde grupos de tentilhões, isolados uns dos outros em diferentes ilhas, evoluíram e acabaram se tornando espécies diferentes, cada qual lindamente adaptada a seu ambiente local. Mas, em se tratando de linguagem, essa adaptação a padrões linguísticos locais significaria que uma pessoa teria que nascer de pais etnicamente chineses para aprender mandarim, vir do estado mexicano de Chiapas para dominar o tseltal, ou ser natural da Dinamarca para aprender o dinamarquês. Não é esse o caso, evidentemente.[26]

Ainda que os dois primeiros problemas da visão adaptativa da linguagem de Pinker e Bloom pudessem ser resolvidos, restaria uma terceira razão para duvidarmos dessa narrativa: por que a evolução produziria uma gramática universal tão abstrata e tão altamente inespecífica que é capaz de atender a uma profusão de línguas radicalmente diferentes? Como veremos no Capítulo 7, as línguas diferem em quase todos os sentidos imagináveis, dos sons específicos utilizados para formar palavras ao modo como essas palavras são organizadas em frases e ao jeito de usar o contexto para dar sentido ao que está sendo dito. Mas a evolução não prevê o futuro. A primeira língua humana não poderia abranger essa variação tão estupenda. Teria sido apenas uma língua com um conjunto particular de sons e maneiras específicas de juntar os sons em palavras e as palavras em orações e frases. A adaptação biológica não é impulsionada pelos ambientes que *podem* vir a existir no futuro, como as 7 mil línguas diferentes de hoje. Na verdade, a seleção natural adapta os organismos ao seu ambiente *imediato*, e a evolução humana não é exceção.

À medida que se disseminavam pelo mundo, os hominídeos iam se adaptando fisicamente a ambientes locais específicos; um exemplo disso é a adaptação genética do homem de Neandertal (*Homo neanderthalensis*) a climas mais frios (alguns, aparentemente, compartilhados pelo mamute-lanoso).[27] Outro exemplo mais dramático é o Homem de Flores (*Homo floresiensis*), apelidado de "Hobbit" por causa da baixa estatura. Essas espécies iniciais de humanos viviam na ilha de Flores, na Indonésia, e passaram por um processo de nanismo insular, diminuindo de tamanho para se adaptarem aos limitados recursos disponíveis na ilha.[28] Da mesma forma, seria de esperar que essa regra se aplicasse a outras características humanas, como a linguagem. Assim sendo, se a linguagem começou com uma adaptação biológica gradual às convenções linguísticas locais de um único grupo de sábios linguistas, como sugerem Pinker e Bloom, por que a evolução não codificou geneticamente os sons específicos que eles usavam, a maneira como combinavam sons em palavras e a composição sintática de suas orações? Em outras palavras, por que não falamos todos a mesma língua?[29] A ideia de que a seleção natural adaptaria nosso cérebro não ao ambiente linguístico local, mas a um ambiente linguístico que compreendesse todas as possíveis línguas humanas futuras, equivale à sugestão de que um animal que vive nas areias do Saara pudesse desenvolver adaptações genéticas que não só lhe permitissem prosperar em seu árido deserto de origem, mas também flo-

Evolução da linguagem sem evolução biológica 181

rescer nas viçosas florestas úmidas da Amazônia, entre os arranha-céus de concreto de Manhattan e na gélida tundra do norte da Sibéria. Não é uma hipótese muito provável.

Há boas razões para questionar a ideia de uma adaptação biológica para a linguagem na forma de uma gramática universal. O linguista Noam Chomsky também duvida que uma gramática universal possa ter surgido através da seleção natural. Em vez disso, propõe a ideia de que a fundação biológica da linguagem resultou não de uma seleção natural gradual, como sugerido por Pinker e Bloom, mas de uma súbita ocorrência mutacional num único ser humano, há cerca de 100 mil anos. Num importantíssimo passo evolutivo, esse humano, apelidado de "Prometeu", foi capaz de executar pela primeira vez um processo chamado "recursividade", que Chomsky considera a propriedade fundamental, talvez até mesmo o núcleo, da linguagem.[30]

Recursividade é um conceito importante na lógica e na ciência da computação, que possibilita a um processo "recorrer" a uma cópia de si mesmo. Assim sendo, a recursividade costuma ser considerada fundamental para a linguagem porque permite que sintagmas sejam aninhados dentro de sintagmas do mesmo tipo, como bonecas matrioskas russas. Por exemplo, se pegarmos as duas frases "O cachorro fugiu" e "O gato assustou o cachorro", podemos aplicar a recursividade para encaixar a segunda dentro da primeira e produzir:

O cachorro [que o gato assustou] fugiu.

Podemos repetir esse processo de encaixamento, acrescentando a frase "O rato surpreendeu o gato", para produzir:

O cachorro [que o gato {que o rato surpreendeu} assustou] fugiu.

Na verdade, Chomsky sugere que podemos repetir esse processo ad infinitum. Notemos, porém, que mesmo com apenas dois encaixes, como vimos, a frase resultante é excepcionalmente difícil de compreender. Com três é praticamente impossível:

O cão [que o gato {que o rato (que a pulga alarmou) surpreendeu} assustou] fugiu.

Segundo Chomsky, Prometeu teria sido o primeiro ser humano capaz de construir essas e outras frases encaixadas de profundidade potencialmente infinita. Mas parece provável que Prometeu teria que ter batalhado para produzir, ou para compreender, frases com múltiplos encaixes — assim como ocorre hoje conosco. Por mais desconcertante que pareça, o argumento essencial de Chomsky é que a capacidade humana de usar a linguagem surgiu de um único golpe evolutivo: antes de Prometeu não havia linguagem, mas, com o advento da recursividade gramatical, a linguagem passou a existir (embora de início apenas na mente de um único ser humano).

Isso pode parecer um aspecto marginal, e não fundamental, da linguagem — e um foco estranho no "momento" evolutivo aparentemente crucial em que a linguagem humana se tornou possível. Na verdade, Morten escreveu sua tese de doutorado sobre o fato de que nossa capacidade para lidar com essa recursividade "com encaixe no centro" na linguagem é, a rigor, bastante tênue — um argumento que, levando em conta o

Evolução da linguagem sem evolução biológica 183

que já se discutiu neste livro, não chega a ser inesperado: pois frases com encaixe no centro vão de encontro às limitações do gargalo do agora ou nunca, que impõe a necessidade urgente de fragmentar o input o mais depressa possível. Frases com mais de um encaixe sobrecarregam o nosso sistema de linguagem com um peso superior à sua capacidade normal. Não é, portanto, de surpreender que frases com encaixe no centro sejam extremamente raras em todas as línguas.[31] Assim sendo, embora a abordagem matemática chomskyana da gramática veja a recursividade ilimitada como essencial à linguagem — a boneca matrioska pode supostamente conter qualquer quantidade de exemplares menores dentro de si, em princípio —, a linguagem, na verdade, não é nada disso. A rigor, frases faladas reais são matrioskas frustrantes, pois contêm no máximo uma cópia de si mesmas. Ou, em muitos casos, cópia nenhuma. E algumas línguas não usam a recursividade em hipótese alguma: o pirahã, falado por uma comunidade contemporânea de caçadores-coletores que vivem no interior da floresta amazônica brasileira, ficou famoso nos círculos acadêmicos pela aparente ausência de recursividade.[32]

Não só a recursividade parece uma candidata improvável à condição de "ingrediente ausente" de que os humanos precisam para fazer a linguagem decolar, como também soa extremamente improvável a ideia de uma complexa capacidade cognitiva como a recursividade aparecendo de repente já pronta, graças a um único incidente mutacional. Outro enigma é o fato de um único indivíduo, como Prometeu, dotado de uma capacidade de linguagem recursiva supostamente recente, ter adquirido qualquer vantagem seletiva. Afinal, a recursividade seria de pouca serventia na comunicação com qualquer outra

184   *O jogo da linguagem*

pessoa, uma vez que as demais pessoas não seriam dotadas da mesma capacidade recursiva. A resposta de Chomsky é que a recursividade não contribui para a comunicação mas, de um modo misterioso e não especificado, ajuda no pensamento — como se Prometeu exercesse sua linguagem apenas no monólogo interior, mas com benefícios tão imensos que o "gene da recursividade" se espalhou pela população com grande rapidez. Mais uma vez, não parece uma hipótese provável, e Chomsky não oferece nenhuma prova para respaldá-la.

Apesar de termos sustentado que os humanos não poderiam ter desenvolvido uma faculdade especial de linguagem ou uma gramática universal, fosse pela seleção natural, fosse por um único evento mutacional, a criação da linguagem ao longo de gerações de jogos de mímica tem tido imensas implicações para a evolução da nossa espécie. Como veremos no Capítulo 8, a linguagem muda tudo: do tamanho do nosso cérebro, e da complexidade das nossas sociedades, ao espantoso crescimento do conhecimento, da tecnologia e da cultura. Na verdade, quando descobrimos genes que estão envolvidos na nossa habilidade linguística, não esperamos que sejam específicos da linguagem, mas que desempenhem um papel no desenvolvimento de aptidões mais genéricas subjacentes a nossas habilidades linguísticas.

Genes da linguagem

No começo de outubro de 2001, jornais e revistas de ciência foram inundados com manchetes sensacionalistas como "Não espalhe, mas pode ser que o poder da linguagem esteja nos

Evolução da linguagem sem evolução biológica 185

genes", "Encontrado o primeiro gene da linguagem" e "Primeiro 'gene da fala' identificado".[33] O alvoroço era por causa de um estudo pioneiro que revelou que a perturbação de um único gene chamado FOXP2 estava associada a severas desordens de fala e de linguagem sofridas por metade dos membros de três gerações de uma família britânica de West London.[34] Obras anteriores sugeriam que os membros afetados daquela família, conhecida como KE, tinham problemas particulares com morfologia (como flexão nominal e verbal).[35] Por exemplo, eles foram reprovados no famoso *"wug test"*, que avalia o conhecimento da regra do plural em -s no inglês.[36] Nesse teste, primeiro lhes descreveram um animal imaginário e depois lhes disseram "Isto é um wug". Em seguida, mostraram-lhes uma segunda imagem com duas dessas criaturas imaginárias e perguntaram: "Estes são ____?". Embora crianças de quatro anos sejam capazes de rapidamente dizer "Wugs!", os membros da família KE afetados não conseguiam responder certo. Muitas vezes, respondiam apenas "Wug", indicando que não tinham entendido o padrão geral do inglês de acrescentar a letra s para formar o plural (*car/ cars*, *dog/ dogs* ou *wug/ wugs*). Não se saíram melhor quando submetidos a testes sobre o -ed que sinaliza o tempo passado em muitos verbos em inglês, como *walk/ walked* e *kiss/ kissed*. Quando lhes faziam perguntas como *"Every day he walks eight miles. Yesterday he ____?"* [Todos os dias ele anda oito milhas. Ontem ele ____?], eles tipicamente omitiam a terminação do pretérito, limitando-se a dizer *"Walk"*, quando em geral crianças do pré-escolar não encontram dificuldade alguma para responder *"Walked"*.

Esse tipo de déficit, que parece afetar apenas a linguagem e não provoca nenhuma outra limitação cognitiva, costuma ser definido como distúrbio específico de linguagem, ou DEL. Como os indivíduos KE afetados não pareciam ter problemas de inteligência, ou com qualquer outro aspecto de cognição, foi sugerido que seu distúrbio era específico para complexidades morfológicas, e que um único gene talvez fosse responsável por esse déficit. Esse padrão seletivo de avaria apenas para linguagem é exatamente o que se poderia esperar se os humanos tivessem desenvolvido adaptações biológicas para diferentes aspectos da linguagem, tais como a morfologia. Não surpreende, portanto, que a descoberta de que o dano a um único gene, FOXP2, resultava em DEL tenha sido recebida como um maná dos céus por estudiosos partidários da ideia de um mecanismo inato para linguagem. Steven Pinker até falou em "prova conclusiva da causa genética de um tipo de distúrbio de linguagem".[37]

Dez meses depois, os proponentes de uma dotação genética para a linguagem receberam novo impulso, acompanhado por outra rodada de provocadoras manchetes sobre FOXP2 na mídia e em revistas científicas: "Gene da linguagem remonta ao surgimento de humanos", "Gene ligado ao alvorecer da fala" e "Estreia do 'gene da fala' bate com o tempo de humanos modernos".[38] Enquanto o primeiro estudo tinha localizado o gene FOXP2 danificado na família KE no braço longo do cromossomo 7 em humanos, o segundo estudo envolvia uma comparação da versão humana do FOXP2 com as versões dos chimpanzés, dos gorilas, dos orangotangos, do macaco rhesus e do camundongo.[39] Dada a aparente importância desse gene para a linguagem, pode parecer surpreendente que outros animais também o tenham — mas o FOXP2 não é exclusivo dos humanos, dos primatas ou mesmo dos mamíferos. Ele é importante

Evolução da linguagem sem evolução biológica 187

para o desenvolvimento do cérebro, dos pulmões, do coração e do intestino, e é altamente conservado nas espécies, de humanos e símios a camundongos, morcegos, pássaros e peixes-zebra. É um gene com o qual não se deve brincar. Os camundongos, quando têm a sua versão do Foxp2 (conhecida pelas letras em caixa-baixa, para distingui-la da variante humana) "destruída", morrem em 21 dias. Notemos que nós todos temos duas cópias de FOXP2 — uma da mãe e a outra do pai. Só uma delas estava "danificada" nos membros afetados da família KE, ao passo que nos camundongos mortos as duas cópias tinham sido danificadas. A cópia do FOXP2 que funcionava na família KE foi suficiente para o desenvolvimento dos pulmões, do coração e do intestino, mas não para a base cerebral da linguagem.

A importância de não violar o FOXP2 se reflete no fato de que só houve uma mudança de aminoácido no gene nos 70 milhões de anos transcorridos desde a separação evolutiva entre camundongos e chimpanzés. Mas o que provocou a nova empolgação pelo FOXP2 foi que, como os humanos se separaram dos chimpanzés há cerca de 6 milhões de anos, houve duas mudanças de aminoácido na versão humana do gene. Comparações de um pequeno conjunto de genomas humanos sugeriram que essas mudanças se tornaram "fixas" em nossa linhagem em algum momento dos últimos 200 mil anos, significando que uma versão particular do FOXP2 tinha se disseminado pela população humana — provavelmente porque proporcionou uma poderosa vantagem seletiva. A seleção natural tinha incorporado a nova versão do gene a todos os humanos vivos na Terra no que, em termos evolutivos, foi apenas um piscar de olhos. Será que o FOXP2 se espalhou tão rapidamente assim porque tinha evoluído especificamente para apoiar a lin-

188   *O jogo da linguagem*

guagem, como certamente esperariam os defensores de uma gramática universal geneticamente programada?

As promessas oferecidas pelo FOXP2 como gene da linguagem exclusivo dos humanos modernos teriam vida curta. O primeiro golpe veio em 2007, de um estudo de genética dos neandertalenses, que antes se supunha serem brutos grunhidores praticamente sem linguagem. Uma vez desenvolvida a técnica para extrair DNA antigo de ossos fossilizados, um dos primeiros alvos para sequenciamento foi o gene FOXP2 dos neandertalenses. O que se viu foi que ele tivera as mesmas duas mudanças de aminoácido da versão humana moderna, tornando os genes das duas espécies praticamente idênticos do ponto de vista evolutivo.[40] Assim sendo, se o FOXP2 é um gene da linguagem, então os neandertalenses também devem ter tido linguagem. Isso significa ainda que a versão de FOXP2 dos humanos modernos e dos neandertalenses deve ser mais antiga do que se supunha originalmente, remontando pelo menos ao nosso último antepassado comum, 300 mil ou 400 mil anos atrás.

O segundo golpe veio mais ou menos uma década depois, quando um abrangente estudo comparando centenas de genomas de populações humanas no mundo inteiro foi incapaz de localizar a variação genética reduzida dentro do FOXP2 que tinha sido vista como endosso de seleção recente no estudo anterior, de escala menor.[41] É possível encontrar diferenças genéticas até mesmo em genes conservados, como o FOXP2. Se compararmos os genomas de dois indivíduos escolhidos ao acaso, eles serão quase idênticos. Cerca de 99,9% idênticos, na verdade, se compararmos a ordem dos quatro nucleotídeos — adenina (A), timina (T), citosina (C) e guanina (G) — que são os elementos constitutivos do DNA. Mas de vez em quando

Evolução da linguagem sem evolução biológica

surge uma diferença — em média, uma vez a cada mil nucleo-tídeos — na qual uma pessoa tem um A e a outra tem um G, ou uma tem um T onde a outra tem um C. Isso significa que elas têm dois *alelos* diferentes para essa localização específica em seu genoma.[42] O mesmo se aplica quando examinamos genes individuais. Se a nova variante do FOXP2 tivesse se espalhado rapidamente por toda a população humana primitiva, como seria esperável caso se conferissem as imensas vantagens reprodutivas oferecidas pela linguagem, então deveria haver pouca variação alélica dentro desse trecho do DNA nos seres humanos modernos em qualquer parte da Terra. A teoria do gene da linguagem foi reprovada nesse teste crucial: não havia sinal da redução reveladora nos alelos do FOXP2, e, consequentemente, não havia prova de seleção favorável ao FOXP2 na população humana. O novo estudo, mais abrangente, mostrou que, pelo fato de ter colhido amostras apenas num pequeno conjunto de genomas basicamente de indivíduos de ascendência eurasiana, o estudo original deixara de fora muito da variação alélica real encontrada dentro do FOXP2 no mundo inteiro. Em outras palavras, seja qual for a seleção natural que nossos antepassados humanos tenham atravessado nos últimos 200 mil anos, é improvável que tenha envolvido adaptações biológicas de FOXP2 especificamente para linguagem. Isso é tudo que se tem a dizer sobre o FOXP2 enquanto a chave do instinto humano da linguagem segundo Pinker, ou enquanto o Prometeu linguístico segundo Chomsky.

Mas existe uma relação estreita entre o FOXP2 e a linguagem? À primeira vista, é uma pergunta estranha, levando em conta que a perturbação desse gene resulta nas dificuldades de linguagem experimentadas pelos membros afetados da família

KE. Notemos, no entanto, que a lógica dessa dedução se baseia na ligação de duas negativas: ela associa o colapso de um componente biológico, o FOXP2, a um déficit de comportamento, linguagem. Para entender por que essa inferência duplamente negativa pode ser problemática, vejamos o caso da doença de Huntington, causada por uma mutação numa cópia do gene da huntingtina.[43] Um dos primeiros sinais da doença é a dificuldade de andar, mas isso não faz da huntingtina um "gene de andar". Na verdade, a mutação nesse gene causa um distúrbio neurodegenerativo que inicialmente se manifesta com mais evidência em problemas de movimento e coordenação, que têm um efeito dramático no andar. Com isso em mente, Morten e seus colegas da Universidade de Iowa resolveram investigar se uma variação genética normal no FOXP2 na população em geral poderia contribuir para diferenças individuais em suas habilidades linguísticas.[44] Especificamente, eles procuravam saber se uma variação em treze diferentes alelos do FOXP2 estaria associada a diferenças individuais em várias tarefas de linguagem envolvendo vocabulário, gramática e narrativa numa grande amostra de 812 crianças em idade escolar. Às voltas com outro golpe contra a ideia de que o FOXP2 é um "gene da linguagem", eles não encontraram qualquer relação entre a variação alélica comum no FOXP2 e habilidades linguísticas. Assim sendo, ainda que o distúrbio do FOXP2 na família KE esteja ligado a uma rara forma de disfunção de linguagem, a variação alélica nesse gene na população em geral não contribui para as diferenças que ocorrem normalmente em nossas habilidades linguísticas.

Resta-nos a pergunta: em que aspectos do comportamento o FOXP2 pode estar envolvido, se é que está envolvido em al-

Evolução da linguagem sem evolução biológica 191

gum? Será que o FOXP2 influencia as habilidades de linguagem por uma rota mais indireta? Um estudo com camundongos que já dura uma década oferece alguns insights iniciais nessa questão.[45] Geneticistas do Instituto Max Planck de Antropologia Evolutiva em Leipzig usaram ferramentas moleculares para modificar o gene FOXP2 numa linhagem de camundongos a fim de torná-lo funcionalmente equivalente ao gene FOXP2 humano — em essência, o que fizeram foi inserir uma versão humana do FOXP2 nesses camundongos. Como seria de esperar, o camundongo "humanizado" resultante não chegava a ser um Stuart Little, o camundongo falante do amado livro para crianças de E. B. White. Mas há mudanças intrigantes em seus circuitos corticoestriatais, parte do cérebro importante para o aprendizado. Explorando os efeitos comportamentais de assemelhar o FOXP2 à versão humana nesses camundongos, os geneticistas observaram um aprendizado melhor e mais eficiente, sugerindo a espécie de fragmentação acelerada de rápido input sequencial discutida no Capítulo 2. O mais fascinante é que os mesmos circuitos corticoestriatais têm sido associados também ao aprendizado de sequências complexas em humanos.

Então, pode ser que a evolução da versão humana do FOXP2 tenha envolvido mudanças nesses circuitos neurais para facilitar o aprendizado de sequências — um tipo de aprendizado há muito tido como importante para a linguagem.[46] Se for esse o caso, é de esperar que pessoas com genes FOXP2 prejudicados lutem não só com o aprendizado de linguagem, mas também com o aprendizado de sequências de todos os tipos. Essa ilação foi investigada numa mãe e em sua filha, ambas portadoras de distúrbios no FOXP2 parecidos com os membros afetados da família KE. Além dos problemas de linguagem, a dupla lutava também para aprender sequências não linguísticas. Na verdade, descobriu-se que, de maneira mais ampla, indivíduos com DEL têm problemas com o aprendizado de sequências independentemente de terem sofrido danos no FOXP2.[47]

A conclusão disso tudo é que o FOXP2 não é, de forma alguma, um gene da linguagem. Na verdade, é provável que tenha seu papel no desenvolvimento de circuitos cerebrais de utilidade geral que, entre outros tipos de aprendizado, são recrutados para a linguagem. E não apenas isso: apesar do nome, o distúrbio específico de linguagem não é *específico* da linguagem. A rigor, o DEL é um déficit de desenvolvimento de amplo espectro que afeta o aprendizado de sequências e possivelmente outras aptidões não linguísticas; mas, como passamos a maior parte das nossas horas de vigília utilizando a linguagem, o déficit linguístico é muito mais perceptível. O que o DEL nos mostra é que a linguagem não é uma habilidade isolada que possa ser danificada seletivamente, muito embora possa ser prejudicada quando algumas de suas habilidades subjacentes são afetadas. Mas isso é exatamente o que se poderia esperar se a linguagem tivesse evoluído pegando carona em mecanismos cerebrais preexistentes, como nossa capacidade de aprender sequências.

Máquina nova construída com peças velhas

Quando as crianças aprendem uma língua, seu cérebro não recorre a uma "maquinaria" geneticamente programada para linguagem. Em vez disso, o cérebro em desenvolvimento re-

Evolução da linguagem sem evolução biológica   193

cruta e reaproveita circuitos neurais que evoluíram bem antes do surgimento da linguagem, como os envolvidos no planejamento e na execução de complexas sequências de ações. Os genes desempenham um papel, claro, mas não de uma maneira específica para a linguagem.

Mas há outro quebra-cabeça óbvio para o ponto de vista que expressamos aqui. Por mais de um século e meio, cientistas vêm estudando áreas do cérebro que parecem especializadas em linguagem. Por exemplo, descobriu-se que a área de Broca, uma região na parte frontal esquerda do cérebro, é importante para a produção da fala, enquanto a área de Wernicke, localizada na parte superior do lobo temporal esquerdo, costuma ser associada à compreensão da linguagem (ver Figura 5.2).[48] Nos adultos, danos a essas áreas causados por acidente vascular cerebral ou por traumatismo craniano têm sido associados a problemas na produção e na compreensão da linguagem. E exames cerebrais mostram que essas áreas (juntamente com outras partes do cérebro) são altamente ativas quando usamos a linguagem. Como é possível que essas "áreas de linguagem" surjam no cérebro se não estiverem pré-programadas em nossos genes? Uma pista crucial para responder a essa pergunta vem não da linguagem em si, mas de outro produto da evolução cultural estreitamente relacionado: o letramento.

A escrita tem pelo menos 5500 anos, mas ao longo de quase toda a história humana a capacidade de ler e escrever esteve confinada a uma fração minúscula da população. Só no último século é que o letramento se espalhou pelo planeta. É muito pouco tempo para que pressões seletivas afetem nossos genes, menos ainda para o surgimento evolutivo de adaptações biológicas para ler e escrever. O letramento é, portanto,

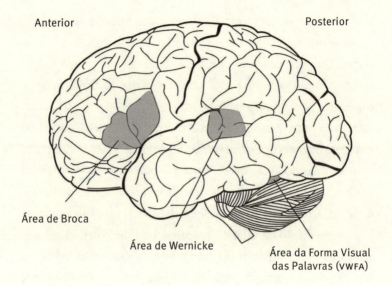

Figura 5.2. Visão do hemisfério esquerdo do cérebro humano, mostrando a localização aproximada de duas regiões envolvidas na linguagem, as áreas de Broca e de Wernicke, bem como a área da forma visual das palavras envolvida na leitura. (Adaptado de um desenho do cérebro de H. Gray, 1918.)

considerado, indiscutivelmente, uma habilidade desenvolvida culturalmente que, por necessidade, deve pegar carona em mecanismos cerebrais preexistentes — exatamente como afirmamos ser o caso da linguagem.

Os sistemas de escrita existentes no mundo divergem de várias maneiras, desde o alfabeto de línguas como o inglês e o dinamarquês, em que as letras representam sons individuais, aos "silabários" usados pelo japonês e pelo cherokee, nos quais um símbolo representa uma sílaba, aos logogramas do chinês, nos quais um caractere representa uma palavra inteira.[49] Apesar disso, há uma diferença surpreendentemente pequena

Evolução da linguagem sem evolução biológica 195

nas áreas cerebrais envolvidas na leitura, seja em indivíduos ou culturas.[50] Perto da parte inferior da região temporal do hemisfério esquerdo fica uma área minúscula do cérebro conhecida como área da forma visual das palavras (vwfa), que é consistentemente ativada em qualquer sistema de escrita.[51] A existência da vwfa é importante em nossa argumentação por duas razões. A primeira é que ela mostra que uma invenção cultural — o letramento — pode recrutar substratos neurais parecidos, seja quem for que esteja lendo ou seja qual for a escrita que esteja sendo lida, sugerindo que o cérebro lida com todas as línguas escritas da mesma maneira. A segunda é que, à medida que o leitor vai ficando mais competente na leitura, a vwfa se torna cada vez mais dedicada a reconhecer palavras. Levando em conta que a linguagem é também produto de evolução cultural, isso não significa que essas áreas tenham evoluído como adaptações biológicas para a linguagem. Na verdade, como a vwfa, elas surgem da experiência com a linguagem, em alguns casos resultando em circuitos neurais que são basicamente, e às vezes até completamente, dedicados à linguagem.

Assim como a linguagem é definida pelo cérebro, os sistemas de escrita também têm sido otimizados pela evolução cultural para se tornarem fáceis de aprender e usar. Por exemplo, letras individuais em alfabetos do mundo inteiro consistem, em média, de três traços por caractere (como em A, F, N, K). Essa tendência provavelmente reflete as limitações básicas do nosso sistema visual, ao mesmo tempo que permite também a criação de letras em quantidade suficiente para capturar todos os sons da fala sem demasiada ambiguidade.[52] De forma análoga, os contornos criados pela interseção de diferentes traços nas letras (como T, Y, L, Δ) seguem os mesmos padrões de regularidade observados em cenas naturais, ou seja, combinações parecidas de interseção de linhas semelhantes àquelas que vemos ao olhar para uma paisagem coberta de floresta, um panorama de montanha ou um panorama oceânico. Acontece que essas letras foram moldadas para se encaixar em tendências já existentes no sistema visual para o reconhecimento de objetos e cenas.[53] Isso foi demonstrado por um estudo no qual babuínos aprenderam a distinguir palavras inglesas reais, como *done*, *land*, *them*, *vast*, de não palavras como drke, lagn, tewk, vibt.[54] Não foi, claro, um caso de aprender um processo sem entender como ele funciona. Os babuínos desse estudo não sabiam ler nem entendiam inglês; mas, notavelmente, eram capazes de aprender o suficiente sobre como as letras são tipicamente combinadas para formar palavras em inglês para selecionar, numa proporção bem acima do mero acaso, as cadeias de letras que eram de fato palavras em inglês e rejeitar as que não eram. Quando reunidos, esses achados sugerem que sistemas de escrita têm sido moldados pela evolução cultural para caberem num nicho neuronal que inclui a vwfa para os tornar fáceis de aprender e de ler, exatamente como as línguas se adaptaram ao funcionamento do nosso cérebro para facilitar o seu aprendizado e a sua utilização.

A existência de áreas de linguagem no cérebro não representa, portanto, nenhum problema para a ideia de que a linguagem evoluiu basicamente através da evolução cultural. Assim como a vwfa não é um módulo cerebral geneticamente codificado para a leitura, regiões de linguagem como as áreas de Broca e de Wernicke não são adaptações biológicas para a linguagem. Na verdade, essas áreas se tornam cada vez mais

Evolução da linguagem sem evolução biológica

especializadas para a linguagem e para o letramento durante o nosso tempo de vida através de anos de falação e leitura. Portanto, não deveria ser surpresa para ninguém que, se essas áreas do cérebro forem danificadas por um acidente vascular cerebral, por uma lesão traumática do cérebro ou por uma doença neurodegenerativa, o resultado seja déficit seletivo de linguagem (as várias formas de afasia) ou leitura (dislexia adquirida, quando pessoas com habilidade normal de leitura desenvolvem dificuldades para ler).

O paralelo entre linguagem e leitura se estende ao nível genético. Danos ao FOXP2 podem levar a problemas de fala e de linguagem. Da mesma forma, quando genes específicos associados à leitura, como o DCDC2, são perturbados, o resultado é dificuldade para aprender a ler (conhecida como dislexia desenvolvimental).[55] Nos dois casos, os genes não codificam diretamente para a linguagem ou para a leitura, mas influenciam indiretamente o desenvolvimento dos mecanismos cerebrais que servem de base para essas habilidades. O DCDC2 influencia o desenvolvimento neural em áreas do cérebro importantes para lidar com som, que é parte integrante do aprendizado da leitura: sem uma boa representação de sons da fala, o cérebro não tem um alvo claro para mapear letras. E, como já vimos, o FOXP2 afeta o desenvolvimento de circuitos neurais importantes para lidar com rápidas sequências de input, como a linguagem falada.

O LETRAMENTO É UM produto cultural, apoiado por áreas cerebrais especializadas que vão surgindo aos poucos quando aprendemos a ler. A linguagem também é uma habilidade desenvolvida culturalmente. Ela se desenvolve à medida que aprendemos a falar ou sinalizar, baseando-se numa maquinaria neural existente que se torna especializada para o funcionamento linguístico. Como Liz Bates expressou de modo tão apropriado: "A linguagem é uma nova máquina construída com peças velhas, reconstruída com essas partes por todas as crianças".[56] Mas como as crianças conseguem? Se a evolução da linguagem consiste em repetidos jogos de mímica linguísticos em grande escala, como elas conseguem decifrar corretamente? Do ponto de vista da gramática universal, as crianças decifram corretamente porque a linguagem está instalada nos seus genes. Mas, se não existe esse conhecimento inato da linguagem, o fato de as crianças aprenderem a praticar jogos de mímica linguísticos tão rapidamente e com tanta facilidade precisa de outra explicação. Devemos perguntar assim: o que acontece quando o aprendizado da língua se encontra com a evolução da língua?

A explicação é surpreendentemente simples: aprender uma língua é brincadeira de criança porque a língua evoluiu para poder ser aprendida por nós, e pelas crianças em particular. O aprendizado de línguas é fácil para nós porque estamos aprendendo a nossa língua, e aprendendo-a com gerações anteriores de humanos dotados de cérebros e habilidades cognitivas semelhantes. O aprendizado de línguas é possível, como veremos, porque não estamos aprendendo um conjunto arbitrário de padrões e significados criados por um computador ou por extraterrestres, e sim refazendo os passos de aprendizes que vieram antes de nós e que eram exatamente iguais a nós.

6. Nos rastros uns dos outros

> A maioria das situações [...] oferece alguma pista para comportamento coordenado, algum ponto focal para a expectativa de cada pessoa a respeito do que o outro espera que ela espere que seja esperado.
>
> THOMAS SCHELLING, *The Strategy of Conflict* (1960)

SUPONHAMOS QUE VOCÊ SEJA convidado a se encontrar com um desconhecido em Nova York, mas não tem como entrar em contato com ele. Quando e onde será o encontro? Parece uma missão impossível! Nova York é imensa, consistindo em cinco grandes áreas — os *boroughs* de Brooklyn, Queens, Manhattan, Bronx e Staten Island — abrangendo 784 quilômetros quadrados, e tem uma população de mais de 8 milhões.[1] Como encontrar alguém que você não conhece numa cidade tão vasta?

No entanto, de repente a missão parece viável se reformularmos o problema nos seguintes termos: "Escolha uma hora e um lugar em Nova York que outra pessoa, exatamente igual a você, escolheria". A resposta popular é: "Ao meio-dia na Grand Central Station". Embora possa escolher qualquer hora do dia ou da noite, meio-dia parece uma hora de encontro particularmente boa, uma hora que outras pessoas provavelmente também escolheriam, ao passo que 2h39 da manhã é obviamente uma péssima escolha. Da mesma forma, Nova York está cheia de lugares de encontro, mas a Grand Central Station, Times Square ou a base do Empire State são particularmente populares, por serem pontos de encontro muito conhecidos. Ir a um ponto aleatório escolhido no mapa de Nova York e esperar que outra pessoa escolha o mesmo lugar aleatório é, claramente, uma estratégia fadada ao fracasso.

Esse problema de Nova York foi apresentado originalmente pelo economista e prêmio Nobel americano Thomas Schelling, o proponente da doutrina de destruição mútua assegurada (MAD, da sigla em inglês) de dissuasão nuclear. Seu influente livro *The Strategy of Conflict* [*A estratégia do conflito*], de 1960, examina não apenas as maneiras como adversários com objetivos opostos lutam pela dominação, mas também o problema complementar de como pessoas com o mesmo objetivo coordenam com êxito seu comportamento para alcançar uma meta comum. Schelling introduziu a ideia de "ponto focal", uma expectativa compartilhada do que nós e nossos parceiros pensaremos ou faremos em determinada situação ao tentarmos coordenar nosso comportamento. Ou seja, para uma determinada decisão, cada um de nós procura fazer a mesma coisa que nosso parceiro, sabendo que ele também está tentando coordenar conosco. Quando Schelling perguntava a seus alunos o que fariam no caso do problema de Nova York, eles quase sempre escolhiam horas e lugares tão populares que qualquer dupla teria uma boa chance de chegar ao mesmo tempo no mesmo lugar. Estamos surpreendentemente afinados uns com os outros para resolver intuitivamente problemas de coordenação, mesmo quando à primeira vista parecem impossíveis.

Nos rastros uns dos outros

Novos pontos focais podem surgir rapidamente, claro. Se a última vez que nós dois nos encontramos foi numa pequena lanchonete na rua 76 Leste, podemos ambos aparecer lá, cada um esperando que o outro se lembre do último encontro. Os "jogos de Schelling" funcionam porque todos podemos partir do princípio de que temos cérebros e habilidades cognitivas semelhantes, e muitas vezes conhecimentos semelhantes de contexto, normas, convenções sociais e outros aspectos da parte oculta do iceberg da comunicação. O mesmo se aplica a jogos de linguagem de qualquer tipo.

Os jogos de mímica, bem como a comunicação em termos mais amplos, dizem respeito a pontos focais. O criador da mímica produz uma sequência de ações que podem ser interpretadas das mais diversas maneiras. O que importa é que uma interpretação focal compartilhada ocorra tanto na cabeça do criador como na da plateia. Quando isso se dá — a plateia adivinha o que o criador da mímica pretende dizer —, a mímica comunica sua mensagem com êxito. Se não se consegue encontrar um ponto focal, a comunicação fracassa, e novas ações se fazem necessárias. Como já vimos, a comunicação pela linguagem funciona da mesma maneira. A linguagem não é um código estrito no qual cada mensagem tem um significado único e distinto; é, na verdade, uma série de pistas que podem ser interpretadas com flexibilidade e criatividade. A interpretação das pistas de hoje depende da interpretação das pistas de ontem, de modo que as convenções linguísticas aos poucos vão surgindo.

O aprendizado da linguagem se encontra com a evolução da linguagem

A linguagem é uma ferramenta comunicativa moldada por nosso cérebro, da mesma maneira que ferramentas físicas, como garfos, serrotes e pás, foram perfeitamente moldadas pela evolução cultural para se ajustarem a nossas mãos, pernas e nosso corpo. Pensemos no quanto as tesouras modernas são adaptadas à forma das nossas mãos e à tarefa precisa de cortar (tanto é que assumiram diferentes formas especializadas: tesouras de cozinha, tesouras cirúrgicas, tesouras de unha e assim por diante). Ao longo de centenas de anos, as tesouras foram definidas pela evolução cultural para que se tornassem fáceis de usar levando em conta a anatomia das nossas mãos, a ponto de terem formas diferenciadas para uso com a mão direita e com a mão esquerda. Morten, que é destro e vive com uma canhota, sabe muito bem que uma tesoura para canhotos não funciona bem quando usada na mão direita. E, como as tesouras são tão adaptadas à nossa anatomia, crianças podem manejá-las quase sem precisar de instruções (embora cortar certo ou em linha reta exija bastante prática). Por outro lado, as tesouras são absolutamente inúteis para uma vaca com seus cascos, para um cão com suas patas ou para um golfinho com suas barbatanas. Se ignorarmos o fato de que as tesouras foram adaptadas para as necessidades de gerações anteriores de usuários de tesoura, cujas mãos tinham o mesmo formato das nossas, a facilidade com que tanto adultos como crianças usam tesouras seria intrigante ao extremo. Mas é fácil aprender a usar tesouras, justamente porque elas não são arranjos casuais de pedaços de metal ou ferramentas de uma civilização

Nos rastros uns dos outros

marciana. Na verdade, foram moldadas por gerações de usuários humanos no passado, para se tornarem pontos focais de nossas mãos.

O que funciona para as tesouras também funciona para a linguagem — as duas coisas são magnificamente adaptadas pela evolução cultural para que possamos usá-las.[2] Para explicar como o aprendizado de uma língua é possível, precisamos recorrer à evolução da linguagem. O caráter imediato da linguagem, o gargalo do agora ou nunca que ela cria, pressupõe que as crianças aprendam os padrões e os significados de uma língua no esquema um fragmento ou uma construção de cada vez. E elas precisam aprender a extrapolar a partir de experiências passadas para combinar de novas maneiras pedaços de linguagem e pistas significativas conhecidos para se comunicarem e entenderem os que outros estão dizendo. Mas como as crianças conseguem improvisar da forma correta para participar dos jogos de mímica linguísticos? A resposta é elegantemente simples: toda pessoa que fala agora já foi criança um dia. As crianças fazem as generalizações certas porque agem exatamente como todo mundo que veio antes delas. Os padrões linguísticos que cada geração precisa aprender foram criados por gerações anteriores de usuários da linguagem, que tinham exatamente as mesmas aptidões, limitações e predisposições. Para aprender uma língua, assim como para aprender a usar qualquer ferramenta ou produto desenvolvidos culturalmente, basta seguirmos os rastros de outros.

Nem todo aprendizado, no entanto, é aprendizado cultural, no qual nossa tarefa consiste em seguir os passos de outros. Para sobreviver no mundo, os humanos precisam superar dois desafios distintos: temos que compreender o mundo natural e lidar com ele, e temos também que coordenar com outros na comunidade. Chamamos de aprendizado N o primeiro, aprender a respeito do mundo natural, e de aprendizado C o segundo, aprender sobre o mundo cultural.[3] No aprendizado N, o mundo oferece o metro-padrão para medir o aprendizado. Assim, quando praticamos o arremesso de uma bola ou de uma lança, o que outras pessoas pensam ou fazem não tem qualquer efeito sobre o resultado. Atingirmos ou não o alvo só vai depender de como a nossa habilidade de lançamento se comporta em relação à gravidade, à resistência do ar e a outras forças externas que afetam a trajetória do objeto arremessado. O aprendizado N é obviamente importante para a evolução humana — precisamos descobrir como o mundo físico funciona para lidar com ele adequadamente. Por exemplo, precisamos desenvolver um entendimento de que objetos persistem (não desaparecem magicamente), de que têm peso e momento linear (fator importante se um deles é arremessado em nossa direção) e de que podem casualmente influenciar outros objetos de formas específicas (comparemos deixar um objeto pesado cair no nosso pé e deixá-lo cair numa poça de água). Quando se trata de aprendizado N, todos nós somos solitários cientistas amadores, tentando aprender a lidar com o mundo material.[4]

Em contraste, o aprendizado C diz respeito à coordenação com outras pessoas — pessoas que são exatamente como nós. No caso do aprendizado C, não há uma "verdade" universal predeterminada sobre o que é certo e o que é errado. O essencial é fazer o que outros fazem, descobrir os pontos focais da nossa comunidade. O êxito ou o fracasso do aprendizado C depende de assimilarmos ou não as convenções culturais compartilhadas da nossa comunidade, e de como extrapolamos

Nos rastros uns dos outros 205

dessas convenções em face de novos casos. Pensemos no uso de diferentes movimentos de cabeça para sinalizar concordância ou discordância nas interações humanas.[5] O aprendizado N não nos ajudará em nada aqui, porque não há significado intrínseco numa cabeça que abaixa e levanta levemente, ou numa cabeça que balança de um lado para outro. Abaixar e levantar a cabeça no norte da Europa significa "sim", ao passo que na Grécia é "não". E, em muitos lugares do mundo, sacudir a cabeça de um lado para outro sinaliza "não", mas no Sri Lanka esse movimento é usado para indicar concordância. O que importa aqui é adotarmos o mesmo padrão de movimento de cabeça usado pelas pessoas à nossa volta. No que diz respeito ao aprendizado C, não somos cientistas solitários em busca de verdades eternas. Na verdade, somos mais parecidos com músicos cujo objetivo não é alcançar o tom perfeito, mas sim estar em sintonia com o restante da orquestra.

Sinalizar acordo ou desacordo pode parecer uma questão de assimilar convenções mecanicamente. Mas para praticar jogos de mímica ou encontrar alguém em Nova York é preciso ir muito além do aprendizado mecânico — é preciso inferir criativamente a partir do que já vimos, e fazê-lo do mesmo jeito que todo mundo faz. Esse processo de inferência revela uma diferença fundamental entre o aprendizado N e o aprendizado C. Imaginemos que um processo desconhecido produzisse a sequência 1, 2, 3… Que números viriam em seguida? Se abordarmos a questão como um problema de aprendizado N, no qual assumimos que os dados vieram de algum aspecto do mundo natural, com dados tão exíguos existe um número infinito de possibilidades. O mais provável é que a continuação seja aleatória — é puro acaso o fato de que a sequência

206   *O jogo da linguagem*

observada seja ascendente. Mas suponhamos que exista um padrão. Pode ser praticamente qualquer coisa: uma sequência repetida (1, 2, 3, 1, 2, 3, 1...), uma sequência oscilante (1, 2, 3, 2, 1, 2, 3, 2, 1...) ou uma sequência de Fibonacci (1, 2, 3, 5, 8, 13, 21...); ou pode ser simplesmente que ela empaque (1, 2, 3, 3, 3, 3, 3...). Não há como sabermos.

Se em vez disso considerarmos a sequência parte de um produto cultural, em que a ideia-chave é adivinhar a mesma continuação que outras pessoas adivinhariam, então a resposta logo nos vem à mente: 4, 5, 6, 7, 8... Seria provavelmente o palpite da maioria das pessoas quando solicitadas a continuar a sequência 1, 2, 3... Resolver a versão aprendizado C do problema é muito mais fácil. A resposta óbvia tende a ser certa porque é óbvia também para outras pessoas (que são, afinal, exatamente como nós). No aprendizado C, nossas predisposições conceptuais, cognitivas, comunicativas e sociais, combinadas com nossa cultura compartilhada e com experiências passadas, nos ajudam a adivinhar certo. Chegamos aos pontos focais compartilhados porque nosso objetivo é simplesmente nos coordenarmos com aqueles que vieram antes de nós, pessoas que tinham exatamente as mesmas propensões que temos agora. Mas essas mesmas propensões não são necessariamente úteis para o aprendizado N e podem muitas vezes nos induzir a erro quando precisamos, com nossos palpites, chegar a uma resposta independente dos nossos cérebros, corpos e comunidades sociais. No aprendizado N, o simples fato de todos nós chegarmos à mesma conclusão (por exemplo, de que objetos mais pesados caem mais rápido) não a torna verdadeira. Já no aprendizado C, se todos chegarmos à mesma conclusão estamos inevitavelmente certos, porque

Nos rastros uns dos outros

nosso objetivo não é refletir a natureza, mas nos refletirmos uns aos outros.

A distinção entre o aprendizado C e o aprendizado N é crucial, se quisermos entender como é possível que o aprendizado de uma língua funcione. Conforme mencionado no Capítulo 4, psicólogos e linguistas costumam ver as crianças como minilinguistas que tentam decifrar a gramática de sua língua materna, mais ou menos como um antropólogo-linguista tenta descrever uma língua recém-descoberta.[6]

Desse ponto de vista, o enigma é especialmente aguçado — cada criança parece ser um prodígio, capaz de dominar padrões linguísticos mais completamente ao longo de uma infância normal do que linguistas "de verdade" jamais o fariam, apesar de décadas de estudos. Mas esse é um jeito inteiramente equivocado de pensar em como aprendemos uma língua. Trata esse aprendizado como um problema difícil de aprendizado N, como se a criança estivesse tentando descobrir algum aspecto do mundo natural, vendo a linguagem pelas lentes de um observador externo.

Aprender uma língua é possível não porque existe uma língua "verdadeira" independente dos humanos, que todos desejamos aprender, e sim porque se trata de aprender um aspecto da cultura humana. Aprender uma língua é uma questão de aprendizado C, *não* de aprendizado N. Em vez de tentar descobrir uma gramática abstrata para sua língua a partir de uma coleção de coisas que ouvem as pessoas à sua volta dizerem, as crianças tentam descobrir como usar a língua da mesma forma que todos os demais em sua comunidade, para resolver o desafio de comunicação do momento. Praticar jogos de mímica linguísticos é, afinal, um exemplo paradigmático de aprendizado C. O truque consiste em criar algum tipo de sinal comunicativo que tanto o falante como o ouvinte interpretem *da mesma maneira*. E isso simplifica drasticamente o aprendizado, pois a linguagem, como qualquer outro aspecto da cultura, é o produto de aprendizado feito por gerações anteriores.

A linguagem de hoje é produto dos aprendizes de ontem. Para aprender uma língua, a criança deve entrar em coordenação com outros aprendizes, tanto presentes como passados. Cada geração precisa apenas seguir os passos da anterior, de modo que nossos "palpites" absurdos provavelmente são os corretos, porque a adivinhação certa é a adivinhação mais popular feita pela geração anterior de aprendizes. Ao fazê-lo, os membros de cada nova geração seguem o mesmo caminho e, portanto, serão capazes de ter êxito em se coordenar não só com gerações anteriores, mas também entre si. Quando se trata de aprender uma língua, o aprendizado N é como procurar chaves perdidas numa cidade imensa na escuridão de uma noite sem lua; mas para o aprendizado C o desafio é simplesmente nos encontrarmos *uns aos outros*. E, ainda que as chaves perdidas possam estar em qualquer lugar, nossos semelhantes humanos estarão sob a luz da rua, sem a menor dúvida.

Jogos de telefone com base em laboratório

Os pontos focais compartilhados da nossa comunidade, alvos do aprendizado C, são moldados pela evolução cultural, para atenderem a nossas limitações biológicas e expectativas culturais específicas. Insights sobre o surgimento de pontos focais podem vir de trabalhos experimentais que astutamente aproveitam a popular brincadeira do telefone sem fio para recriar no laboratório a evolução da linguagem. Nessa brincadeira as crianças formam uma fila ou uma roda e o primeiro jogador propõe uma palavra ou mensagem a ser sussurrada ao ouvido do jogador seguinte, que por sua vez sussurra o que ouviu (ou julga ter ouvido) para o terceiro jogador e assim por diante. O último jogador então diz em voz alta o que quer que julgue ter ouvido, e isso é comparado ao que o primeiro jogador de fato disse. Tipicamente a palavra ou mensagem é distorcida ao longo do caminho, quase sempre com resultados engraçados — motivo, aliás, da popularidade da brincadeira.

Quase um século atrás, o célebre psicólogo britânico sir Frederic Charles Bartlett, o primeiro professor de psicologia experimental da Universidade de Cambridge, foi pioneiro no uso da brincadeira do telefone sem fio para estudar evolução cultural.[7] Seu interesse era saber como o conhecimento preliminar e as expectativas culturais podem alterar o que nós lembramos, e como isso poderia mudar nossas lembranças coletivas ao longo do tempo. Numa famosa linha de estudo, ele pedia às pessoas que ouvissem e depois recordassem diferentes contos folclóricos indígenas, como a "A guerra dos fantasmas", uma história dos indígenas americanos. O primeiro participante lia uma adaptação da história original e depois escrevia o que conseguisse lembrar. A próxima pessoa lia o que a primeira tinha escrito e em seguida reproduzia o que conseguisse lembrar também, e assim por diante, numa sequência de dez ou mais pessoas. A história mudava substancialmente através de "gerações" de participantes, ficando mais breve e direta, e transformando-se de história de uma fantasma com muitos elementos etéreos em um relato mais direto a respeito de uma luta seguida de morte, sem qualquer tom sobrenatural. Ao longo das "gerações", sugeriu Bartlett, o conto se adaptara às expectativas culturais dos participantes do estudo. Além disso, ele observou uma convencionalização parecida de descrições visuais quando se pedia às pessoas que desenhassem imagens de memória. Num desses casos, o pouco familiar hieróglifo egípcio "mulak", que lembra uma coruja, foi transformado ao longo de gerações num gato, cuja figura é bem mais familiar (ver Figura 6.1).

FIGURA 6.1. Desenhos do estudo de Bartlett (1932) sobre uma versão visual do jogo do telefone sem fio, mostrando reproduções de 1 a 10, ordenadas da esquerda para a direita e de cima para baixo. O desenho original de um hieróglifo egípcio parecido com uma coruja aos poucos se transforma num gato.

Nos rastros uns dos outros

Trinta anos depois, do outro lado do Atlântico, o linguista e psicólogo americano Erwin A. Esper utilizou a abordagem da teoria do telefone sem fio para estudar o papel da transmissão social na mudança de linguagem (independentemente da obra de Bartlett, ao que parece).[8] Ele ensinou ao primeiro participante do estudo uma língua artificial na qual palavras sem sentido, como *pel* e *numbow*, identificavam quatro formas abstratas que podiam ser vermelhas ou verdes. Os oito rótulos verbais eram completamente diferentes uns dos outros e não traziam qualquer sugestão de cor ou forma. Depois de exposta a essas combinações de rótulo e forma, a primeira pessoa então ensinava o que tinha aprendido a um segundo participante, que ensinava em seguida a um terceiro, e assim por diante, até que houvesse quarenta pessoas na sequência. No fim, os padrões de som de todas as palavras, à exceção de duas (*pel* e *shab*), tinham mudado completamente. Curiosamente, essas mudanças não eram aleatórias. As pessoas começaram espontaneamente a denotar a forma e a cor específicas usando diferentes fragmentos de som. Por exemplo, a forma (independentemente da cor) ficou associada a determinadas terminações verbais, como -a no fim de ambos os rótulos para uma forma tipo meia-lua. Algo semelhante a um padrão de morfologia simples tinha surgido. O fascinante estudo de Esper oferece, portanto, pistas cativantes sobre as origens da padronização morfológica na linguagem, em que diferentes partes da palavra denotam diferentes aspectos de significado (como a forma).

Seria de esperar, talvez, que o trabalho pioneiro de Esper deflagrasse um animado programa de pesquisas para lançar luz sobre o surgimento da linguagem. Muito pelo contrário: sua obra não teve seguimento e hoje, tristemente, está em grande parte esquecida. Mas a pesquisa acabou prosseguindo, ainda que independentemente da obra de Esper. A partir do fim dos anos 2000, pesquisadores começaram a empregar a sério o método da brincadeira do telefone sem fio para explorar em laboratório a evolução cultural na linguagem. A nova onda de estudos foi iniciada na Universidade de Edimburgo por Simon Kirby, o primeiro professor de evolução da linguagem a surgir no mundo. Mais de um século depois de a Société de Linguistique de Paris ter banido o assunto, o campo da pesquisa da evolução da linguagem voltou a ser respeitável.

Kirby e dois outros linguistas evolucionistas, Kenny Smith e Hannah Cornish, usaram miniaturas de linguagem artificial para investigar se a evolução cultural ao longo de gerações de aprendizes pode levar ao surgimento do tipo de estrutura complexa característica da linguagem. Em outro estudo, pediram a participantes que aprendessem uma língua "alienígena" consistindo de rótulos escritos para estímulos visuais simples.[9] Em vez das quatro formas e das duas cores de Esper, usaram três formas (quadrado, círculo, triângulo) em uma de três cores (preto, azul, vermelho) e as associaram com uma seta indicando um dos três tipos de movimento (horizontal, quicante, circular) resultando em 27 cenas visuais diferentes (como um círculo azul quicando ou um círculo vermelho movendo-se de forma circular). A primeira pessoa foi exposta a um conjunto de rótulos gerados ao acaso, cada um dos quais contendo de duas a quatro sílabas (como *luki*, *kilamo*, *kanehu* e *namopihu*). Dessa maneira, por exemplo, um círculo vermelho movendo-se horizontalmente podia ser apresentado com o rótulo *namopihu*, e um quadrado preto movendo-se em círculo poderia ser rotulado de *kilamo*. Depois desse ensaio, o participante foi solicitado a recordar o

Nos rastros uns dos outros 213

rótulo quando lhe mostravam uma cena. Os pares resultantes de rótulos e cenas recordados foram então usados como input para a próxima pessoa a entrar no laboratório, e assim por diante, até se completarem dez "gerações" em sequência.

Até aqui tudo é muito parecido com o estudo pioneiro de Esper. Mas Kirby e seus colegas introduziram também uma importante mudança. Estavam interessados no fenômeno da composicionalidade: como a linguagem nos possibilita enunciar e compreender novas frases combinando elementos familiares de um novo jeito. A composicionalidade é o que nos permite evocar uma imagem correspondente à frase não familiar "O triângulo laranja com uma faixa lilás pula por cima da lua", porque conhecemos o significado de "laranja", "triângulo", "pula" etc., e as construções que os unem. Para forçar pessoas a extrapolarem para novos exemplos da língua alienígena de modo semelhante, os linguistas evolucionistas deliberadamente preservaram algumas das combinações entre rótulo e cena durante o ensaio.

Em sua forma original, a minilíngua apresentada ao primeiro aprendiz não tinha qualquer composicionalidade. Saber que *kalakihu* se refere a um triângulo azul quicante nada nos diz sobre como devemos chamar um triângulo azul fazendo um movimento circular. Aqui, mesmo os nossos melhores palpites tendem a estar errados — a chance de virmos a supor, de alguma maneira, que devemos chamá-lo de *namola* é infinitamente pequena. Mas, incrivelmente, o experimento funcionou: padrões sistemáticos surgiram de forma espontânea ao longo de gerações de aprendizes, possibilitando-lhes adivinhar corretamente os rótulos para cenas visuais com as quais não haviam deparado antes.[10]

A generalização para novas cenas visuais foi possível porque a minilíngua "desenvolveu" um sistema composicional, no qual rótulos variavam sistematicamente de acordo com o significado. Como no estudo de Esper, diferentes partes dos rótulos vieram a denotar diferentes características das cenas visuais. Em uma minilíngua, os rótulos desenvolveram um padrão de três partes — cor-forma-movimento — no qual a primeira parte da série se referia a cor, a do meio se referia a forma e a do fim, a movimento. Isso significa que expor os aprendizes a apenas alguns itens lhes permitiria extrapolar para novas cenas visuais. Por exemplo, se um círculo vermelho movendo-se horizontalmente é chamado de *re-ene-ki*, um quadrado preto fazendo um movimento circular é rotulado de *n-e-pilu* e um triângulo azul pululando é chamado de *l-aki-plo*, podemos com toda a confiança deduzir que um triângulo azul girando em círculo deve ser chamado de *l-aki-pilu* (hifens inseridos para indicar as três partes dos rótulos; ver Figura 6.2). Isso demonstra o poder da composicionalidade.

Esses estudos da brincadeira de telefone sem fio com línguas artificiais demonstram que sistemas linguísticos composicionais, nos quais significados são construídos a partir de componentes elementares, podem surgir espontaneamente sem que ninguém pretenda criar sistema algum. Na verdade, os participantes não sabiam sequer que suas respostas seriam repassadas para outras pessoas numa sequência multigeracional.

Mas o que dizer de estruturas linguísticas mais complexas, como as recorrentes sequências multipalavras — "xícara de café", "velho de guerra", "Boas Festas" — que já discutimos? Usamos essas sequências multipalavras o tempo todo, mas de onde elas vêm? A resposta é fragmentação, a aptidão baseada na memória que usamos para superar o gargalo do agora ou nunca.

Nos rastros uns dos outros

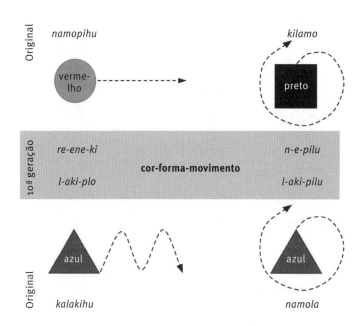

FIGURA 6.2. Exemplos das cenas visuais do experimento do telefone sem fio realizado em Edimburgo. Os rótulos mostrados no alto e embaixo são os originais que o primeiro aprendiz via. Os rótulos dentro da faixa cinzenta no meio foram gerados pelo aprendiz da décima geração. Os rótulos originais eram combinações casuais de sílabas, mas os rótulos da última geração tinham incorporado composicionalidade: a primeira subsérie indicava a cor; a parte do meio, a forma; e a última, o movimento — criando a ordem: cor-forma-movimento. (Os hifens não foram usados pelos aprendizes, e são inseridos aqui para revelar a estrutura composicional dos rótulos.)

Com Hannah Cornish, Rick Dale e Simon Kirby, Morten realizou um experimento do tipo telefone sem fio para determinar se essas limitações da memória por si só, amplificadas ao longo de gerações de aprendizes, podem resultar no surgimento de fragmentos reutilizáveis, assim como na linguagem.[11]

Alunos da Universidade de Edimburgo foram convidados a participar de um experimento sobre memória, sem menção a linguagem ou evolução cultural. Sentado na frente de um computador, o primeiro aprendiz foi apresentado a quinze séries aleatórias, cada uma das quais consistindo de três a cinco consoantes — como BRG, FGLB, RVFBR — mostradas uma por uma numa tela. Depois que cada série desaparecia, o participante era solicitado a digitá-la de memória. O processo continuava até que o participante visse todas as séries seis vezes, após o que era submetido de surpresa a um teste de memória: tinha que lembrar todas as quinze séries diferentes de consoantes, o melhor que pudesse. A série que o primeiro aprendiz digitasse, fosse ela qual fosse, certa ou errada, servia como input para a segunda pessoa que entrava no laboratório, cuja resposta por sua vez era usada como input para o terceiro participante, e assim por diante, até que houvesse uma sequência de dez aprendizes. A tarefa de recordar as quinze séries não era fácil. Os primeiros participantes de cada sequência conseguiam lembrar corretamente menos de quatro séries em média. Mas os aprendizes da última geração puderam, com precisão, recordar duas vezes mais. Notemos que aqui não há significado para servir de ajuda, como em outros experimentos de telefone sem fio, nos quais filas de letras eram casadas a imagens visuais. O que houve, então? Como é que as séries desenvolvidas se tornaram tão mais fáceis de memorizar?

Quando analisaram as séries recordadas ao longo de gerações, Morten e seus colegas descobriram que tinham surgido fragmentos com muitas letras. Com o tempo, esses pedaços acabavam sendo repetidamente reciclados — exatamente como construções multipalavras são recicladas nas línguas. Na ver-

Nos rastros uns dos outros 217

dade, as séries da última geração apresentavam um padrão de reutilização de fragmentos que lembrava de perto a maneira como pais repetidamente usam os mesmos fragmentos quando falam com os filhos, a exemplo de "você está" em "Você está com fome?" e "Você está com sono?", ou "que legal" em "Que legal o seu desenho" e "Que legal o seu carrinho". Ainda que esse experimento sobre memória envolvesse séries de consoantes sem qualquer sentido, a reutilização de pedaços, como na linguagem, surgia à medida que as séries eram repetidas para passar pelo gargalo do agora ou nunca. Séries que reciclam fragmentos mais fáceis de lembrar proliferavam em detrimento de séries únicas, menos memorizáveis. A transmissão cultural repetida de um aprendiz para o próximo pode, dessa maneira, amplificar os efeitos de limitação da memória e fazer surgirem os padrões de reutilização de fragmentos que vemos na linguagem.

Esses experimentos de telefone sem fio mostram que a transmissão cultural pode ajudar a explicar o surgimento de nacos reutilizáveis em construções multipalavras, e a estrutura composicional da linguagem. Ambas as propriedades surgem da "luta pela existência" de que Charles Darwin falava: rótulos ou nacos que são mais fáceis de lembrar e mais úteis do ponto de vista comunicativo sobrevivem porque se encaixam num padrão sistemático. Dessa maneira, a evolução cultural nos oferece design sem um designer, demonstrando que a linguagem pode evoluir se gerações de aprendizes seguem os passos uns dos outros. Antes de tudo, a evolução cultural é o que possibilita o aprendizado de uma língua. Ela ajusta a língua para o aprendizado C por meio da criação de pontos focais linguísticos em direção aos quais as crianças podem

218 — *O jogo da linguagem*

se dirigir, desde que haja exposição suficiente. Em outras palavras, e adaptando a famosa frase do biólogo evolucionista Dobzhansky: nada no aprendizado da língua faz sentido senão à luz da evolução cultural.[12]

Palavras não bastam

Examinar a linguagem através das lentes da evolução cultural nos permite ver o aprendizado de uma língua sob uma luz completamente nova. A linguagem já não precisa vir pré-programada em nossos genes ou ser embutida em nosso sistema neural. Descarta-se também a ideia da criança como um linguista teórico em botão que procura adquirir uma língua por aprendizado N. Na verdade, vimos que a criança é um *usuário* da linguagem em desenvolvimento que segue os passos de outros. Esse aprendizado é possível porque a linguagem foi moldada pela evolução cultural para se ajustar às aptidões particulares das crianças para o aprendizado C. A criança precisa conhecer uma "teoria" sobre a ordem espontânea que surge em padrões linguísticos tanto quanto uma lagoa precisa conhecer uma teoria do movimento das ondas para exibir os complexos padrões de interferência de ondulação em sua superfície.

Ver o aprendizado de uma língua como um problema prático não banaliza o desafio que a criança tem diante de si quando aprende a língua materna. Pelo contrário, enfatiza o esforço que cada um de nós investiu para dominá-la. O magnífico domínio da linguagem que toda criança adquire vem do uso repetido da língua ao longo de dezenas de milhares de horas (perto disso não são nada as duzentas horas que SF, o bruxo

Nos rastros uns dos outros 219

que recordava dígitos aleatórios mencionado no Capítulo 2, passou aperfeiçoando suas aptidões mnemônicas). Manter-se em dia com a natureza acelerada do vaivém do revezamento nas conversas diárias exige imensa prática, enquanto aprendemos a enfiar a linguagem pelo funil estreito do gargalo do agora ou nunca. É pela experiência repetida de falar uns com os outros que desenvolvemos rapidamente nossa capacidade de fragmentar o input ao mesmo tempo que ouvimos e aplicamos a estratégia *just-in-time* para enfileirar fragmentos de linguagem quando falamos. Prática, prática e mais prática é o que importa no aprendizado de uma língua.

Num estudo famoso de 1995, os psicólogos Betty Hart e Todd Risley resolveram medir quanta experiência com a linguagem as crianças americanas adquiriam em casa e se havia diferença entre crianças de famílias de diferentes níveis sociais.[13] Durante dois anos e meio fizeram visitas mensais de uma hora a casas de 42 famílias e registraram quantas palavras eram faladas em torno das crianças. Extrapolando a partir dessas contagens de horas, concluíram que, no fim do terceiro ano de vida, as crianças de famílias que recebiam auxílio do governo escutavam em média 13 milhões de palavras. Comparativamente, crianças de famílias de alta renda eram expostas a três vezes esse total: cerca de 45 milhões de palavras. Dessa maneira, quando chegavam aos quatro anos, as crianças de famílias de baixa renda tinham ouvido 30 milhões de palavras a menos do que seus pares de famílias de alta renda.

Hart e Risley descobriram que essa diferença era importante. Quanto mais palavras as crianças ouviam durante os primeiros quatro anos de vida, maior era o seu vocabulário: as crianças de alta renda sabiam duas vezes mais palavras do que as crianças de baixa renda. Devido a esse efeito no tamanho do vocabulário, a disparidade em input de linguagem foi vista com grande alarme e apelidada de "lacuna de 30 milhões de palavras". Desde então recebe muita atenção de acadêmicos, políticos e educadores, todos eles buscando preencher essa lacuna na experiência das crianças de baixa renda.

Estudos subsequentes envolvendo um número maior de famílias revelaram que, independentemente do nível de renda, há muita variação entre famílias individuais no número de palavras que as crianças ouvem. Comprovou-se que as famílias do estudo de Hart e Risley representavam as extremidades das escalas de renda: a lacuna de 30 milhões de palavras só aparece quando se comparam os 2% das famílias do topo com os 2% das famílias da base. Ainda assim, aos quatro anos de idade resta uma lacuna considerável de 4 milhões de palavras entre as crianças de famílias de baixa renda e as crianças de famílias de alta renda. Essa lacuna de 4 milhões de palavras foi até mesmo mencionada durante as primárias democratas de 2019, quando o candidato a presidente Joe Biden recomendou aos pais que "providenciassem para que as crianças ouvissem palavras. Uma criança de uma escola muito pobre, um meio familiar muito pobre, ouvirá 4 milhões de palavras a menos até chegar lá [à escola]".[14]

Queremos ressaltar que a lacuna de palavras, por maior que seja, não implica que crianças de baixa renda não desenvolvam habilidades normais de linguagem — longe disso. Toda criança saudável acaba se tornando especialista na língua da sua comunidade. Na verdade, o uso diário de uma língua exige o conhecimento de um número surpreendentemente baixo de palavras. Análises da linguagem conversacional mostraram que meras mil palavras representam cerca de 90% de tudo que dizemos uns aos outros. Isso significa que, se conhecermos as mil palavras usadas com mais frequência em nossa comunidade falante, não teremos problema algum para conversar com nossa família à mesa do jantar, para fofocar com vizinhos ou para papear com nossos colegas de trabalho. O mesmo é verdade para compreendermos o que se passa na maioria dos programas de tv.[15] E, claro, a maioria das crianças e dos adultos conhece muito mais palavras do que isso.

No entanto, o tamanho do vocabulário faz diferença para a leitura e para o letramento — especialmente em contextos acadêmicos, nos quais o conhecimento de vocabulário especializado é necessário para um bom desempenho. Além disso, as maneiras de falar em diferentes comunidades de baixa renda talvez não correspondam à forma de expressão preferida num ambiente educacional. Diferenças nesses "registros" podem, portanto, mostrar que crianças de baixa renda sabem um número de palavras menor do que aquele que elas de fato sabem, porque a medição de vocabulário tipicamente avalia palavras relacionadas à educação. Quando em combinação com outros desafios enfrentados por famílias de baixa renda, da pobreza ao racismo sistêmico, podemos começar a entender por que o tamanho do vocabulário nas primeiras fases tem sido visto como um bom indicador prévio de como as crianças de famílias de baixa renda se sairão na escola.[16] Não é que essas crianças não tenham habilidades linguísticas normais: é que não têm o tipo de vocabulário valorizado em ambientes educacionais.

Mas, apesar de toda essa conversa sobre palavras — palavras que crianças escutam e palavras que crianças sabem —, estamos lidando apenas com a ponta do iceberg da comunicação. Indo ainda mais direto ao ponto: palavras são apenas a ponta da ponta, deixando de lado as inúmeras construções multipalavras e a sua combinação em frases. Talvez não seja de surpreender, portanto, que a maioria dos esforços para atenuar a lacuna de palavras tenha errado o alvo, pois tendem a se concentrar quase totalmente em aumentar a quantidade de palavras que as crianças ouvem. O que realmente importa, no entanto, é dar às crianças mais oportunidades de *praticar* suas habilidades linguísticas. Se mais palavras fossem a solução, bastava sentar as crianças na frente da TV ou obrigá-las a ouvir audiolivros para resolver o problema. Mas, do ponto de vista da linguagem como jogo de mímica, a probabilidade disso funcionar é pequena. Essa conclusão é respaldada por estudos que mostram que crianças não aprendem novas palavras apenas assistindo a vídeos passivamente, mas somente quando se envolvem ativamente no vaivém das conversas com outras.[17] As crianças não são recipientes vazios à espera de serem preenchidos com palavras. Elas precisam mesmo é de conversas interativas, divertidas e envolventes.

Muitos estudos recentes com bebês e crianças começando a andar mostram de fato que o número de interações engajadas que as crianças mantêm é que permite prever suas habilidades linguísticas futuras, e não apenas o número de palavras que elas escutam em casa sem prestar atenção.[18] Por exemplo, um estudo pioneiro de Rachel Romeo, da Universidade Harvard, ressalta a importância da interação no aprendizado de uma língua.[19] Usando um pequeno dispositivo digital de gravação que podia ser colocado no bolso de uma criança, ela e seus colegas registraram tudo o que foi dito às crianças num fim de semana. Depois, as habilidades linguísticas das crianças foram testadas e sua atividade cerebral, registrada. Romeo descobriu que o que permitia prever as habilidades linguísticas da criança era a quantidade de tomadas de turno de fala em que ela se envolvia, e não quantas palavras os pais diziam ou o número de palavras que a própria criança pronunciava. Descobriu até que o grau em que envolvemos as crianças em conversas tem impacto mensurável em seu cérebro. Especificamente, quanto mais interações de conversa uma criança tiver, mais forte é a ativação da sua área de Broca. Isso destaca a importância da nossa experiência com a linguagem como uma motivação significativa no desenvolvimento do sistema de regiões cerebrais (incluindo a área de Broca) que apoia a comunicação linguística, conforme discutido no capítulo anterior. Assim como a prática é a chave para nos tornarmos experts em recordar dígitos ou qualquer outra habilidade adquirida, a reiterada experiência de interação linguística é fundamental para que nos tornemos jogadores competentes nos jogos de mímica linguísticos.

O fundamento social do aprendizado de uma língua

Para obtermos um panorama completo de como as crianças aprendem a língua materna, não podemos nos basear apenas em estudos sobre crianças que crescem nos Estados Unidos, na Europa, no Japão ou em países igualmente ricos, instruídos e industrializados. A maior parte do que sabemos sobre aprendizado de uma língua se baseia no estudo de crianças desses países, ainda que seus habitantes representem apenas 12% da população mundial.[20] Felizmente, isso está mudando. Houve uma onda recente de trabalhos de campo em ciências da linguagem para os quais pesquisadores itinerantes começaram a investigar o aprendizado linguístico em comunidades rurais e indígenas.

Enquanto esses pesquisadores intrépidos viajavam a lugares remotos para observar e registrar interações linguísticas envolvendo crianças pequenas, suas descobertas iniciais pareciam respaldar relatos anteriores de autoria de etnólogos sugerindo que adultos nessas comunidades não falavam muito com os filhos até que estes pudessem falar de volta.[21] Depois, contudo, análises mais cuidadosas revelaram, surpreendentemente, poucas diferenças em como adultos falam com crianças no mundo inteiro. Por exemplo, a frequência de conversas com crianças que crescem aprendendo o tseltal maia numa comunidade agrícola de subsistência no sul do México equivale à de conversas com crianças que crescem aprendendo inglês nos Estados Unidos, no Canadá ou no Reino Unido, e à de crianças que crescem aprendendo espanhol na Argentina.[22]

Algumas diferenças realmente apareceram. Em comparação com crianças que aprendiam inglês, espanhol e tseltal, conversava-se menos com as crianças que aprendiam yele dnye na remota ilha Rossel, em Papua-Nova Guiné, mas isso não afetava a capacidade delas de aprenderem sua língua. Um estudo de Marisa Casillas, do Instituto Max Planck de Psicolinguística, demonstrou que essas crianças atingiram as etapas de aprendizado da linguagem ao mesmo tempo que outras crianças.[23] Elas dizem suas primeiras palavras reconhecíveis como tais por volta do primeiro ano, e um mês ou dois mais tarde pronunciam os primeiros nacos multipalavras, exatamente como seus pares nos Estados Unidos, na Europa, no Japão e em qualquer outra parte.

Nos rastros uns dos outros 225

Isso nos coloca um enigma: por que o input linguístico reduzido não prejudica o aprendizado linguístico entre as crianças da ilha Rossel? Como é possível que as crianças que aprendem yele dnye aprendam mais a partir de menos? Para começo de conversa, deixemos de lado a ideia de que talvez o yele dnye seja mais fácil de aprender do que o inglês, digamos, e portanto possa ser aprendido com menos input. Se há diferença, é no sentido de que, em comparação com línguas como o yele dnye, o inglês é mais fácil de ser aprendido, seja por crianças ou por falantes não nativos. De fato, o yele dnye tem mais de noventa sons de fala exclusivos, enquanto o inglês tem menos da metade disso. Em inglês há uns poucos verbos chamados irregulares que mudam o padrão sonoro quando usados no presente ou no pretérito (como *go/ went*, *eat/ ate* e *sing/ sang*), mas a maioria dos verbos simplesmente acrescenta -*ed* no passado (como em *jump/ jumped*, *talk/ talked* e *laugh/ laughed*). Já o yele dnye usa extensamente formas irregulares de verbos, resultando numa morfologia altamente complexa, repleta de exceções. Se pusermos o inglês e o yele dnye numa escala de morfologia do verbo de simples a complexo, o primeiro vai ficar perto de simples e o segundo vai cair na extremidade oposta, complexa. Somando várias complexidades gramaticais não encontradas no inglês, podemos começar a entender "a reputação [que o yele dnye] tem de ser impossível de aprender, seja por papuanos ou por estrangeiros", como observado pelo linguista australiano James Henderson, que viveu na ilha Rossel e estudou essa língua.[24]

Mas, se o yele dnye é muito mais complexo do que o inglês, por que as crianças da ilha Rossel são capazes de aprender sua língua materna competentemente tendo input reduzido?

É aí que temos de ir além da visão-padrão de linguagem como transmissão, que se concentra apenas na ponta do iceberg da comunicação, ignorando a parte oculta que é crucial para quem queira se tornar um usuário competente de uma língua. Como discutimos no Capítulo 1, as palavras são meras pistas de significado, a serem combinadas com outras pistas de contexto, o que vem antes e o que aprendemos sobre o mundo, para que se entenda o que está sendo dito. Embora palavras e enunciados sejam importantes, o que conta mesmo é a socialização mais ampla na cultura da nossa comunidade. Não haverá pontos focais e aprendizado C se essa socialização estiver ausente.

Para seguir os passos de outros e tomar parte na dança conversacional, precisamos compartilhar as normas culturais, os costumes, as convenções, os tabus sociais e as infindáveis regras tácitas da sociedade em que nascemos. E embora o capitão Cook e os aush tenham mostrado que jogos de mímica podem se basear puramente em nossa humanidade comum, quanto mais coisas partilhamos com nossos parceiros conversacionais, mais fácil é praticar jogos de mímica linguísticos. Sem a socialização que abrange a parte oculta do iceberg da comunicação, as palavras e os enunciados individuais que compõem a sua ponta afundarão no oceano da ininteligibilidade.

Para compreender por que a socialização é importante, pensemos em *uncle* [tio]. Em inglês, essa palavra normalmente se refere ao irmão da mãe ou ao irmão do pai. O mesmo acontece com a palavra dinamarquesa *onkel*, mas essa língua tem também termos mais específicos: *morbror* é usado para se referir ao irmão da mãe, ao passo que *farbror* é usado para se referir ao irmão do pai. Algumas línguas exigem que os falantes prestem

Nos rastros uns dos outros 227

ainda mais atenção na árvore genealógica e na idade dos parentes. Em hindi, o irmão do seu pai é chamado de *chacha* (चाचा), mas, se ele for mais velho do que seu pai, o termo é *tau* (ताऊ); o irmão da mãe é chamado de *mama* (मामा), seja qual for sua idade; homens que entram para a família pelo casamento não são chamados de tio: o marido da irmã do pai é chamado de *phupha* (फूफा), e o marido da irmã da mãe é *mausa* (मौसा). Na verdade, enquanto a palavra para tio costuma ser usada para se referir a pessoas do sexo masculino amigas da família, mesmo na ausência de qualquer parentesco de sangue ou casamento, chamar acidentalmente seu *chacha* de "tio" seria uma grande gafe. Para complicar mais ainda, o termo para irmão costuma ser estendido a primos, como em primo-irmão, significando que o primo de sua mãe é também considerado irmão dela e, portanto, deve ser chamado de *mama*. Não bastasse isso, o sufixo -ji (जी) é às vezes acrescentado ao fim de um termo de parentesco para indicar respeito — como em *tauji*, *mamaji* e *phuphaji* —, mas sua aplicação exata difere de família para família. Assim sendo, mesmo o uso de um termo simples em muitos casos exige considerável conhecimento das relações de família, bem como de outras regras sociais e convenções culturais específicas daquela comunidade.

Em muitas culturas rurais e indígenas, as crianças são socializadas em sua comunidade através do envolvimento direto na vida diária das famílias e no que acontece de modo geral na aldeia. Por exemplo, durante o primeiro ano de vida, as crianças que estão aprendendo o yele dnye na ilha Rossel são levadas de um lado para outro nos braços de cuidadores enquanto estes cumprem seus afazeres.[25] A partir dos dois anos, elas andam independentemente em grupos, brincando umas com as outras, se divertindo num rio e catando mariscos, nozes e frutas perto da aldeia para ajudar a complementar a agricultura de subsistência da família. Nisso, podem aprender nomes de alimentos, plantas e animais importantes a partir da experiência concreta que têm com eles, e também expressões relevantes sobre como prepará-los, achá-los, capturá-los e evitá-los. Além disso, aprendem as normas, os rituais e os tabus locais observando-os em ação e ouvindo outras crianças e outros adultos falarem a respeito. Dessa maneira, firmemente integradas à vida diária da comunidade, as crianças da ilha Rossel adquirem o conhecimento social e mundano necessário para aproveitar ao máximo o input reduzido que recebem.

Diferentemente, crianças pequenas em sociedades industrializadas costumam ficar mais isoladas da vida diária do resto da família, afora ajudas que prestam em algumas tarefas ocasionais, como arrumar coisas ou lavar a louça.[26] Em vez disso, boa parte de sua socialização ocorre fora da família, em creches e escolas, onde linguagem, letramento e desempenho acadêmico têm muito mais peso. Nesses ambientes fora da família, a quantidade e o tipo de input linguístico provavelmente acabam tendo mais importância. Em outras palavras, em sociedades industrializadas uma parte maior do conhecimento de costumes sociais, convenções culturais e práticas informais é aprendida *por meio* da linguagem, e não por meio do envolvimento direto com a comunidade. E pode ser por isso que o grau de interação linguística com cuidadores adultos nessas sociedades acaba sendo essencial — esses adultos dão às crianças os conceitos e o vocabulário relativos a coisas que não fazem parte do seu mundo, e, consequentemente, as preparam para o universo do letramento e da educação formal.

Nos rastros uns dos outros

Já mencionamos aqui que simplesmente aumentar o número de palavras que as crianças de baixa renda escutam provavelmente não ajudará muito. No entanto, a meticulosa pesquisa de Casillas sobre o aprendizado linguístico por parte de crianças nativas em Papua-Nova Guiné sugere outra solução possível. Em seus estudos, ela descobriu que o input que as crianças recebiam dos adultos não era distribuído por igual durante o dia, como um fiozinho de água lento e contínuo, mas se concentrava em intensas irrupções de interação, breves cascatas de turnos de fala, quase sempre à hora das refeições e em outras ocasiões sociais de família. Concentrar a interação linguística em breves irrupções como essas pode muito bem possibilitar às crianças a maximização do seu aprendizado mesmo quando o input é limitado. Na verdade, as crianças se saem melhor em aprender e usar palavras novas quando estas aparecem várias vezes em contextos "explosivos", nos quais a mesma palavra é repetida em sucessivos enunciados, como "Olha esse cachorro! Esse cachorro é tão fofo. Adoro esse cachorro".[27] A combinação de breves e convidativas oportunidades de aprendizado de língua durante interações sociais de rotina, e a maneira como elas se disseminam em arrancos intermitentes ao longo do dia, pode oferecer às crianças aprendizes do yele dnye condições quase ótimas de aprendizado da língua materna a partir de inputs relativamente reduzidos.

Todos os pais, não importa de onde venham ou quanto dinheiro ganhem, querem um futuro brilhante para os filhos. Infelizmente, muitas crianças e muitos pais enfrentam grandes obstáculos ao sucesso devido à pobreza, à discriminação, ao racismo sistêmico e a outros fatores sociais. Só mudanças políticas genuínas resolvem essas questões, mas talvez possamos também tirar algumas lições das crianças da ilha Rossel. Para começar, não devíamos simplesmente pedir aos pais que falem mais com os filhos; em vez disso, devíamos incentivá-los a reservar pequenos intervalos de tempo aqui e ali para conversar de fato com os filhos. A chave não é a quantidade, mas a qualidade: irrupções concentradas de interação distribuídas ao longo do dia.[28] As refeições oferecem excelente oportunidade para falar com as crianças, bem como a hora do banho e outros momentos em que adultos e crianças se reúnem. Até mesmo uma coisa tão trivial como fazer compras na mercearia pode ser usada para bater papo com as crianças sobre o que comprar, para que serve e como usar.

Com crianças pequenas, é mais fácil envolvê-las numa conversa quando falamos sobre aquilo em que no momento elas concentram sua atenção. Aprendem mais quando não tentamos desviar a conversa daquilo em que estão interessadas. Se a criança está brincando com um ursinho, fale com ela sobre isso, e não sobre qualquer outro assunto que você ache mais interessante. No curto prazo, a conversa pode ser enfadonha, mas no longo prazo talvez faça grande diferença. E, uma vez que as crianças adquiram um vocabulário relativamente vasto (por volta dos quatro anos de idade), os pais podem ajudá-las a apreender ideias mais abstratas relacionando os conceitos relevantes às coisas da vida diária das crianças. Por exemplo, para ajudá-las a entender o passado e o futuro, fale sobre coisas que elas conhecem e das quais se lembram, como "Você me deu um desenho no Dia dos Pais ano passado", ou "Você vai fazer cinco anos daqui a dois meses". Se sugestões como essa estiverem no rumo certo, e há cada vez mais provas de que estão, isso abre um novo caminho para aperfeiçoar as ha-

Nos rastros uns dos outros 231

bilidades linguísticas das crianças.[29] Na verdade, esse é um caminho que de qualquer forma deveríamos seguir — afinal, independentemente de qualquer impacto na linguagem, ele só pode tornar nossas interações com as crianças mais divertidas, agradáveis e significativas.

NO CONTEXTO DO APRENDIZADO LINGUÍSTICO, crianças são em geral vistas erroneamente como meras esponjas, absorvendo passivamente input linguístico. Na verdade, deveríamos envolver as crianças tanto quanto possível em interações diárias, para adquirirem as habilidades linguísticas de improvisação e a socialização necessárias aos jogos de mímica linguísticos e à dança conversacional. Ainda que o aprendizado C facilite aprender uma língua, as crianças ainda precisam de substancial experiência com a linguagem da sua comunidade para aprender a língua materna. Tempo, experiência e prática são necessários para que as crianças se tornem músicos linguísticos competentes, capazes de tocar com o restante da orquestra comunicativa.

Não significa que exista uma solução geral para o aprendizado linguístico em todo o planeta. Crianças aprendem uma língua seguindo os passos de outras crianças exatamente iguais a elas — mas a evolução cultural pode nos empurrar para direções diferentes: para o dinamarquês, o inglês, o hindi, o tseltal, o yele dnye ou qualquer outra das 7 mil línguas do mundo, em toda a sua espantosa variedade. É essa diversidade fundamental nas formas como nós, humanos, podemos nos expressar que distingue a linguagem de outros incontáveis sistemas de comunicação existentes na natureza. Contudo, a diversidade da nossa criação cultural mais notável não para aí. Como veremos no próximo capítulo, há um sentido muito real no qual todos nós falamos nossa própria língua, única, que vive e morre conosco.

7. Infinitas formas de grande beleza

De um começo tão simples, infinitas formas de grande
beleza e maravilha evoluíram e continuam evoluindo.

CHARLES DARWIN, *A origem das espécies
por meio da seleção natural* (1859)

IMAGINE QUE DE REPENTE você está na escuridão mais absoluta, incapaz de ver, no silêncio mais completo, incapaz de
ouvir, com a língua atada e incapaz de falar, e com o paladar
e o olfato perdidos, também. A única ligação que lhe resta
com o mundo é o sentido do tato. Por mais arrasador que
isso pareça a alguém que viveu a vida por muitos anos através
de combinações de visões, sons, sabores e odores, você ainda
teria a capacidade de usar a linguagem. Embora fosse difícil
entender os outros, você pelo menos poderia se fazer entender
escrevendo o que tinha a dizer. Mas imagine que essa perda
sensorial acontecesse quando você tinha apenas dois anos de
idade, antes de adquirir o domínio da língua falada, menos
ainda da ortografia. Foi essa a sina de Laura Bridgman.[1]

Laura nasceu em 1829 numa fazenda nos arredores de Han-
over, New Hampshire, Estados Unidos. Era uma criança frágil, pequena e magrela. Quando tinha dois anos, os Bridgman
contraíram escarlatina e dois irmãos dela morreram. Embora
tenha ficado numa situação precária por um tempo, Laura

sobreviveu. Mas a febre lhe levou a visão, a audição e quase totalmente os sentidos do paladar e do olfato. O pouco de linguagem que aprendera antes da febre logo desapareceu também, e em um ano ela ficou muda. Sua recuperação física levou dois anos, e a deixou magra, de aparência delicada — com o sentido do tato como única ligação com o mundo. Mas era uma criança cheia de entusiasmo e determinação, que usava uma bota velha como boneca e alguns gestos rudimentares para se comunicar com a família.

Charles Dickens descreveria o mundo de Laura: escreveu que era como se ela estivesse "num cubículo de mármore, impermeável a qualquer raio de luz ou partícula sonora; com a pobre mãozinha branca aparecendo parcialmente por uma fresta na parede, pedindo ajuda a algum bom homem, para que uma alma imortal pudesse ser despertada".[2] Esse despertar veio quando ela tinha sete anos. O dr. Samuel Gridley Howe tomou conhecimento da infeliz história de Laura e a levou para a Escola Perkins para Cegos em Boston, da qual era diretor. Naquela época, indivíduos surdos-cegos eram considerados imbecis fora do nosso alcance, destinados a uma existência não comunicativa, no silêncio e nas trevas. Howe estava ansioso para exibir o poder da mente humana demonstrando que uma criança surda-cega podia aprender uma língua.

Em vez de usar algum tipo de língua de sinais, na qual cada objeto ou situação teria seu próprio sinal, Howe decidiu ensinar a Laura palavras em inglês soletradas com letras em relevo passíveis de diferenciação pelo tato. Para começar, rotulou com essas letras objetos comuns, como colher, faca, livro e chave. Laura logo aprendeu a associar cada objeto à sua correspondente sequência de letras, de modo que, quando lhe entrega-

Infinitas formas de grande beleza 235

vam os rótulos, ela cuidadosamente os colocava nos objetos: COLHER era colocada junto à colher, LIVRO, ao livro, CHAVE, à chave e assim por diante. Em seguida, Howe lhe dava cada letra em relevo num pedaço separado de papel, arranjadas uma ao lado de outra para soletrar as palavras que ela conhecia: C-O-L-H-E-R, L-I-V-R-O, C-H-A-V-E. Todas as letras eram então misturadas numa pilha e Laura era instruída a ordená-las nos rótulos dos objetos que conhecia. Levou um tempo, mas ela acabou aprendendo a fazer isso também. Finalmente, Hower informou que, depois de várias semanas imitando resolutamente o professor, Laura teve um momento de revelação: "Ela começou a perceber a verdade — seu intelecto começou a funcionar — ela se deu conta de que havia um jeito de ela conceber um sinal para qualquer coisa que lhe ocupasse a mente e mostrá-lo a outra mente".[3]

Quando apreendeu a ideia de que as coisas têm nomes, e de que podemos usar a linguagem para falar sobre elas uns com os outros, Laura ficou ansiosa para aprender palavras para tudo que havia em seu mundo. Howe então a introduziu à técnica de soletrar com os dedos, na qual o "falante" usa os dedos de uma mão para formar letras individuais, e o "ouvinte" coloca sua mão sobre a mão do falante para sentir a forma sinalizada. Laura rapidamente aprendeu a soletrar com os dedos, libertando suas crescentes habilidades linguísticas dos limites da sua escrivaninha, onde as letras em relevo eram mantidas. Agora podia "falar com os dedos" onde e quando quisesse — e como sua mente investigadora era insaciável, logo passou a atormentar todo mundo com um fluxo infindável de perguntas. Laura chegou até a aprender a escrever à mão.

Com algum talento para a publicidade, Howe descreveu as habilidades linguísticas cada vez maiores de Laura nos relatórios anuais da Escola Perkins. O despertar linguístico de Laura empolgou a imaginação do público, e ela logo se tornou um nome conhecido nos Estados Unidos. Sua fama passou a ser internacional depois que Charles Dickens a conheceu em 1842 numa turnê pela América do Norte e contou sua história no relato de viagens *Notas americanas para circulação geral*. Ela seguiu sendo uma das mulheres mais famosas do mundo pelo resto dos anos 1840. Milhares de pessoas compareciam aos dias de exibição de Perkins, quando Laura demonstrava suas habilidades linguísticas, e clamavam por autógrafos, por escritos seus e até por mechas de cabelo. Meninas criavam suas próprias bonecas "Laura" tirando os olhos das bonecas e colocando uma faixa verde sobre eles, exatamente como Laura fazia na vida real.

Hoje Laura Bridgman está praticamente esquecida. Suas proezas foram ofuscadas pelas de Helen Keller, que cinquenta anos depois faria a mesma jornada de Laura, e que muitos consideram erroneamente a primeira pessoa surda-cega a aprender inglês. Mas foi Laura que, no começo dos anos 1880, ensinou as habilidades para soletrar com os dedos a Anne Sullivan, que as usaria posteriormente para conduzir Helen Keller ao mundo da linguagem.

O caso de Laura não é só uma ilustração maravilhosa do triunfo do espírito humano, mas também um exemplo eloquente da resistência e da flexibilidade espetaculares da nossa habilidade linguística. Para começar, ela talvez seja a única pessoa cuja introdução inicial à linguagem se deu através da palavra impressa. Normalmente só aprendemos a ler depois que adquirimos um domínio razoável da linguagem falada.

Infinitas formas de grande beleza 237

Para Laura, foi o oposto: sua entrada no mundo da linguagem ocorreu através da linguagem escrita — mesmo quando aprendeu a soletrar com os dedos ainda tinha que soletrar cada palavra que queria dizer (diferentemente das atuais línguas de sinais, em que soletrar com os dedos é usado com moderação). A linguagem de Laura também tinha numerosas idiossincrasias. Por exemplo, ela muitas vezes cunhava palavras. Quando lhe ensinaram o que significava *alone* [sozinho], pediram-lhe que fosse e voltasse de seu quarto *alone*. Ela obedeceu. Logo depois, quis ir com uma de suas amigas e disse "Laura vai *al--two!*"[*][4] E, embora tivesse aprendido inglês "padrão", muitas vezes usava suas próprias abreviações e deixava palavras de fora para acelerar a comunicação.

O fato de Laura ter conseguido criar uma linguagem unicamente sua — embora ainda compreensível para as pessoas à sua volta — atesta uma das propriedades mais fundamentais da comunicação linguística humana: sua imensa variedade e adaptabilidade. Como a linguagem não se desenvolve de acordo com um molde genético, e sim surge através da evolução cultural (conforme discutido no Capítulo 5), as línguas são livres para variar, desde que possam ser enfiadas pelo estreito gargalo do agora ou nunca e estejam ancoradas na parte submersa do iceberg da comunicação.[5] A disseminada heterogeneidade da linguagem humana — suas "infinitas formas de grande beleza" — talvez seja a marca registrada que a distingue de todos os demais sistemas de comunicação

---

* A lógica por trás da criação do termo por Laura vem do fato de *alone* conter em si a palavra *one*, um, que ela substituiu por *two*, dois/ duas, dado que agora iria com mais uma pessoa. (N. T.)

existentes na Terra. Mas só podemos apreciar devidamente o quanto a diversidade e a flexibilidade da linguagem humana são únicas quando a comparamos com a natureza muito mais uniforme e fixa de sistemas não humanos de comunicação. Apesar da diversidade espetacular das formas de comunicação utilizadas por diferentes organismos, há pouquíssima variação na maneira pela qual indivíduos dentro de uma determinada espécie se comunicam entre si.

Infinitas maneiras de se comunicar

A comunicação talvez seja tão antiga quanto a própria vida, tendo se originado provavelmente em sinalizações químicas entre arqueias, organismos unicelulares primitivos que não têm núcleo celular. Entre as arqueias encontramos muitos extremófilos, ou seja, organismos que não apenas sobrevivem como decididamente prosperam em ambientes extremamente hostis a quaisquer outras formas de vida.[6] Esses extremófilos foram encontrados vivendo em fontes hidrotermais em mares profundos, um ambiente sem luz, sob pressão suficiente para esmagar ossos, e temperaturas escaldantes, tidas pelos cientistas como semelhantes às condições proibitivas de quando a vida apareceu, há mais de 4 bilhões de anos. Algumas arqueias se desenvolvem em altas temperaturas, como a Strain 121 (*Geogemma barossii*), que tem esse nome porque se dá muito bem a 121°C, a temperatura usada para esterilizar instrumentos cirúrgicos. Outras, como *Thermococcus piezophilus*, vivem a uma pressão de 1283 atmosferas, quase a pressão capaz de esmagar um piso de gra-

Infinitas formas de grande beleza 239

nito (1 atmosfera é mais ou menos a pressão atmosférica ao nível do mar). Mas a sinalização química se dá mesmo nessas circunstâncias extraordinárias. As arqueias interagem umas com as outras usando moléculas sinalizadoras especiais que lhes permitem sentir quantos membros da própria espécie (às vezes até de outras espécies) estão na "vizinhança". Essa "percepção de quórum", também usada por bactérias e fungos, permite que organismos simples coordenem seu comportamento de maneira adaptativa ativando e desativando genes específicos, e com isso alterando o próprio comportamento para se adequar a condições de população densa ou esparsa. A percepção de quórum pode muito bem ter sido a primeira forma de comunicação a surgir no nosso planeta.

A mensagem contida na percepção de quórum é um simples "Estou aqui!". Mas mensagens químicas podem ser mais específicas. As plantas, por exemplo, usam sinais químicos para alertar suas camaradas plantas sobre ameaças. Quando atacada pela larva do besouro *Chauliognathus pensylvanicus*, uma vara-de-ouro (planta membro da família do girassol que cresce no mato em muitas partes dos Estados Unidos) libera compostos orgânicos aéreos que deflagram reações químicas defensivas nas plantas próximas (e podem também repelir o inseto atacante ou atrair seus predadores naturais).[7] A mensagem química é também muito difundida entre os insetos. De fato, sociedades de formigas e cupins são construídas com base numa rede de interações químicas, incrivelmente intricada e sempre em mudança, que permite à colônia comportar-se como um organismo complexo e coerente.

Alguns insetos também enviam mensagens fora da esfera química, como a famosa "linguagem das abelhas", cuja descoberta rendeu ao etologista austríaco Karl von Frisch o prêmio Nobel.[8] O ângulo e a duração da dança das abelhas indicam a direção e a distância da fonte de alimento, com o vigor do balanço de seu traseiro denotando a quantidade e/ ou a qualidade do recurso. A dança transmite uma mensagem extraordinariamente complexa sobre a localização e a qualidade de uma fonte alimentar — e dá à comunicação animal um minúsculo empurrão, talvez, na direção da linguagem humana. Curiosamente, as abelhas também usam a dança como uma forma de percepção de quórum ao decidir sobre uma nova localização para a sua colmeia: operárias se espalham em busca de um lugar para a colmeia e, ao voltar, usam a rapidez e a duração da dança para indicar seu entusiasmo por um local descoberto, incentivando as outras a irem lá verificar também. Com o tempo, os melhores lugares têm mais e mais abelhas dançando a seu favor, até que um quórum de "votos" é alcançado em prol de determinada localização, e todo o enxame começa a se mudar para lá. Nenhuma abelha individual decide para onde o enxame deve se mudar — a comunicação possibilita uma espécie de "democracia das abelhas", uma estratégia descentralizada de tomada de decisões muito disseminada entre insetos sociais.

A comunicação visual é amplamente adotada entre espécies animais, desde os movimentos coreografados da dança das abelhas e os deliberados gestos manuais de símios até os padrões piscantes bioluminescentes dos vagalumes numa noite de verão e a feliz postura de expectativa de um cachorro esperando que um pedaço de pau seja jogado. Mas quando se trata de exibições visuais, a sépia comum, *Sepia officinalis*, é uma verdadeira artista.[9] Esse cefalópode, molusco marinho invertebrado que lembra

Infinitas formas de grande beleza   241

uma lula, com oito braços e dois tentáculos, é um mestre da camuflagem e já foi apelidado de "camaleão do mar". Gera complexas mensagens de comunicação adotando um ou mais de 34 padrões cromáticos de coloração da pele (como listas escuras de zebra), mudando a textura da pele (áspera, lisa etc.), variando de postura (como agitar os braços) e praticando uma ação (como expelir tinta). A sépia macho usa esses sinais comunicativos tanto para atrair fêmeas como para repelir outros machos. As mensagens podem ser usadas para enganar também. Notavelmente, uma pequena sépia macho pode exibir um padrão de fêmea de um lado (distraindo assim um rival macho maior) e ao mesmo tempo exibir seu melhor padrão masculino de corte no outro lado, voltado para uma fêmea. E essa mímica sexual funciona: ser uma sépia bifronte, como o deus Jano, realmente aumenta as chances de sucesso no acasalamento.

E há também a comunicação auditiva. Macacos verdes [*Chlorocebus pygerythus*] são famosos pelos gritos de alarme contra predadores.[10] Esses macacos do leste da África desenvolveram três gritos separados para sinalizar a presença de diferentes tipos de predador: leopardos (ou carnívoros similares), águias (ou predadores aéreos) e cobras. Esses distintos gritos de alarme provocam três tipos diferentes de ação de fuga, apropriadas para a defesa contra predadores importantes. Quando ouvem uma mensagem de "chilro" contra leopardos, os macacos correm para o alto das árvores em busca de segurança, mas quando ouvem o grito "rraup", que denota águia, olham para o céu e procuram abrigar-se nos arbustos mais próximos; e quando ouvem alarme do tipo "chutter" contra cobras, ficam em pé nas pernas traseiras para localizar a ameaça. Embora a habilidade de produzir esses gritos de alarme pareça inata, indivíduos jovens precisam aprender a utilizá-los corretamente. Por exemplo, eles quase sempre começam usando o grito contra leopardos indiscriminadamente para qualquer animal terrestre — seja predador ou não —, e só mais tarde passam a usá-lo apenas contra leopardos. Em outras palavras, embora sejam capazes de produzir apenas gritos instintivos para se comunicar, parece que esses macacos têm alguma flexibilidade cognitiva em termos de como usá-los.

Mais provas dessa flexibilidade cognitiva vêm dos macacos verdes da África Ocidental [*Chlorocebus sabaeus*], primos dos macacos verdes da África Oriental.[11] Eles também usam gritos de alarme separados para cobras e leopardos, mas ao que tudo indica nenhum grito especial para predadores aéreos. No entanto, quando pesquisadores usaram um drone perto desses macacos, eles emitiram um grito parecido com o som "rraup" que os seus primos do oeste produzem contra a presença de águias, ainda que as duas espécies de macaco não compartilhem territórios comuns em suas áreas geográficas e tenham divergido de um antepassado comum que viveu há mais ou menos 3,5 milhões de anos.[12] Efetivamente, análises acústicas subsequentes revelaram que o grito de alarme contra águias dos *C. pygerythus* era quase idêntico ao grito contra o drone emitido pelos macacos *C. sabaeus*, sugerindo que o drone ativou uma resposta inata em relação a predadores aéreos. Curiosamente, quando os pesquisadores reproduziram os gritos contra o drone num alto-falante oculto para uma população de *C. pygerythus*, esses macacos olharam para o céu e rapidamente se esconderam. Assim sendo, esses primatas não humanos, ainda que severamente limitados no que diz respeito

Infinitas formas de grande beleza 243

ao aprendizado vocal — no sentido de que parecem incapazes de criar novos gritos —, são hábeis aprendizes perceptivos, capazes de reaproveitar um velho grito de alarme contra uma nova ameaça.

Embora esses gritos contra predadores tenham sido ressaltados como possíveis precursores da linguagem humana, é enorme a diferença entre a modesta flexibilidade demonstrada pelo grito de *C. sabaeus* contra o drone e a profusão comunicativa de jogos de mímica.[13] Estes últimos podem ser inventados, corrigidos e reutilizados no ato, de modo que um único gesto pode indicar livro, filme, pessoa ou acontecimento histórico, pois depende do conhecimento compartilhado dos jogadores específicos envolvidos — e dos jogos de mímica que praticaram no passado. É essa criatividade, mais do que simples mensagens fixas como gritos de alarme, que fornece os alicerces da linguagem humana.

Os macacos não são geralmente conhecidos por suas aptidões de aprendizado vocal, mas os pássaros canoros são músicos habilidosos — e, de início, a complexidade do canto dos pássaros talvez pareça um pouco mais próxima da que verificamos na linguagem humana. Consideremos o virtuosismo do rouxinol comum, um pássaro canoro pequeno, de cauda avermelhada que se reproduz numa área que vai do oeste da Europa à Mongólia e passa o inverno na África Subsaariana. Ele produz um dos cantos mais belos emitidos por qualquer pássaro, repleto de sequências melodiosas e, para citar um trecho evocativo de uma resenha acadêmica, com "algumas frases claras e agudas, outras borbulhantes, gorjeantes, rápidas ou tagarelas, uma delas um assobio baixo, longo, repetido ('wuuu'), que aumenta rapidamente em volume e velocidade de emissão e termina com um floreio", como ilustrado na seguinte transliteração: *pichu-pichu-pichu-pichurrrrrrr-chí!, wiiit-chuk-chukchuk-chuk-chuk-chuk-chí!, wuuuuuuuuu-wuuuuwuu-wuwu-twik!, chatatatatatatatatatatatatat, chiiyochiiyo-chiiyo-chiiyo-chí!*[14]

Durante séculos, o canto sedutor do rouxinol inspirou poetas e escritores, de Homero a Ovídio e Milton, e de Keats a Hans Christian Andersen em seu comovente conto de fadas "O rouxinol", adaptado por Igor Stravinsky para o poema sinfônico *O canto do rouxinol*.[15] E, claro, o fato de em inglês chamarmos de "canção de pássaro" [*birdsong*, o canto de um pássaro] e não, por exemplo, de "música de pássaro", sugere um vínculo com a linguagem — afinal, canções têm palavras.

Outro paralelo óbvio com a linguagem é que pássaros canoros, como o rouxinol, não apenas produzem um rígido padrão sonoro codificado em seus genes — eles aprendem o canto com os outros. Embora antes se acreditasse que só os machos cantavam, para atrair as fêmeas e afastar os rivais, pesquisas recentes mostraram que, na maioria dos pássaros canoros do mundo, tanto os machos como as fêmeas cantam.[16] Fazem-no não apenas para atrair parceiros potenciais e marcar território, mas também para manter o vínculo dos pares, por exemplo cantando duetos nos quais dois parceiros se revezam, às vezes alternando tão perfeitamente que o canto todo soa como se viesse de um só pássaro. Levando em conta que cada pássaro aprende os cantos com outros, com inevitáveis variações e imperfeições, isso cria a possibilidade de que o repertório de cantos numa população de pássaros varie tanto no tempo como na geografia. Isso parece muito um caso de evolução cultural e, à primeira vista, oferece um contraexemplo à nossa alegação de que a linguagem humana é única entre os sistemas

Infinitas formas de grande beleza 245

de comunicação do mundo em sua espetacular diversidade intraespecífica.

Mas não nos apressemos! "Canções" de pássaro nada têm a ver com as letras cheias de significado (ainda que por vezes banal) das canções humanas — de fato, são na verdade "músicas de pássaro", e não canções. O fluxo de palavras da linguagem humana tem significados particulares, e desses fluxos de palavras e de suas relações umas com as outras é possível compor uma infinidade de mensagens. Mas a função comunicativa do canto de um pássaro é muito mais limitada. Os *pichus* e *chuk--chis* do rouxinol não são palavras e frases transmitindo uma mensagem oculta codificada; são antes notas e frases musicais, cujo objetivo é exibir o virtuosismo e, portanto, o poder de sedução do cantor. Diferentemente dos gritos de alarme dos macacos e da dança das abelhas, os cantos dos pássaros não variam sistematicamente para alertar outros pássaros sobre a presença de perigo, locais de alimento ou qualquer outro aspecto do ambiente.[17] A rigor, alguns cantos incorporam os de outras espécies. A ave-lira-soberba, com esse nome magnífico, pode captar sons do ambiente de canteiros de obras, como os de martelo, serrote, furadeira e soprador de folhas, até mesmo o assobio de um peão de obra, e acrescentá-los ao seu repertório sonoro.[18] Esses fragmentos de som enriquecem ainda mais o canto dos pássaros — e quem ouve sem dúvida fica devidamente impressionado. Mas nenhuma mensagem está sendo transmitida, além da qualidade geral do cantor.

E o que se viu também é que o paralelo com evolução cultural (e potencialmente linguística) não é tão notável como pode parecer. Em primeiro lugar, embora muitos pássaros canoros aprendam por imitação, "dialetos" locais foram descobertos em poucas espécies.[19] Em segundo lugar, enquanto as línguas humanas diferem entre si em quase todos os sentidos imagináveis, os dialetos dos pássaros canoros são, na verdade, apenas leves variações em torno de um tema. Por exemplo, os chapins-de-cabeça-preta produzem um canto de *"hey sweetie"* em quase toda a América do Norte, mas em Martha's Vineyard, uma ilha ao largo da costa de Massachusetts, cantam *"sweetie hey"*. Em terceiro lugar, as diferenças acentuadas de dialeto, quando existem, são muitas vezes encontradas em populações isoladas e associadas a diferenças genéticas — ao passo que a variação das línguas humanas independe da genética, baseando-se em vez disso na evolução cultural (como vimos no Capítulo 5).

Por fim, a variação resultante de transmissão cultural acaba sendo muito limitada nos pássaros canoros.[20] Como cantam para atrair parceiros, repelir rivais ou facilitar o vínculo entre pares, os pássaros também têm preferências perceptuais inatas que definem a evolução cultural de tipos de canto. Por exemplo, as fêmeas de tentilhão parecem preferir cantos com mais frases vibrantes e floreios relativamente mais longos. Já se comprovou que a fêmea do tentilhão-zebra oferece feedback à prática de canto de machos juvenis, usando rápidas batidas de asa para indicar que aprova determinada sequência. Essas preferências das fêmeas limitam consideravelmente a variação de cantos culturalmente desenvolvidos, com ainda mais limitações provenientes das restrições perceptuais e vocais do próprio aprendiz macho.[21]

Uma elegante demonstração das rígidas limitações à evolução cultural de cantos de pássaro é oferecida pela versão dos tentilhões-zebra dos experimentos de telefone sem fio

Infinitas formas de grande beleza

discutidos no Capítulo 6.[22] A primeira "geração" (a mensagem inicial na brincadeira) consistia em pássaros machos criados em isolamento, sem qualquer input sonoro de machos mais velhos. Esses pássaros acabaram produzindo um canto meio rouco e arrítmico, diferente dos cantos produzidos por tentilhões-zebra selvagens. Os pássaros isolados serviram como professores particulares para a geração seguinte de pássaros; esses aprendizes de segunda geração foram então usados como tutores de um terceiro grupo, e assim por diante, ao longo de gerações de aprendizado individual. Por analogia com a variação encontrada nas línguas humanas, seria de esperar que os cantos criados seguissem nas mais variadas direções — e diferissem substancialmente do canto do tipo silvestre que os tentilhões-zebra exibem em seu hábitat natural. Mas muito pelo contrário: ao longo de gerações, os aprendizes aos poucos recriaram o canto silvestre, demonstrando que há pouca margem para variação geral no canto do tentilhão-zebra. Outro estudo chegou ao mesmo resultado, ainda que a primeira geração fosse treinada no canto de um pássaro completamente diferente — o tentilhão-bengalês.[23]

A transmissão cultural entre os tentilhões-zebra serve para diminuir a diversidade de vocalização e conduzir quaisquer possíveis desvios rapidamente de volta aos padrões existentes típicos de cada espécie, em vez de permitir que cantos novos e diferentes se estabeleçam. Limitar os cantos a esses padrões estereotipados pode ser útil para sinalizar a aptidão do cantor, mas deixa pouca margem para a evolução cultural. O que está claro é que esses resultados com tentilhão-zebra contrastam nitidamente com o resultado dos experimentos do telefone sem fio em humanos, nos quais diferentes linhagens de aprendizes criam minilínguas amplamente divergentes mas, ainda assim, sistemáticas.

Está claro que a comunicação não é exclusividade dos humanos. Muitos organismos, talvez até mesmo a maioria, dispõem de algum jeito de se comunicar com outros membros da sua espécie, de arqueias e bactérias aos fungos e às plantas, das abelhas e sépias aos macacos e aos pássaros. A variedade de sistemas de comunicação é verdadeiramente estonteante, mas quando damos especial atenção a um organismo em particular descobrimos que todos os membros dessas espécies têm maneiras de se comunicar praticamente idênticas, como especificado por seus genes.[24] Em contraste com isso, a linguagem humana é definida pela cultura, permitindo a cada indivíduo desenvolver sua própria versão idiossincrática da língua da sua comunidade, como vimos no caso de Laura Bridgman. Ironicamente, poderia parecer que a ideia de uma gramática universal inata oferecesse uma caracterização melhor da natureza fixa e uniforme dos sistemas de comunicação não humanos, em vez de sugerir a irreprimível diversidade da linguagem humana. Isso não significa negar a importância da comunicação em espécies que não sejam a humana — longe disso —, porém, por mais belos, variados e às vezes maravilhosamente intricados que esses sistemas de comunicação não humanos sejam em si, o fato é que não oferecem um paralelo à flexibilidade e à fundamental diversidade da linguagem humana.

Sete mil experimentos naturais em evolução cultural

A mera variedade de línguas humanas é assombrosa. Característica única da linguagem humana, o principal sinal co-

Infinitas formas de grande beleza 249

municativo pode ser gestual ou vocal, como expresso tanto na língua de sinais como na língua falada.[25] Há mais de 140 diferentes línguas de sinais no mundo, incluindo a Língua de Sinais Americana, a Língua de Sinais Dinamarquesa e a Língua de Sinais Nicaraguense. Embora Laura Bridgman tenha aprendido a soletrar inglês com os dedos, a Língua de Sinais Americana nada tem a ver com o inglês americano, ou, por falar nisso, com qualquer tipo de inglês, seja falado ou escrito. Isso significa que a Língua de Sinais Americana é tão distinta da Língua de Sinais Britânica como quaisquer outras línguas faladas (o finlandês e o chinês, por exemplo) são distintas entre si.

Dentro das línguas faladas, encontramos variações de sons específicos usados para sinalizar sutis diferenças de significado.[26] Mais de dezessete línguas no sul e no leste da África, como cói, xossa e zulu, incorporam diferentes tipos de cliques e estalidos nas palavras, como o "tut-tut" (geralmente escrito como "tsk! tsk!") usado por falantes do inglês para indicar desaprovação e o som de "tchick!" que os cavaleiros usam para instigar a montaria. Cerca de dois terços das línguas do mundo usam mudanças de tom para distinguir palavras que de outra forma teriam o mesmo som. Vejamos os cinco tons diferentes usados em mandarim para alterar o significado da sílaba *ma*:

- "mā" num tom alto, uniforme, significa "mãe";
- "má" num tom que sobe de médio a alto se refere a "cânhamo";
- "mǎ" num tom inicial baixo que vai caindo e se torna alto denota "cavalo";
- "mà" num tom que despenca de alto a baixo significa "repreender";

250   *O jogo da linguagem*

- "ma" num tom neutro é usado como artigo indicando uma pergunta.

Essas sutis diferenças tonais quase sempre representam um desafio para aprendizes de mandarim como segunda língua — é muito fácil confundir "mā" (mãe) com "mǎ" (cavalo)!

Algumas línguas usam até assobios para comunicação de longa distância, como nas montanhas ou nas matas fechadas, estendendo o alcance da voz humana até dez vezes mais longe do que falar aos gritos.[27] A fala assobiada é usada por subpopulações de falantes de mais de trinta línguas, como o turco, o espanhol das ilhas Canárias, o chepang no Nepal e o mazateca no México. E, embora a fala assobiada recorra muito a sons de vogal, algumas línguas têm muitas palavras que consistem inteiramente de consoantes, como na língua, ameaçada de extinção, falada pelo povo nuxalk, que vive nos arredores da cidade canadense de Bella Coola, na Colúmbia Britânica: *ts'xlh* (verdade), *sts'q* (gordura animal) e *tsktskwts* (ele chegou). Portanto, não se pode nem mesmo dizer que as línguas sempre usam combinações de vogais e consoantes para produzir palavras.

Além do mais, cada língua é peculiar e única à sua maneira distinta.[28] Na verdade, quase todas as propriedades linguísticas aparentemente universais são contrariadas em alguma língua: há línguas sem advérbios, outras sem adjetivos, e algumas que parecem nem mesmo distinguir entre substantivos e verbos, como straits salish, uma língua ameríndia do Canadá. O mandarim não tem morfologia (terminações de verbo, plurais e coisas do gênero), enquanto em iúpique, a língua de um grupo de povos indígenas do oeste e do sul do

Alasca e do nordeste da Sibéria, a morfologia é tão rica que uma frase inteira pode ser espremida numa única palavra ("ele ainda não tinha repetido que vai caçar renas": *tuntussuqatarniksaitengqiggtuq*). E muitas línguas não indo-europeias têm classes gramaticais não familiares: ideofones, coverbos e classificadores. Por exemplo, ideofones em muitas línguas formam uma classe gramatical separada usada para apimentar conversas evocando uma ideia através do som, como *ribuy-tibuy* na língua mundari do leste da Índia, que denota "o som, a visão ou o movimento das nádegas de uma pessoa gorda esfregando-se uma na outra enquanto ela anda".

As línguas europeias se baseiam em flexões verbais — terminações de palavra que diferenciam presente, passado e futuro e diferenciam caminhar de caminhando — capturadas nas conjugações verbais, sobre as quais se debruçam aqueles que se esforçam para aprender uma segunda língua. O mandarim tem apenas uma forma de cada verbo e usa palavras adicionais na frase para esclarecer quando um evento aconteceu. Outras línguas têm apenas uma pequena classe de verbos "flexionados", mas os combinam com uma grande classe aberta de "coverbos" para descrever diferentes tipos de acontecimentos. Veja-se o caso do jaminjung, língua aborígene falada por menos de 150 pessoas na região do rio Vitória, no Território do Norte da Austrália.[29] O jaminjung tem apenas cerca de trinta verbos, todos eles com significados bem genéricos, como *ijga*, que quando usado sozinho se refere a um tipo de locomoção. Para criar significados mais específicos para ações particulares, esses verbos bastante genéricos podem ser combinados com um grande número de coverbos, que não podem aparecer sozinhos. Assim sendo, quando *ijga* é combinado com o coverbo *warrng-warrng* (caminhar), significa caminhando; combinado com *bag* (quebrar), se refere a estar quebrando alguma coisa; combinado com *marrug* (oculto), denota o ato de esconder; e combinado com *ngilijga* (chorar), significa chorando.

Como os coverbos, os classificadores são outra classe gramatical muito disseminada entre as línguas do mundo, mas raramente encontrada em línguas europeias.[30] Um classificador se combina com substantivos para denotar tipos específicos de coisas. Diyari, uma língua aborígene falada por um pequeno grupo que vive no deserto árido a leste do lago Eyre, mais de mil quilômetros ao norte de Adelaide, na Austrália Meridional, tem nove classificadores diferentes, que ocorrem antes de substantivos e dividem o mundo em diferentes categoriais importantes para a vida diária:

- *karna*: seres humanos (excluindo pessoas brancas, não aborígenes);
- *paya*: pássaros que podem voar (portanto excluindo os emus);
- *thutyu*: répteis, cobras;
- *nganthi*: outros seres animados comestíveis;
- *puka*: alimentos vegetais;
- *pirta*: árvores ou madeira (útil para fogueiras);
- *marda*: pedras e minerais (como ocre);
- *thurru*: fogo;
- *ngapa*: água.

Assim sendo, em diyari você se refere a um canguru como *nganthi tyukurru*, ao passo que a cacatua-de-crista-amarela é *paya kardarrungka* e uma mulher (aborígene) é *karna wilha*. Os significados que as línguas podem expressar também variam muito.[31] Algumas não têm tempos verbais, pronomes ou nu-

Infinitas formas de grande beleza 253

merais, ou carecem de termos lógicos fundamentais como *se* e *ou*. Outras expressam significados de maneira totalmente inesperada. Na língua navajo falada no sudoeste dos Estados Unidos (e usada pelos falantes de código navajo que vimos no Capítulo 2), a escolha de verbos depende de sobre qual das onze categorias de objetos você está falando — se, por exemplo, é uma coisa redonda sólida como uma bola, um item delgado e flexível como uma corda, um artigo fino e rijo como uma seta, ou matéria não compacta, como uma porção de cabelo. Enquanto em inglês o mesmo verbo é usado para pedir seja o que for, independentemente da coisa pedida, em navajo você precisa selecionar uma de onze diferentes formas verbais para fazer o mesmo pedido. Assim, se quiser dizer "Me dê um cigarro" (objeto fino e rígido), você usará o verbo *nítiih*, mas se quiser dizer "Me dê um pouco de feno" você usará o verbo *niljooli*. Outras línguas, porém, como o pirahã, falado por uma comunidade contemporânea de oitocentas pessoas que vivem à beira do rio Maici, tributário do Amazonas, no fundo da floresta amazônica brasileira, parecem não ter palavras para números e tempo. E, como mencionamos no Capítulo 5, não têm sequer o que Chomsky declarou ser a propriedade mais fundamental da linguagem — a recursividade, que permite frases se aninharem dentro de frases do mesmo tipo, como bonecas matrioskas russas.

Outra característica intrigante encontrada em um quarto das línguas do mundo é o que os linguistas chamam de evidencialidade, que exige que os falantes notem explicitamente quais provas têm do que estão dizendo — se têm conhecimento em primeira mão, se deduziram de alguma prova, ou se ouviram alguém falar.[32] Algumas línguas não têm evidencialidade mas seus falantes podem, se quiserem, sinalizar que algo é boato ou

254   *O jogo da linguagem*

é deduzido, e não observado diretamente, usando palavras ou construções específicas como "ouvi dizer que", "ao que tudo indica", "aparentemente", "supostamente". Quando a evidencialidade faz parte da gramática de uma língua, exige-se tipicamente do falante que empregue duas ou mais terminações verbais, ou sufixos, que indiquem a origem da informação. Vejamos o caso da quase extinta língua pomo oriental falada no Norte da Califórnia, que emprega quatro diferentes terminações verbais para especificar como a informação que se transmite foi adquirida. A terminação *-ink'e* é usada quando o falante se refere a alguma coisa que observou de uma maneira não visual; *-ya* é usada quando há menção a algo de que o falante tem conhecimento em primeira mão (muito provavelmente visual); *-ine*, quando o falante faz deduções baseadas em algo que viu; e *-.le*, quando relata uma coisa de que foi informado (ou seja, um boato). Quando acrescentado ao radical pha. békh, que significa "queimar", temos o seguinte:

- *pʰa·békʰ-ink'e*: o falante teve a sensação de queimação;
- *pʰa·bék-a*: o falante viu alguém/ alguma coisa queimar;
- *pʰa·bék-ine*: o falante viu provas circunstanciais, como ataduras;
- *pʰa·békʰ-·le*: o falante está relatando o que ouviu dizer sobre um incidente de queimadura.

Assim sendo, se quiser dizer que ouviu que "eles se queimaram", você diz *"bé·k-al pʰa·bé-kʰ-·le"*; mas se suspeita que eles se queimaram com base no que viu, você diz *"bé·k-al pʰa·bé-k-ine"*.

Em algumas línguas, a evidencialidade é usada também para indicar se quem fala participou dos acontecimentos a que

Infinitas formas de grande beleza

se refere.[33] Vejamos o caso da entrevista na qual o ex-vice-presidente dos Estados Unidos Dick Cheney falou do infeliz acidente em que atirou num companheiro de caça, Harry Whittington, no rosto, no pescoço e no peito durante uma caça às codornas no sul do Texas. Como é sabido, Cheney fez as maiores contorções verbais para evitar assumir responsabilidade: "Eu me virei e atirei no pássaro, e naquele segundo vi Harry lá, em pé", e, mais tarde: "Bem, no fim sou o sujeito que apertou o gatilho que disparou o tiro que atingiu Harry". Se ele estivesse falando em namo me, uma língua falada por cerca de mil pessoas que vivem nas Terras Altas do Sul e na Província Ocidental de Papua-Nova Guiné, esse contorcionismo seria impossível. A gramática dessa língua exige que os falantes usem um sufixo para indicar explicitamente sua participação no acontecimento descrito.

Esses poucos exemplos apenas arranham a superfície da espetacular diversidade linguística que vemos no mundo.[34] E há variedade dentro da variedade. Existem muitas variações dentro das características específicas de que falamos aqui — quantos tons uma língua emprega, quantos classificadores diferentes são usados e quantos marcadores de evidencialidade estão embutidos na gramática. Mesmo dentro da Europa há mais diversidade linguística do que geralmente nos damos conta. Quando os Estados-nação europeus se formaram e designaram suas línguas oficiais, outras línguas acabaram se tornando dialetos desprestigiados. Esse fenômeno é capturado pela astuta observação segundo a qual "Uma língua é um dialeto com um Exército e uma Marinha", atribuída ao sociolinguista e estudioso de iídiche Max Weinreich.[35] Por exemplo, de acordo com o Atlas Mundial 2010 das Línguas em Perigo, da Unesco, a Itália tem

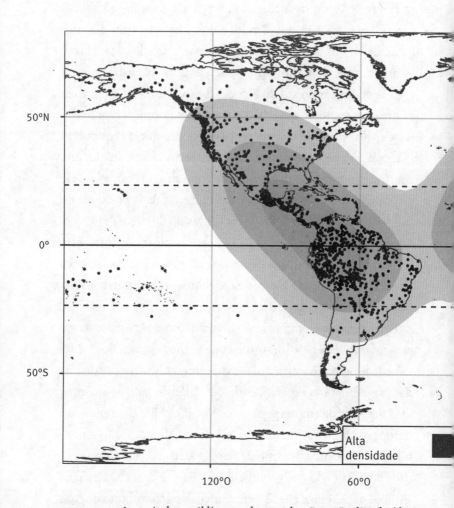

FIGURA 7.1. As mais de 7 mil línguas do mundo não estão distribuídas por igual no planeta, concentrando-se em torno do equador (linha horizontal contínua) nas duas zonas tropicais (demarcadas pelas linhas horizontais intermitentes). Quanto mais escuros os contornos cinzentos, maior a densidade de línguas. A localização aproximada de línguas individuais é indicada pelos minúsculos pontos pretos. (Figura de autoria de Pablo Contreras Kallens.)

Infinitas formas de grande beleza

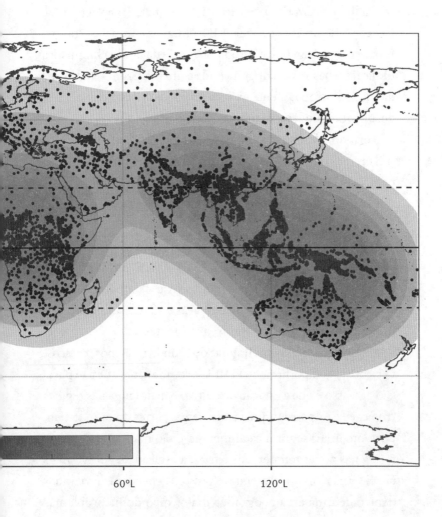

60°L   120°L

trinta línguas em risco de extinção; a França, 35; a Alemanha, treze; e o Reino Unido, onze.[36] E há línguas europeias, como o finlandês, o húngaro e o estoniano (todas da família linguística urálica) e o basco (cuja origem ainda é um mistério) — cada uma das quais profundamente exótica do ponto de vista dos falantes de, digamos, inglês, espanhol e alemão.

Abrindo a lente para uma escala global, fica claro que as 7 mil línguas humanas não são distribuídas igualmente pelo planeta. Na verdade, a maioria das línguas do mundo está amontoada nas zonas tropicais da Terra (ver Figura 7.1). As áreas mais ricas em diversidade linguística tipicamente não apenas contêm uma profusão de variações marginais. As Terras Altas de Papua-Nova Guiné abrigam mais de 10% das línguas do mundo, e essas comunidades muitas vezes falam línguas com sistemas sonoros, ordens de palavras e maneiras de fatiar o mundo linguisticamente muito divergentes.

Por que quase todas as línguas do mundo estão nos trópicos? O cientista comportamental Daniel Nettle afirma que a explicação para isso é que a estação de cultivo é mais longa nas regiões tropicais.[37] As pessoas que vivem nessas partes do mundo têm, portanto, mais segurança alimentar, e são mais autossuficientes. Já nas zonas temperadas e frias, a estação de cultivo mais curta torna mais provável que as pessoas dependam de vizinhos dentro de uma área geográfica maior quando há problemas de safra, e falar a mesma língua facilita esses acordos sociais.

Se levarmos a sério a diversidade das línguas do mundo, fica claro que há pouquíssimos universais linguísticos, se é que existe algum. Isso é motivo não de alarme, mas de comemoração! A profusão de línguas nos oferece milhares de oportunidades de adquirir novos insights sobre a capacidade

Infinitas formas de grande beleza 259

exclusivamente humana para a linguagem. Essencialmente, temos aos nosso dispor os resultados de 7 mil experimentos naturais de evolução cultural.[38]

Há algo de podre na situação do dinamarquês?

Se por um momento dermos um fundo mergulho num desses 7 mil experimentos linguísticos, vamos descobrir que variações estranhas e peculiares penetram até mesmo na suposta "variedade de jardim" das línguas europeias, como o dinamarquês. A maioria dos não dinamarqueses sabe pouquíssimo a respeito do dinamarquês, exceto, talvez, que é a língua de algumas das pessoas mais felizes do mundo, e que vem dela a palavra *hygge*, o sentimento de aconchego, de camaradagem e de bem-estar essencial para a cultura dos dinamarqueses. Na verdade, a língua dinamarquesa tem uma bem estabelecida reputação de ser difícil de entender. Já em 1694, o político e escritor irlandês Robert Molesworth escreveu em seu *An Account of Denmark, as It was in the Year 1692* [*Um relato da Dinamarca tal como era no ano de 1692*]: "A língua é ingrata, e não difere muito do irlandês em seu tom lamuriento. O rei, os grandes homens, a nobreza e muitos burgueses usam o alto holandês em sua fala comum, e o francês com estrangeiros. Ouvi muitos ocupantes de altos cargos se gabarem de não saber falar dinamarquês".[39] E o dinamarquês não parece ter melhorado com o tempo. Em 1927, o autor alemão Kurt Tucholsky comentou de brincadeira: "A língua dinamarquesa não serve para falar... Tudo soa como se fosse a mesma palavra".[40] Mesmo os noruegueses, vizinhos geográficos e linguísticos, fizeram piada com a ininteligibilidade do dinamarquês num programa humorístico de TV em que dois dinamarqueses não conseguem se entender e são, portanto, obrigados a inventar palavras absurdas como *kamalåså*.[41] Acabam apelando à comunidade internacional para que ajude a Dinamarca antes que uma pane de comunicação resulte no colapso total da sociedade. As coisas talvez não sejam tão ruins assim — mas parece que há qualquer coisa de errado com a língua dinamarquesa (ver Figura 7.2).

Folcloricamente, o dinamarquês é difícil de aprender como segunda língua, mas, contraintuitivamente, até para as crianças dinamarquesas é um problema![42] Como é possível que elas tenham dificuldade para aprender o idioma? Essa é uma questão pessoal para Morten: ele foi criado na Dinamarca, aprendendo o dinamarquês como língua materna. Agora lidera o grupo de pesquisa Puzzle of Danish na Universidade de Aarhus, na Dinamarca, tentando resolver o enigma.

Parece que o problema do dinamarquês está na pronúncia, quase sempre negligente e obscura. Com mais de quarenta sons de vogal, essa língua tem um dos maiores estoques de vogais do mundo (para efeitos de comparação: o inglês tem apenas de treze a quinze vogais, dependendo do dialeto). Além disso, os dinamarqueses transformam numerosas consoantes em vogais quando falam. Por exemplo, os sons *b* e *v* no fim das palavras costumam ser pronunciados como *u* quando aparecem em palavras como *løbe* (correr) e *kniv* (faca), que, usando a fonologia inglesa, podem ser transliteradas como "loyoo" e "kneeyoo", respectivamente.[43] Para complicar mais ainda, os dinamarqueses "engolem" o fim das palavras, omitindo cerca de um quarto de todas as sílabas, mesmo quando lendo em voz alta numa transmissão radiofônica. Cada um desses fatores

Infinitas formas de grande beleza 261

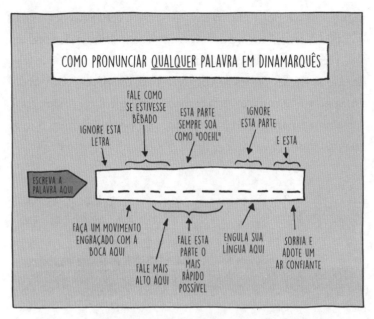

FIGURA 7.2. Uma interpretação bem-humorada da inusitada pronúncia do dinamarquês, que também sugere por que entender essa língua pode ser difícil, especialmente para falantes não nativos. (Ilustração de Matthias Parchettka.)

ocorre em outras línguas, mas só o dinamarquês combina rotineiramente os três. Isso resulta numa abundância de sequências sonoras sem consoantes de verdade, como no sintagma nominal *røget ørred* (truta defumada; transliteração em inglês "rohe-errhl"), que tem oito sons de vogal em sequência.

O dinamarquês situa-se, portanto, no extremo oposto da já mencionada língua nuxalk, que tem palavras que consistem puramente de consoantes. Das duas línguas, no entanto, o dinamarquês é a menos afortunada no quesito facilidade de percepção. Para compreender uma língua falada, precisamos segmentar o input auditivo em palavras ou combinações de palavras. As consoantes, por interromperem o fluxo de sons da fala, oferecem pistas mais úteis para potenciais divisões de fala do que as vogais. Séries de vogais tornam difícil descobrir onde uma palavra termina e outra começa (ver Figura 7.3). Assim, conversar em dinamarquês é um pouco como jogar mímica numa sala mal iluminada, onde é difícil distinguir um gesto de outro.

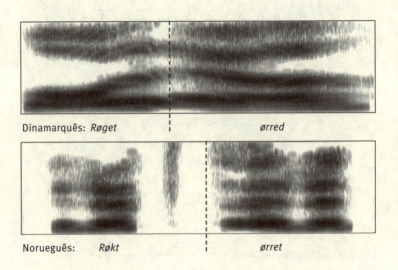

FIGURA 7.3. Espectrogramas para uma descrição visual do sinal de fala, mostrando a distribuição e a intensidade de diferentes frequências no sinal de fala ao longo do tempo para tradução de "truta defumada" para o dinamarquês (parte superior), *røget ørred* (transliteração em inglês: "rohe-errhl"), e para o norueguês (parte inferior), *rokt orret* (transliteração em inglês: "rokt ohrrit"). A linha pontilhada vertical mostra a localização aproximada do limite entre as duas palavras. Notemos que o espectrograma dinamarquês é indiferenciado, sem pistas quanto a sílabas ou fronteiras de palavra. Diferentemente dos dinamarqueses, os noruegueses pronunciam suas consoantes, tornando a fronteira entre as duas palavras mais fácil de detectar.

Infinitas formas de grande beleza 263

Assim como é provável que seja mais difícil aprender o jogo de mímica na semiescuridão do que numa sala bem iluminada, parece que as opacas propriedades sonoras do dinamarquês atrapalham o aprendizado da língua. Estudos de uma colega de Morten na Universidade de Aarhus, a pesquisadora do desenvolvimento Dorthe Bleses, mostraram que as crianças dinamarquesas não só aprendem novas palavras mais devagar do que as crianças que aprendem outras línguas europeias, como também não conseguem dominar o tempo passado de verbos antes dos oito anos de idade — quase dois anos depois das crianças que aprendem os sistemas de pretéritos praticamente idênticos do norueguês e do sueco.

Usando um aparelho para rastrear o movimento dos olhos, o psicolinguista Fabio Trecca, Morten e outros colegas seguiram o olhar de crianças dinamarquesas de dois anos quando ouviam a língua falada. Os pesquisadores partiram do fato de que, se você mostrar para crianças dois objetos numa tela, como um carro e um macaco, e disser algo como "Achem o carro!" ou "Aí está o macaco!", elas normalmente olham para o objeto em questão logo depois. As crianças pequenas dinamarquesas, ao ouvirem *"Find Bilen!"* ("Achem o carro!", transliteração em inglês: "Fin beelen!"), que contém várias consoantes, olhavam para o carro relativamente depressa, mas quando ouviam *"Er aben!"* ("Aí está o macaco!", transliteração em inglês: "heer-ahben!") levavam meio segundo a mais para olhar para o macaco, porque o fluxo de fala consiste quase inteiramente de vogais, que mascaram os limites entre palavras. Um atraso de meio segundo pode não parecer muita coisa, mas nas pressões em tempo real do gargalo do agora ou nunca pode vir a ser um obstáculo de bom tamanho para o aprendizado e a compreensão. Na verdade, Morten e seus colegas descobriram num estudo subsequente que crianças de dois anos e meio lutam para aprender novas palavras quando estas vêm na sequência de uma frase só de vogais, como *"Her er..."* ("Aí está..."), ainda que adultos costumem usar essa frase ao falar com crianças.

O Puzzle of Danish, o citado grupo de pesquisa de Morten, também mostrou que os efeitos da opaca estrutura sonora do dinamarquês não desaparecem quando as crianças crescem. Usando experimentos cuidadosamente sincronizados conduzidos na Dinamarca e na Noruega, eles descobriram que os dinamarqueses adultos parecem lidar com sua língua materna diferentemente dos falantes das línguas vizinhas, como o sueco e o norueguês. A comparação entre o dinamarquês e o norueguês oferece um experimento natural quase perfeito: a Dinamarca e a Noruega têm uma longa história em comum, remontando à época dos vikings; têm sistemas previdenciários, práticas educacionais e normas culturais semelhantes; e suas línguas têm gramáticas, sistemas de pretérito e vocabulário parecidos. Mas a diferença fundamental é que os noruegueses tipicamente pronunciam as consoantes, ao passo que os dinamarqueses tendem a não o fazer. Por ser a fala dinamarquesa tão ambígua, os dinamarqueses recorrem muito mais a informações contextuais de conhecimento preliminar, à situação atual e a conversas anteriores para decifrar o que estão ouvindo, do que falantes de outras línguas, como o norueguês. Ou seja, precisam prestar mais atenção à parte submersa do iceberg da comunicação, porque o input linguístico é especialmente indeterminado no dinamarquês falado.

Diferentemente do que muitas vezes se tem como certo em psicologia e linguística, o exemplo do dinamarquês su-

Infinitas formas de grande beleza   265

gere que nem todas as línguas são igualmente fáceis para as crianças aprenderem e usarem. Ele ilustra o tipo de variabilidade linguística que seria de esperar se as línguas fossem de fato produto de uma evolução cultural em vez de seguirem um molde genético. Não se sabe ao certo por que os dinamarqueses acabaram falando como falam — pode ser apenas um prolongado processo histórico de mudança linguística que deu errado, ou pode ser reflexo de um desejo social implícito de se distinguirem dos vizinhos escandinavos ao norte e alemães ao sul. No entanto, a natureza perversa da língua dinamarquesa, que retarda o aprendizado e complica seu uso até pelos adultos, pode ter um lado positivo. Na verdade, o grupo de Morten descobriu que, por dependerem mais de pistas comunicativas fora do sinal de fala, os dinamarqueses são menos afetados do que os noruegueses quando ouvem uma fala numa situação barulhenta (como quando conversam com alguém numa esquina movimentada). Os dinamarqueses já estão acostumados a praticar o jogo de mímica na semiescuridão, de modo que diminuir um pouco a luz não chega a ser um problema.

Bilhões de línguas diferentes

As línguas não são todas feitas do mesmo material; variam extremamente em todas as dimensões possíveis, desde sons e gestos até a formação de palavras e gramática. Mas a variação linguística não se limita às línguas individuais, como o dinamarquês, o nuxalk, o inglês e o navajo; ocorre também no *interior* das línguas. Na verdade, nenhum de nós fala exatamente a mesma língua dos nossos vizinhos.

Como ocorre com outras aptidões, há variações dramáticas em habilidades linguísticas de indivíduo para indivíduo. Estamos falando de diferenças não só no tamanho do vocabulário, mas também na competência gramatical e na capacidade de usar contextos anteriores para decifrar o que está sendo dito.[44] Algumas dessas diferenças individuais são surpreendentes. A linguista Ewa Dąbrowska descobriu que alguns falantes nativos do inglês tendem a compreender errado mesmo frases passivas simples como "A menina foi fotografada pelo menino", interpretando-a como se a menina tivesse tirado a foto. E têm dificuldades sérias com afirmações anômalas, como a manchete "Cão mordido por homem". Até mesmo entre universitários de Cornell, todos eles entre os primeiros da classe no ensino médio, Morten encontrou diferenças substanciais na rapidez e na exatidão com que compreendem frases relativamente diretas, como "O repórter que o senador atacou admitiu o erro". Na verdade, Dąbrowska mostrou que a variação nas habilidades em língua materna é tão ampla que muitas pessoas que aprendem o inglês como segunda língua dominam melhor sua gramática e têm um vocabulário maior do que pessoas que aprenderam a língua desde o berço.

Embora sejamos todos experts no que diz respeito à língua, somos todos experts em língua de um jeito ligeiramente diferente. Nosso estoque particular de palavras e de construções, e nosso jeito de usá-las no calor do momento para praticar o jogo de mímica, fazem da língua de cada pessoa uma língua única. O inglês de Laura Bridgman oferece um exemplo particularmente tocante de como cada um de nós cria sua própria língua. Isso significa que não existe uma versão "real" do inglês — assim como não existe uma maneira real de dançar o tango,

Infinitas formas de grande beleza

de tocar ragas indianos ou de pintar quadros impressionistas. Cada falante do inglês tem sua própria versão do inglês, e o mesmo vale para falantes de qualquer outra língua, do 'Are'are (falado nas ilhas Salomão, na Oceania) ao hindi, ao espanhol, ao yele dnye e ao zuni (falado no oeste do Novo México e no leste do Arizona). Uma língua não passa de uma coleção de idioletos, cada qual consistindo em uma distinta combinação de construções, escolha de palavras e estilo pessoal de expressão peculiar a determinado indivíduo. Cada um de nós, sem exceção, fala uma língua única que, para o bem ou para o mal, desaparecerá conosco.[45]

Mas, se cada um de nós fala uma língua diferente, como a comunicação é possível? Como podemos alimentar a esperança de compreender uns aos outros? É aqui que a nossa metáfora do jogo de mímica volta a entrar em cena. Uma mímica bem-sucedida depende tanto da capacidade da plateia de interpretar as pistas que recebe (quase sempre levadas ao extremo do histrionismo) quanto dos talentos de mímico do ator. Cada pessoa pode imitar King Kong de um jeito diferente, mas apesar disso nossa criatividade comunicativa e nossa inventividade nos permitem entender. E com a língua não é diferente: quem ouve trabalha muito para quem fala. O falante simplesmente dá pistas da mensagem que tenta transmitir; os ouvintes precisam usar o seu conhecimento do falante, do que foi dito antes e do mundo em geral para conseguir entender o significado de um enunciado. É por isso que geralmente conseguimos entender uns aos outros, ainda que cada um fale sua própria versão idiossincrática da língua da sua comunidade.

As línguas precisam apenas estar mais ou menos alinhadas para que a comunicação seja possível. Essa compatibilização se baseia na compreensão mútua fomentada pelos processos de evolução cultural que discutimos em capítulos anteriores — todos nós seguimos as pegadas de gerações anteriores de falantes em nossa comunidade, que interpretaram as pistas exatamente como nós o fazemos. Assim sendo, embora os quase 2 bilhões de falantes do inglês (tanto nativos quanto os que usam o inglês como segunda língua) estejam falando 2 bilhões de ingleses diferentes, as versões são todas estreitamente relacionadas, a ponto de em geral compreendermos uns aos outros. O mesmo se aplica aos falantes das outras línguas do mundo: todos têm sua própria abordagem da língua ou das línguas que conhecem. Dentro de uma comunidade de fala, chegar perto já basta — a criatividade de interpretação é mais que suficiente para preencher as lacunas. Na verdade, como vimos no encontro entre a tripulação do capitão Cook e os aush, o poder expressivo da parte submersa do iceberg da comunicação nos permite compreender uns aos outros razoavelmente, mesmo quando a ponta linguística está inteiramente ausente.

Bem no final de *A origem das espécies*, Charles Darwin reflete sobre o espantoso poder da seleção natural, dizendo que "de um começo tão simples infinitas formas de grande beleza e maravilha evoluíram e continuam evoluindo". Ele estava falando da evolução de organismos biológicos, mas, como vimos, sua evocativa frase "infinitas formas de grande beleza" serve também para a evolução cultural da linguagem. Assim como a variação entre organismos é fundamental para a evolução biológica, a diversidade linguística é essencial para a evolução da linguagem. O controle predominantemente genético

Infinitas formas de grande beleza 269

dos sistemas de comunicação não humanos reduz a variação dentro de uma espécie, aplicando assim um freio na evolução cultural, como ilustrado pelos experimentos tipo telefone sem fio entre os tentilhões-zebra. Em contraste com isso, as habilidades linguísticas humanas praticamente explodem em diversidade tanto entre as línguas quanto dentro delas, como uma assinatura inequívoca de evolução cultural.

A comunicação pode ser universal em todas as espécies, mas a linguagem é exclusivamente humana. É a flexibilidade fundamental da linguagem, combinada com o nosso desejo inato de comunicação, que nos permite praticar jogos de mímica linguísticos, seja pela palavra falada, seja por sinais manuais ou mesmo pelo tato, como no caso de Laura Bridgman. Esses repetidos jogos de mímica culminam numa espetacular diversidade de línguas que permite à humanidade acumular conhecimentos de todas as coisas que a linguagem consegue expressar ao longo de gerações. Como veremos em seguida, cada língua carrega dentro de si as sementes de novo florescimento cultural. Nossos poderes de infinita improvisação linguística são um estímulo para a criação da cultura e da sociedade humanas em toda a sua fabulosa variedade.[46]

8. O círculo virtuoso: Cérebros, cultura e linguagem

> A relação do pensamento com a palavra não é uma coisa, mas um processo, um vaivém contínuo de pensamento para palavra e de palavra para pensamento.
>
> LEV VYGOTSKY, *Pensamento e linguagem* (1934)

AO SAÍREM DOS ELEVADORES de Uris Hall, sede do Departamento de Psicologia de Cornell, onde Morten trabalha, os visitantes se deparam com uma visão estupenda: cérebros humanos flutuando em meio a um líquido no interior de tanques. São destaques selecionados da Coleção Wilder de Cérebros, que consiste de doações de cérebros de acadêmicos e psicopatas locais. Vão dos ilustres (Edward Titchener, psicólogo que fundou o Departamento de Psicologia de Cornell em 1895; Helen Hamilton Gardener, notável servidora pública, escritora e sufragista) aos sinistros (Edward Rulloff, médico, advogado, estelionatário e assassino de várias vítimas, que a certa altura até se fez passar por professor e, estranhamente, também escreveu um tratado inédito sobre evolução da linguagem).[1] O fundador da coleção, o anatomista de Cornell Burt Green Wilder, tinha grandes esperanças de que, quando examinada, a diversidade de cérebros revelasse ligações com a diversidade de pessoas a quem pertenciam e de que a coleção se tornasse um

O círculo virtuoso: Cérebros, cultura e linguagem 271

valioso recurso para pesquisadores. Demonstrando admirável compromisso com a causa, determinou que depois de morto seu próprio cérebro fosse acrescentado à coleção. No entanto, a coleção de Wilder acabou sendo pouco mais do que uma curiosidade. Descobriu-se que, apesar de haver muita diferença na estrutura anatômica dos cérebros humanos, mais notadamente no tamanho geral, não existe uma característica óbvia que distinga o brilhante do prosaico, ou o virtuoso do criminoso.

Que tal ampliarmos nosso campo de visão para incluir cérebros de todo o reino animal? Agora as diferenças na anatomia do sistema nervoso entre as espécies, e particularmente no tamanho do cérebro, são substanciais. A minúscula lombriga (*Caenorhabditis elegans*, muito estudada na neurociência) tem apenas 302 células em todo o seu sistema nervoso; um caracol de lagoa, cerca de 10 mil neurônios; uma lagosta, 100 mil; uma formiga, 250 mil; uma abelha, quase 1 milhão.[2] Já os sistemas nervosos de vertebrados, parecem espetacularmente mais sofisticados, de 16 milhões de neurônios na rã a 70 milhões no camundongo, 80 milhões no crocodilo-do-nilo, aproximadamente 200 milhões na ratazana, dois bilhões nos corvos, porcos e cães, cerca de 30 bilhões nos chimpanzés, gorilas e orangotangos, e mais ou menos 100 bilhões nos humanos.[3]

A relação entre o tamanho do cérebro e a inteligência não é direta. Grandes animais tendem a ter cérebros e sistemas nervosos maiores, independentemente de sofisticação comportamental. Por exemplo, tomemos os dois animais que aprenderam com mais êxito a se comunicar com humanos: o chimpanzé e o papagaio-cinzento africano. Enquanto o chimpanzé tem 30 bilhões de neurônios, o papagaio-cinzento africano, bem menor, realiza proezas comunicativas semelhantes, com apenas um décimo desse número. Da mesma forma, em humanos, cérebros masculinos e femininos diferem proporcionalmente ao tamanho do corpo, mas não existem diferenças médias em inteligência — argumento que a brilhante Helen Hamilton Gardener defendeu vigorosamente durante a vida e que depois de morta o seu cérebro agora ilustra.[4] Na verdade, mesmo dentro dos gêneros, o tamanho do cérebro humano e a inteligência estão apenas levemente correlacionados na população em geral. Num exame *post-mortem* descobriu-se que o teatrólogo e contista Ivan Turguêniev tinha um cérebro assombrosamente grande; no entanto, o distinto poeta e romancista Anatole France tinha um dos menores cérebros de que há notícia — apenas metade do tamanho do de Turguêniev.[5]

Uma coisa notável começou a ocorrer com o cérebro humano 2 ou 3 milhões de anos atrás: ele passou a crescer num ritmo constante, não apenas em termos absolutos, mas também, e mais significativamente, em relação ao tamanho do corpo.[6] Supostamente, ser inteligente tornava-se cada vez mais importante para os nossos ancestrais; e ser inteligente significava, se tudo o mais fosse igual, ter um cérebro maior. Mas operar um cérebro é dispendioso: quilo por quilo, o tecido cerebral consome nove vezes mais energia do que um tecido típico do corpo. No total, o cérebro é responsável por cerca de 20% do nosso gasto de energia, quer estejamos concentrados num problema difícil, devaneando ou até mesmo apenas dormindo profundamente. À luz de custos tão significativos, cérebros maiores têm que ter, na média, substanciais vantagens evolutivas.

O círculo virtuoso: Cérebros, cultura e linguagem 273

Há muitas conjeturas sobre o que teria motivado essa considerável expansão do cérebro dos hominídeos. Uma possibilidade seria uma dieta inconstante: em todas as espécies de primatas há uma notável relação negativa entre o tamanho do cérebro e o tamanho de outro órgão metabolicamente oneroso, o intestino.[7] É possível, portanto, que uma dieta mais fácil de digerir, talvez resultante da invenção do cozimento, exigisse menos atividade digestiva, liberando energia a ser utilizada no funcionamento de um cérebro maior. E, claro, um cérebro maior poderia conceber métodos mais inteligentes de caça e de preparo de alimentos, com isso aprimorando ainda mais a dieta. Outra possibilidade é que o tamanho dos grupos fizesse toda a diferença: primatas vivendo em grupos maiores talvez tenham cérebros maiores porque dependem de acompanhar, e interagir com, mais parceiros sociais.[8]

Seguindo essa linha de raciocínio, somos tentados a indagar se a explosão no tamanho do cérebro não estaria de fato vinculada à invenção e ao desenvolvimento gradual da linguagem. Ocorre que, como vimos no Capítulo 5, a ideia aparentemente sedutora de coevolução de linguagem e genes especializados, e estruturas cerebrais que supostamente codificam uma gramática universal, não pode funcionar. A linguagem muda rápido demais para que os genes a acompanhem. Além disso, povos distantes, cujos genes divergiam dezenas de milhares de anos atrás, não mostram qualquer indício de terem cérebros especializados para suas próprias línguas — qualquer bebê normalmente desenvolvido pode aprender qualquer língua sem dificuldade. Afinal de contas, a linguagem é moldada pelo cérebro, e não o contrário. Mas talvez uma história bem diferente possa funcionar: a linguagem terá reformulado a vida humana para oferecer um prêmio por "esperteza" em geral.[9] Mesmo um pequeno aperfeiçoamento em aptidões comunicativas tornaria mais fácil para os nossos ancestrais coordenar seu comportamento para criar equipes efetivas, para ensinar habilidades, para partilhar conhecimento e muito mais. Essas mudanças favorecerão pessoas com cérebros maiores e mais inteligentes, por estarem em melhores condições de lucrar com a complexidade social. Cérebros mais inteligentes, por sua vez, vão gerar jogos de mímica linguísticos mais sofisticados, criando, com isso, uma língua mais complexa. E uma língua mais complexa aumentará ainda mais a complexidade social e a pressão seletiva por cérebros maiores, mais inteligentes. Assim sendo, talvez tenha havido um círculo virtuoso no qual linguagem e cérebro coevoluíram, levando a súbitos aumentos no tamanho do cérebro, na inteligência humana e na complexidade social.[10]

Se essa história estiver correta, a notável facilidade humana para o jogo de mímica — a capacidade de comunicar-se ativamente usando o entendimento mútuo de gestos ou ruídos improvisados e flexíveis — deve ser muito antiga, talvez remontando a 2 milhões de anos. A comunicação primitiva mediante algo parecido com linguagem talvez fosse relativamente rudimentar. Mas até mesmo a comunicação rudimentar permitiria a nossos ancestrais transmitir habilidades como a de produzir utensílios de pedra, controlar o fogo e possivelmente até cozinhar alimentos — comportamentos mais complexos do que qualquer coisa que se observe nos chimpanzés ou nos gorilas de hoje. E, uma vez que nossos ancestrais podiam praticar o jogo de mímica, quase de imediato teriam surgido padrões (com a reutilização de antigos sinais para novos objetivos).

O círculo virtuoso: Cérebros, cultura e linguagem 275

As forças de ordem espontânea que descrevemos no Capítulo 4 teriam tornado a comunicação tipo jogo de mímica cada vez mais convencionalizada. Segundo a história do círculo virtuoso, mesmo uma protolíngua simples aumentaria a complexidade social e comportamental, intensificaria a pressão seletiva por inteligência (e por cérebros maiores), permitindo, por sua vez, uma comunicação mais complexa. A linguagem plena teria, dessa maneira, surgido aos poucos através da interação da (nossa) evolução biológica e da evolução cultural (dos nossos sistemas de comunicação).

O círculo virtuoso associando o jogo de mímica ao tamanho do cérebro é muito diferente da suposta coevolução entre uma língua e uma gramática universal inata que examinamos e deixamos de lado no Capítulo 5. Quer estejamos planejando, negociando, caçando ou compartilhando habilidades e conhecimentos, a capacidade de nos comunicarmos com eficiência é algo bastante vantajoso — e confere uma vantagem evolutiva. A comunicação se torna cada vez mais essencial para nossos padrões de vida cada vez mais complexos. Não é uma questão de ter genes especializados para padrões gramaticais abstratos, mas uma questão que requer uma "máquina" poderosa para criar e interpretar mímicas linguísticas.[11] Mais genericamente, uma cultura rica recompensa a esperteza genérica — há, de repente, muitas ferramentas novas e complexas, muitas práticas religiosas novas, muitas normas sociais novas e tantas coisas mais para aprender. O sucesso individual numa cultura complexa depende da inteligência, mais que da robustez ou da valentia físicas. Comunicadores cada vez mais espertos desenvolverão, por sua vez, habilidades mais ricas para o jogo de mímica, uma linguagem mais complexa e uma cultura mais elaborada. Isso pode ter semeado um processo mais rápido de coevolução cultura-cérebro, do qual a humanidade contemporânea resultou.[12]

Mais ou menos há 300 mil anos, nossa própria espécie surgiu em vários lugares da África.[13] Descobertas recentes sugerem que mesmo os primeiros *Homo sapiens* já tinham um repertório cultural distintamente complexo. Por exemplo, escavações na bacia de Olorgesailie, no sul do Quênia, fornecem provas de pontas finamente trabalhadas que provavelmente eram presas a lanças e o cinzelamento de pigmentos vermelhos de rochas ricas em ferro, que se supõem usados para decoração ou para sinalizar aliança com um grupo social. E, notavelmente, arqueólogos desenterraram ferramentas daquele período feitas de obsidiana escura e de chert verde (rocha dura composta de cristais de quartzo) que tinham sido levadas de uma distância de até cinquenta quilômetros por terreno montanhoso.[14] Isso sugere a possibilidade de comércio, porque as distâncias excedem em muito a região ocupada por um pequeno bando de humanos em terreno tão difícil. Descobertas do mesmo período, ou de período um pouco posterior, em toda a África incluem fragmentos de casca de ovo de avestruz entalhados com padrões em grade e conchas decorativas perfuradas, talvez usadas como colar de contas. Àquela altura, parece provável que a comunicação mediante uma forma parecida com a linguagem tinha alcançado sofisticação considerável. A transição das machadinhas de pedra usadas por nossos ancestrais mais remotos para artigos comerciais decorativos parece assinalar uma mudança significativa.

A complexidade da cultura dos nossos ancestrais pode ter surgido, pelo menos em parte, de suas habilidades comuni-

O círculo virtuoso: Cérebros, cultura e linguagem 277

cativas — uma habilidade constantemente aperfeiçoada de praticar o jogo de mímica. Lembre-se de como os aush e o grupo de desembarque do capitão Cook conseguiram, com gestos, abrir caminho para um comércio de mão dupla já no primeiro contato. Isso exige habilidade para mostrar com sinais o que alguém quer, o que pode dar e que não tem intenções hostis; em resumo, o comércio entre grupos só é possível se os grupos sabem praticar o jogo de mímica (e, claro, é mais fácil se compartilharem uma língua comum). É difícil imaginar que o comércio possa ocorrer de outra forma; de fato, não se observa comércio entre animais não humanos, apesar dos potenciais benefícios para todos.[15] E o mesmo é verdade para muitas outras formas de comportamento social complexo, tão características dos seres humanos: inventar e impor convenções sociais, normas éticas ou crenças religiosas, e criar imagens, enfeites, ferramentas complexas, moedas, unidade de medição e registros contábeis. A linguagem parece servir de base a todos os aspectos da cultura e da sociedade humanas. Assim sendo, os jogos de mímica e as línguas que deles fluem possibilitam o desenvolvimento da cultura. Uma vez estabelecida a cultura, a capacidade de praticar jogos de mímica linguísticos adquire suprema importância para qualquer indivíduo que queira prosperar numa sociedade altamente complexa e saturada de linguagem — de modo que a habilidade de praticar o jogo de mímica passa a sofrer forte pressão da seleção biológica. Consequentemente, o jogo de mímica e a mente humana são ambos impulsionados rumo a uma crescente sofisticação intelectual contida num cérebro cada vez maior.[16]

Símios não praticam jogos de mímica

O Centro de Pesquisa Linguística da Universidade do Estado da Geórgia fica alojado no interior de uma grande área de bosques nos arredores de Atlanta. Esse centro interdisciplinar foi fundado em 1981 para estudar linguagem e outros aspectos de cognição em diferentes primatas: humanos, chimpanzés e bonobos, assim como macacos-prego e outros macacos. Morten teve a sorte de visitar o centro de pesquisa em março de 2009 e comprovou em primeira mão as incríveis habilidades cognitivas e comunicativas de primatas não humanos. Depois de participar de uma brincadeira com um chimpanzé chamado Mercury, na qual os dois corriam de um lado para outro cada um no seu lado de uma cerca, Morten teve uma grande surpresa. De dentro do seu cercadinho, Panzee, uma chimpanzé fêmea, viu Morten ir até a floresta vizinha e esconder um pêssego debaixo de umas folhas. Depois, Morten voltou ao centro em busca do dr. Charles Menzel, um cientista pesquisador sênior que tinha trabalhado estreitamente com Panzee durante anos para estudar suas habilidades para encontrar alimentos, cognição espacial e memória. Pouco depois, novamente do lado de fora, Panzee usou vários sinais manuais para encaminhar Menzel ao lugar onde Morten tinha escondido o pêssego. Àquela altura, Morten já não sabia exatamente onde tinha escondido — muito bem escondida — a fruta, mas a memória de Panzee era perfeita e ela não teve problema algum para rapidamente conduzir Menzel ao local exato, instruindo-o com sinais de mão. Quando o pêssego foi encontrado, Panzee o recebeu como recompensa por suas impressionantes habilidades de memória e comunicação.

O círculo virtuoso: Cérebros, cultura e linguagem 279

Se a singularidade humana advém de centenas de milhares de anos de um círculo virtuoso entre linguagem, cultura e o cérebro, então deveríamos esperar que a comunicação fosse um ponto crucial a nos distinguir dos outros primatas, e de fato esse é o caso. Como era de prever, chimpanzés na natureza não praticam jogos de mímica, mesmo do tipo mais simples. Quando interagindo uns com os outros (e não com humanos), eles nem sequer usam o gesto de apontar! Crianças de doze meses de idade estão continuamente apontando para brinquedos, alimentos ou animais interessantes — e seguindo o que adultos à sua volta apontam. Mas até agora não há uma única observação sobre um chimpanzé apontando para outro chimpanzé um objeto de interesse, fosse em cativeiro ou soltos na mata.[17]

Em outro experimento notável, concebido por Michael Tomasello e sua equipe no Instituto Max Planck de Antropologia Evolutiva em Leipzig, um chimpanzé tem que escolher entre duas vasilhas opacas, uma das quais esconde algumas saborosas bananas. Graças a treinamento anterior, o chimpanzé sabe que só uma vasilha contém comida e que ele só terá uma chance de acertar.[18] O pesquisador humano tenta informar qual das vasilhas o chimpanzé deve escolher apontando, olhando diretamente para a vasilha "certa" ou colocando uma fichinha de madeira em cima. Em cada caso, no entanto, o chimpanzé ignora por completo essas pistas e escolhe ao acaso. Já crianças de menos de três anos fazem bem mais do que tentar acertar por acaso nesse tipo de tarefa, e são especialmente boas em entender quando se aponta.[19]

Num belo estudo de acompanhamento, a equipe de Tomasello criou uma situação na qual o pesquisador fazia o mesmo movimento de estender o braço que se faz para apontar alguma coisa.[20] Para um observador humano, o movimento de braço não seria interpretado como uma ação de apontar, mas como uma tentativa fracassada de pegar comida numa vasilha, que tinha sido cuidadosamente colocada fora do seu alcance. Ao verem o pesquisador aparentemente tentando pegar comida para si mesmo de um determinado balde, os chimpanzés facilmente deduziam que ali devia ser o lugar da comida — e a pegavam para eles. Assim sendo, ao se verem diante da mesma ação de estender o braço, os chimpanzés conseguem entender uma situação de competição em que alguém revela onde está a comida ao tentar pegá-la; mas ficam confusos numa situação de cooperação na qual o outro tenta ajudar transmitindo informações úteis. A própria ideia de que a ação de uma pessoa (ou, supostamente, outro chimpanzé) possa estar tentando transmitir informações úteis parece não ter lugar na visão de mundo dos chimpanzés — que nesse caso estariam ignorando muito, quando não quase tudo, da parte oculta do iceberg da comunicação tão essencial para a linguagem humana.[21]

Se isso estiver certo, então ensinar aos símios todos os aspectos da linguagem humana seria uma luta inglória. O impulso comunicativo de chamar a atenção uns dos outros e descrever o estado do mundo exterior, que leva os bebês humanos a aprender uma língua, parece parcial ou totalmente ausente nos grandes primatas não humanos e nos macacos. A maior parte da comunicação dos símios com os humanos é utilitária: tem finalidade prática, como quando Panzee indicou a localização do pêssego para Menzel, para que ela pudesse comê-lo. Mas os símios parecem não sentir necessidade alguma de chamar a atenção para objetos interessantes, de informar os outros sobre o mundo, ou de comunicar seus sentimentos e suas experiên-

O *círculo virtuoso: Cérebros, cultura e linguagem* 281

cias — para um símio, o propósito colaborativo da linguagem é, essencialmente, um mistério.

É verdade que, depois de trabalhosas horas de treinamento, os símios aprendem a fazer sinais e a associá-los a objetos e ações. Apesar da dificuldade para reproduzirem sons de fala parecidos com os humanos, foi possível ensinar a chimpanzés um pequeno vocabulário de sinais usados na Língua de Sinais Americana.[22] Mas, enquanto sinalizadores humanos rapidamente adquirem uma vasta gramática, chimpanzés parecem restritos a gerar séries de sinais sem qualquer ordem, quase sempre com muitas repetições do mesmo sinal. E não aprendem as construções de multipalavras que surgem cedo na linguagem infantil, e que servem de base para a gramática (como discutido no Capítulo 4).

Resultados mais promissores foram obtidos por Kanzi, um bonobo (parente próximo e altamente inteligente do chimpanzé comum) criado no Centro de Pesquisa Linguística visitado por Morten. Para se comunicar com Kanzi, uma equipe chefiada por Susan Savage-Rumbaugh utilizava uma "minilíngua" chamada yerkish, concebida pelo filósofo Ernst von Glasersfeld especificamente para ser usada por primatas não humanos. Essa língua consistia de sequências de "lexigramas" conectados a teclas de um teclado especialmente projetado, cada uma com cor e forma distintas. Em vez de aprender mediante horas de instrução direta, Kanzi aprendeu seus primeiros lexigramas observando pesquisadores tentarem, sem êxito, treinar sua mãe, Matata. Incrivelmente, Kanzi acabou aprendendo a usar mais de duzentos lexigramas, apesar de os gerar em séries bastante desestruturadas, em vez de ordená-los segundo qualquer regra de gramática.

Ainda mais impressionante é sua habilidade de compreender a língua humana falada. Kanzi e uma criança de dois anos de idade, Alia, foram submetidos a testes para avaliar sua capacidade de reagir a mais de duzentas frases faladas, em inglês, como "Pegue a cenoura no micro-ondas" e "Despeje a limonada na coca-cola". Notavelmente, Kanzi respondeu corretamente a 74% das frases, ao passo que Alia só entendeu 65% das solicitações.[23]

A capacidade de Kanzi de "falar" yerkish e entender inglês é impressionante. Mas o contraste entre suas habilidades linguísticas e as das crianças humanas é impressionante. As crianças participam espontânea e alegremente de atos de comunicação cooperativa sobre o mundo à sua volta, usando todo tipo de gesto, expressão facial e ruído. Já perto dos dois anos, início do "surto de vocabulário", passam a absorver palavras daqueles à sua volta com espantosa rapidez. Mergulham diretamente nos desafios comunicativos do momento (querer leite, manifestar antipatia por tomates, mostrar um novo brinquedo ou apontar para um caminhão), lançando mão de quaisquer recursos linguísticos ao seu alcance. Com as crianças, a língua é improvisada a serviço das demandas imediatas de comunicação. E comunicação é coisa que bebês, assim como pessoas de qualquer idade, parecem programados para fazer: vemos mensagens e mensageiros em toda parte. Talvez os poderes interpretativos dos humanos tendam a ser demasiado liberais: ler runas, folhas de chá, entranhas e tempestades como mensagens de antepassados ou de espíritos, presságios do futuro ou sinais dos deuses.

E o que dizer da comunicação entre os símios na natureza? A comunicação animal tende a concentrar-se em transmitir

O *círculo virtuoso: Cérebros, cultura e linguagem* 283

um reduzido número de mensagens básicas com funções importantes: marcar território ("Cai fora, estou aqui!"), atrair parceiros ("Vem cá, estou aqui!"), cimentar uniões ("Nós dois juntinhos, amor"), sinalizar ameaças ("Estou pronto para a briga"), soar alarmes ("Cuidado, predador chegando!") e assim por diante. Os símios combinam esses sinais de maneiras interessantes.

Vejamos o caso do bonobo, encontrado nas florestas úmidas da bacia do Congo no Oeste da África. Os bonobos vivem em pequenas comunidades do tipo "fissão-fusão", nas quais, continuamente, grupos temporários se formam, se fundem e se separam durante as atividades diárias. Eles têm dois gritos de longo alcance: o assobio e o uivo. O uso de ambos os sinais parece significar o desejo de fazer parte de um grupo temporário — ou, pelo menos, juntar-se ao grupo é significativamente mais provável depois do uso dos dois sinais do que simplesmente de um uivo mais alto.[24] E juntar-se é mais provável também se o chamado é "respondido" pelo grupo no qual o bonobo deseja ingressar. O intercâmbio é, portanto, quase uma "conversa" em estado embrionário, na qual a resposta parece indicar consentimento. Se não houver resposta, o indivíduo solitário pode repetir o chamado. Na verdade, isso é mais provável depois da combinação assobio/ uivo alto, reforçando a prova de que a combinação de sinais indica um desejo particularmente forte de se integrar.

Ainda assim, como isso está longe de comunicação humana! Os bonobos dispõem de um pequeno conjunto de sinais biológicos aparentemente inatos com significados padronizados (qualquer coisa como "Quero entrar no grupo"). Mas os jogos de mímica humanos podem dar origem a uma variedade infinita de significados. Até um gesto simples, como apontar para uma janela, pode significar: "Veja aquele pássaro!" ou "Está chovendo" ou "Que janelas limpas" ou "Cadê o carro do Bob?" ou "Escondam-se, os meninos do Haloween estão vindo aí!". Mas mesmo o gesto mais básico de apontar para alguma coisa ("Aquela é a caixa com as bananas") é desconcertante para os símios. E as combinações de jogos de mímica humanos não se limitam a reforçar umas às outras, como parece ser o caso dos assobios e uivos altos dos bonobos. A rigor, interagem para improvisar significados inteiramente novos: uma mímica de fuzil disparando seguida de um sorriso pacífico pode indicar *Guerra e paz*; mas, precedida pelo contorno de uma camiseta, a mímica do fuzil talvez indique *Top Gun* — ou, em combinação com mãos de dedos abertos "brotando" de cada lado da cabeça indicando chifres, pode significar *O caçador*. Imitações, seja no gesto, seja na fala, vão se tornando cada vez mais convencionalizadas; são dispostas em camadas umas sobre as outras, submetidas a gerações de gramaticalização e às forças da ordem espontânea, criando assim, gradualmente, as 7 mil línguas do mundo, com sua maravilhosa complexidade.

As línguas humanas se desenvolvem pela evolução cultural. Já os sinais animais costumam ser geneticamente codificados e fixados dentro de uma mesma espécie, das trilhas de feromônios das formigas à dança das abelhas, das exibições visuais de sépias aos gritos de alarme dos macacos-verdes. Isso significa que esses sinais se desenvolveram não por evolução cultural, mas pelo mecanismo bem mais lento da evolução biológica. E o que dizer das comunicações de primatas não humanos que usam gestos? Símios não parecem empregar um conjunto padronizado de sinais gestuais fixos. Em vez disso,

O círculo virtuoso: Cérebros, cultura e linguagem 285

indivíduos criam seu próprio conjunto idiossincrático de gestos para tentar obter o que querem de outros indivíduos (embora não apontem para características interessantes do ambiente). Muitas vezes o gesto chama a atenção de outro indivíduo para alguma ação possível (por exemplo um chimpanzé bebê dando puxões nas costas da mãe para que ela se abaixe e ele possa montar); ou pode servir apenas para chamar a atenção (por exemplo um chimpanzé jovem estapeando ruidosamente o chão, depois cutucando outro chimpanzé jovem nas costas para chamar a sua atenção e começar uma brincadeira). Mas, aspecto crucial, cada qual concebe parte do seu repertório de estratégias comunicativas da estaca zero, em vez de imitar as estratégias de outros membros do seu grupo. Consequentemente, a evolução cultural de um sistema comunicativo jamais decola, porque, diferentemente dos humanos, os demais símios não seguem os rastros uns dos outros.[25]

Curiosamente, embora cada símio pareça aprender seus próprios gestos a partir do zero, o repertório de sinais possíveis é, a rigor, bem restrito. Os grandes primatas não humanos não conseguem aprender qualquer sinal, aprendem apenas a empregar os sinais pertencentes a um subconjunto de cerca de oitenta gestos (incluindo "pendurar", "bater no corpo", "bater no peito" e "estender os braços", entre muitos outros). Na verdade, o conjunto de gestos aprendidos por bonobos, chimpanzés, gorilas e orangotangos é surpreendentemente parecido, embora com algumas variações.[26] Isso sugere que a capacidade de aprender esses gestos comunicativos tem origens distantes na evolução biológica, remontando, pelo menos, até o último ancestral comum dos grandes primatas, há mais de 10 milhões de anos.[27] Assim sendo, embora aparentemente cada indivíduo desenvolva seus próprios sinais a partir da estaca zero, a capacidade de aprender esses sinais parece estar embutida nos genes. Diferentemente da linguagem humana, o conjunto de sinais usados numa comunidade de símios não parece ser moldado pela evolução cultural ao longo do tempo.

Há um jeito direto de testar essa teoria. Se a evolução cultural tivesse desempenhado alguma função na comunicação entre os macacos (talvez na sintonia fina da escolha particular de gestos usados numa determinada comunidade), então deveria haver uma semelhança maior entre os gestos e os significados dentro de grupos particulares de grandes primatas que supostamente compartilham a mesma "cultura". Mas a observação da variedade de gestos empregados por diferentes grupos sugere exatamente o contrário: a variedade de gestos *dentro* dos grupos é similar à variedade de gestos *entre* os grupos. Assim sendo, os sinais dos grandes primatas só podem ser estabelecidos pelo aprendizado individual baseado nos alicerces definidos pela seleção natural ao longo de incontáveis gerações. Já os jogos de mímica humanos podem ser inventados, modificados e reutilizados para criar novas convenções comunicativas e, em última análise, línguas completas compartilhadas por comunidades humanas inteiras.[28]

A comunicação entre os grandes primatas não humanos parece profundamente diferente da comunicação entre os humanos — nada tem do complexo raciocínio envolvido no jogo de mímica que nos permite transmitir mensagens bastante elaboradas com meios tão limitados. Isso se coaduna com a nossa tese de que o surgimento da capacidade de praticar jogos de mímica levou à linguagem, a culturas mais ricas e a sociedades mais complexas, as quais, por sua vez, levaram à

O *círculo virtuoso: Cérebros, cultura e linguagem* 287

seleção desenfreada da inteligência em geral em que a rápida expansão do cérebro humano se fundamentou.

Embora essa hipótese seja plausível, não temos como saber ao certo se é correta. Para começar, as estimativas de quando a linguagem surgiu variam demais. É difícil encontrar provas concretas: diferentemente de muitos outros artefatos humanos, a fala não se fossiliza. Se é verdade que a linguagem e a comunicação através de jogos de mímica apareceram recentemente, digamos nos últimos 100 mil anos, pode ser que tenham chegado tarde demais para influenciar substancialmente a evolução do cérebro e a inteligência. Também é possível que a inteligência e a sofisticação social exigidas para o jogo de mímica sejam apenas efeitos colaterais da mesma pressão seletiva por cérebros maiores e mais inteligentes. Portanto, em vez de haver um círculo virtuoso entre comunicação, complexidade social e inteligência, talvez nossos cérebros distintamente grandes e inteligentes tenham surgido por razões totalmente dissociadas da comunicação. Por essa narrativa, a inteligência vem primeiro e a habilidade para o jogo de mímica que induz à comunicação, à evolução cultural e à nossa criação coletiva das línguas do mundo surge apenas como efeito colateral. No fim das contas, a capacidade humana para demonstrar teoremas em geometria, jogar xadrez, compor óperas ou inventar a roda parece ter exigido considerável inteligência. Talvez com a linguagem não seja diferente.[29]

Nesse caso, no que fica o impacto da linguagem na história da evolução? É tentador concluir que o papel da linguagem em provocar um crescimento acelerado na inteligência humana e no cérebro humano não está comprovado. Dependendo de qual das histórias seja a correta — a do círculo virtuoso ou a da linguagem como efeito colateral —, o papel da linguagem em moldar nossa biologia talvez esteja situado em algum ponto entre "muito substancial" e "mínimo". No entanto, apesar de ser importante, concentrarmo-nos no quanto a linguagem humana modificou nossos genes e nossos cérebros deixa de fora uma questão mais fundamental. A linguagem fez surgir um tipo de processo evolutivo totalmente novo: a evolução não de genes, mas de *cultura*.

A linguagem como catalisador

Não é fácil imaginar como seria uma sociedade humana sem a linguagem. Não existem sociedades assim. Os humanos são praticantes infatigáveis e brilhantes do jogo de mímica, construindo rudimentos de comunicação a partir da estaca zero quando necessário, como vimos no caso dos homens do capitão Cook e dos aush. Onde não existe língua disponível, sistemas improvisados de comunicação são criados para preencher a lacuna. Crianças privadas de linguagem rapidamente inventam uma, como a criação espontânea na Língua Nicaraguense de Sinais tão vividamente ilustra. Mas suponhamos que nada disso fosse possível. Como seria uma sociedade humana incapaz de praticar o jogo de mímica?

O mais perto disso que nos é dado chegar é reparar no contraste com nossos primos biológicos. Como já vimos, apesar da notável inteligência, os macacos não praticam o jogo de mímica. Assim sendo, em vez de construírem cumulativamente uma linguagem complexa, a comunicação deles

O círculo virtuoso: Cérebros, cultura e linguagem 289

é surpreendentemente limitada. Os bonobos em estado selvagem podem comunicar o desejo de juntar-se a outro grupo enquanto buscam alimentos, mas são incapazes de esboçar um plano, argumentar contra a injustiça, conjecturar sobre a origem do universo ou mesmo contar o que lhes aconteceu na véspera. Na ausência de linguagem, muitos animais conseguem aprender com outros animais, mas demonstram apenas traços vestigiais de evolução cultural.[30] Num estudo, grupos diferentes de macacos verdes em estado selvagem foram apresentados ao saboroso milho vermelho e ao amargo milho rosa. Coletivamente, logo aprenderam a escolher o milho mais saboroso — e macacos jovens entrando no grupo selecionaram o milho saboroso pela cor, sem nem mesmo experimentar o outro.[31] Além disso, em períodos de mais de duas décadas, observou-se que grupos de chimpanzés em estado selvagem vivendo em estreita proximidade uns com os outros têm preferências distintas, estáveis, por quebrar nozes com pedra ou pau — e, curiosamente, parece que as fêmeas que se juntam ao grupo quando adultas adotam as tradições do novo grupo.[32] Mas compare-se isso a humanos que usam a linguagem: em poucos segundos podemos dizer "Não coma esse milho rosa, é horrível!" ou "Use uma pedra!" — e a transmissão cultural ocorre.

A linguagem permite que habilidades, conhecimentos, regras sociais e crenças religiosas se acumulem num ritmo estonteante e cada vez mais acelerado. Podemos coletivamente descobrir quais plantas são comestíveis, medicinais ou tóxicas; como fazer um machado ou uma ponta de flecha; como rastrear animais, construir uma canoa, erguer uma cabana, decidir o que é sagrado e navegar orientando-nos pelas estrelas. Sem a linguagem, cada animal individual enfrenta o desafio fantástico de aprender tudo a partir do zero — uma batalha solitária com a complexidade do mundo.[33] Cada nova geração de animais não linguísticos aprende tanto quanto a geração anterior. Mesmo quando ocorre um insight de inovação, o mais provável é que ele se perca, em vez de ser anunciado, aplaudido aos gritos, recomendado e ativamente ensinado, como ocorre entre os humanos.

A habilidade de praticar o jogo de mímica e criar linguagem permite às pessoas acumular conhecimento e passar habilidades adiante. Podemos desenvolver normas morais e religiosas e debater o que fazer, quem é o culpado ou quem deveria comandar. Outros animais não fazem nada disso, ou quase nada. Não se trata de coincidência. Sem a linguagem, a inacreditável complexidade cultural e social que é exclusiva da nossa espécie seria impossível. Assim sendo, a linguagem não é um elemento ordinário de cultura. Ela possibilita expertises, normas e acordos cada vez mais elaborados, resultando, com o tempo, em sociedades amplamente desenvolvidas com sua divisão de trabalho, comércio, sistemas de crença, constituições, rituais e intricados sistemas jurídicos. Desde o aparecimento da linguagem, a cultura vem sendo a locomotiva das mudanças acima e além da genética — um processo rapidamente acelerado pela matemática, pela ciência, pela engenharia, pelos computadores, pela internet e muito mais. Mas a linguagem tem papel ainda mais fundamental. Ao fornecer o vínculo comunicativo entre mentes humanas, ela estende radicalmente o que somos capazes, coletivamente, de *pensar*.

O círculo virtuoso: Cérebros, cultura e linguagem 291

Como a linguagem molda pensamentos

O jogo de mímica é infinitamente flexível. E as palavras têm um conjunto de usos vasto e muitas vezes informalmente interligado. Assim sendo, nos perguntarmos o que é possível exprimir numa língua particular não faz mais sentido do que refletirmos sobre o que é possível comunicar pelo jogo de mímica. Uma vez estabelecida a parte oculta do iceberg da comunicação, a criatividade pode nos levar a praticamente qualquer lugar.

Mas a nossa língua (ou o nosso conjunto de jogos da mímica anteriores) torna algumas coisas muito mais *fáceis* de transmitir do que outras. Como se sabe, a invenção do símbolo escrito para o zero é crucial para a representação posicional dos números, de modo que 205 é duzentos nenhuma dezena e cinco unidades. Uma representação posicional dos números é incrivelmente útil para somar e subtrair, essência da contabilidade e dos cálculos astronômicos. Há mais ou menos 5 mil anos, os sumérios indicavam o zero com duas cunhas diagonais em seus sistemas numéricos baseado no 60 (sistema que ainda está conosco: temos sessenta segundos em um minuto, e sessenta minutos em uma hora). Trezentos anos depois, os maias inventaram, independentemente, um sistema baseado no 20, com o zero indicado por um padrão simples em formato de concha. Os numerais romanos, sem zero posicional e com várias outras irregularidades, tornavam a matemática muito mais traiçoeira. É um passo novo e radical usar o zero isolado — de modo que o zero possa ser concebido como um número (precedendo 1, 2, 3). Brahmagupta, matemático e astrônomo do século VII, começou a tratar o zero como número, com regras sobre o seu funcionamento na aritmética. Mais tarde, matemáticos árabes passaram a usar o zero na formulação da álgebra, onde ele desempenha função essencial em equações com quantidades desconhecidas. O zero também desempenha papel fundamental na profunda conexão de Descartes entre equações e geometria; na invenção do cálculo por Newton e Leibniz; na base da física moderna, no computador digital e muito mais.[34]

O zero é mesmo um acréscimo à linguagem? Ou à notação matemática? Ou à própria matemática? Provavelmente essas questões não têm respostas úteis. Afinal, aprender a palavra "zero" envolve compreender como o zero funciona no sistema decimal, que ele pode denotar um numeral (o), um número real (ou seja, um ponto na reta numérica) e uma parte na notação posicional (como em 205). E saber tudo isso é aprender notação matemática e como o zero funciona na matemática. Mesmo um conceito abstrato, como o zero, tem muitos usos e significados. E quanto mais matemática soubermos, mais rica é a nossa compreensão do termo.

Não se discute o fato de que a invenção do zero teve impacto revolucionário no pensamento. Sem ele, pouco seria possível na matemática moderna. Nesse sentido, a linguagem modificou profundamente nossa maneira de pensar. Mas a mera palavra "zero" não basta — na verdade, em si mesma, ela é inútil! O que precisamos desenvolver são os jogos nos quais o zero possa desempenhar um papel: como usá-lo para escrever grandes números, somar, subtrair e ajudar a construir equações. Não quer dizer que povos cuja língua não tenha a palavra "zero" sejam para sempre incapazes de ter esses pensamentos — não mesmo. A linguagem é infinitamente ampliável. Um

O círculo virtuoso: Cérebros, cultura e linguagem 293

recém-chegado só precisa ser apresentado ao zero e aprender como funciona, e o âmbito dos seus pensamentos já será, consequentemente, ampliado. E é exatamente assim que todos nós aprendemos sobre o zero, e uma multidão de conceitos correlatos, na escola.

No que diz respeito à aritmética, o sistema de contagem dos pirahãs, caçadores-coletores da Amazônia, consiste apenas de *"hói"* ("aproximadamente um" e "pouco"), *hoí* ("aproximadamente dois") e *"baagi"* ou *"aibai"* (ambos significando "muito"). Claramente, o pensamento dos pirahãs sobre matemática estará inevitavelmente limitado por esses termos: sem contas, sem zero e, ao que tudo indica, sem soma, subtração ou multiplicação. Mas os pirahãs também têm dificuldade com tarefas que parecem envolver avaliações bem básicas de numerosidade, como Peter Gordon, psicólogo da Universidade Columbia, descobriu num elegante experimento. Ele sentou-se de um lado de uma mesa, o participante pirahã de outro, com um pedaço de pau dividindo a superfície. Gordon colocava uma quantidade de objetos do seu lado da vara e o participante era solicitado a igualar os objetos um a um com pilhas tipo AA. Os participantes conseguiam fazer certo com até dois ou três itens, mas depois disso seu desempenho caía bruscamente. Na mesma linha, Gordon mostrava uma quantidade de nozes antes de as colocar dentro de uma lata. Em seguida tirava as nozes uma por uma, perguntando, à medida que ia tirando, se ainda sobrava alguma na lata. Ou escondia um doce numa caixa com um determinado número de peixes desenhados na tampa. A tarefa consistia em escolher essa caixa, em vez de qualquer outra marcada com mais ou menos peixes. O desempenho envolvendo números acima de dois ou três era muito

294 O jogo da linguagem

fraco. Para uma pessoa com um repertório completo de palavras designando números e capacidade de contar, essas tarefas seriam, claro, facílimas.[35]

A matemática será um caso especial? A linguagem define o pensamento em outras áreas também? Revelou-se que efeitos parecidos são tão onipresentes que nós raramente os comentamos. Praticamente todas as áreas especializadas da vida humana têm seu próprio vocabulário: quer estejamos lidando com física ou fisiologia, botânica ou conserto de bicicleta, contabilidade ou astrologia, precisamos dominar uma grande quantidade de "termos do ofício" para entendermos o que se passa. Ninguém pensa *nada* sobre prótons, ciclo de Krebs, raiz-mestra, engrenagens, contabilidade de débito e crédito ou signos do zodíaco sem aprender o significado dessas e de muitas outras palavras relacionadas. Como na matemática, aprender o jargão e aprender a matéria são, basicamente, a mesma coisa. A linguagem especializada é obviamente crucial para nos ajudar a pensar sobre assuntos especializados. O mesmo se aplica à linguagem diária.

Um exemplo particularmente notável diz respeito não à matemática abstrata, mas ao nosso jeito de pensar nos arranjos espaciais dos objetos à nossa volta. Em 1971, Penny Brown, aluna de pós-graduação em antropologia da Universidade da Califórnia, Berkeley, começou a trabalhar com falantes da língua maia de tseltal, falada em Chiapas, no sul do México. Juntamente com Stephen Levinson (que conhecemos no Capítulo 2, estudando a estupenda rapidez do vaivém na linguagem), ela pesquisava as intricadas normas de polidez da comunidade.[36] Mas os dois também notaram uma coisa inesperada no tocante à maneira como os falantes de tseltal se referiam a es-

O *círculo virtuoso: Cérebros, cultura e linguagem* 295

paço: eles não tinham palavras para esquerda e direita. Em vez disso, as instruções eram dadas em relação a pontos de referência no terreno (por exemplo, morro acima/ morro abaixo). Há palavras distintas para a mão esquerda e para a mão direita, mas nenhum termo genérico para escolher o braço esquerdo, a perna esquerda ou o olho esquerdo, ou para expressar o significado de "à esquerda" ou "à direita". Também não distinguem versões esquerda e direita do mesmo padrão — uma forma e sua imagem espelhada (como o sapato esquerdo e o sapato direito, ou uma concha de caracol que gira em espiral na direção dos ponteiros do relógio ou na direção contrária). Até mesmo pensar em termos de leste e oeste num mapa só faz sentido se distinguirmos um mapa da sua imagem espelhada — e de fato os falantes de tseltal não usam os pontos cardeais. Brown e Levinson ressaltaram que os falantes de tseltal têm uma visão da geometria do espaço que é inteiramente coerente e usada por eles com muito êxito em navegação e comunicação, apesar de pouco familiar para a maioria de nós. É um mundo de simetria (vasilhas com dois cabos, e não um; casas quadradas com portas simetricamente localizadas que se dividem em duas folhas) no qual as localizações são vistas como presas à paisagem, e não como relacionadas espacialmente a objetos (à esquerda de, em frente a etc.). Mesmo quando se trata da localização de objetos numa superfície plana de mesa num ambiente interno, os falantes de tseltal se referem a objetos "morro acima" e "morro abaixo", levando em conta a paisagem inclusive quando ela não pode ser vista por uma janela.

Como ocorre no caso de números, ciência, tecnologia, religião — qualquer assunto —, há uma relação de mão dupla entre a língua que usamos e as coisas que pensamos. Os falantes de tseltal não pensam "Vamos colocar tudo do lado esquerdo da mesa", porque eles não têm palavra para "esquerda". Da mesma forma, falantes do inglês não pensam "Vamos colocar as coisas no lado morro acima da mesa" (quando a mesa é plana e a posição morro acima é determinada pela paisagem circundante). Mas ambos podem atingir o mesmo objetivo, e além disso aprender os pensamentos e as línguas uns dos outros. Língua não é prisão — sempre podemos aprender novas formas de falar e pensar sobre o mundo. Isso acontece quando aprendemos sobre uma nova esfera de conhecimento (seja ciência, tecnologia, música, religião ou qualquer outro assunto).

A linguagem pode até afetar aspectos básicos de percepção. Vejamos como diferentes línguas tratam as cores. Para começar, nem todas as línguas têm cor. Os 3500 falantes do yele dnye em Papua-Nova Guiné aparentemente não classificam o mundo de acordo com cores abstratas (por exemplo, usam o nome de uma espécie de papagaio vermelho para identificar um item vermelho).[37] Além disso, não dispõem de termos para muitas partes do espaço de cores, ou qualquer análogo à palavra "cor". Assim sendo, não podem sequer perguntar a cor de determinada coisa, menos ainda dar uma resposta que corresponda às cores em inglês.

E, quando as línguas contam com termos abstratos para as cores, esses termos apresentam notável variedade. Algumas línguas têm apenas dois termos para cores primárias (bassa, língua kru bastante falada na Libéria), outras, três (ejagham, língua bantoide falada em partes da Nigéria e de Camarões), quatro (culina, da família linguística arauá no Peru e no Brasil), cinco (iduna, língua austronésia falada em Papua-Nova Guiné) ou seis (buglere, da família linguística chibchana, Panamá).[38]

O círculo virtuoso: Cérebros, cultura e linguagem 297

Os limites entre essas várias cores não correspondem, em nenhum sentido simples (como podemos imaginar se acrescentar uma cor extra não faz senão dividir um termo para azul esverdeado em azul e verde). Em vez disso, representam fundamentalmente organizações diferentes do "espaço de cores". Esses termos diferentes para cores certamente afetam a maneira de as pessoas se referirem a cores e, consequentemente, se lembrarem de cores. Mais notavelmente ainda, parecem ter impactos sutis nos processos básicos de percepção.

Como saber se as palavras para cor numa língua determinam como os falantes dessa língua percebem cores? Uma abordagem inteligente consiste em medir o grau de facilidade com que falantes de determinada língua distinguem entre um par de cores quando cada uma delas tem um rótulo linguístico diferente naquela língua, em comparação com quando ambas as cores de um par têm o mesmo rótulo. Se é fato que a língua molda a percepção, então é de esperar que as pessoas percebam a diferença entre duas cores com facilidade quando cada uma tem um nome separado (como "verde" e "azul"), mas não quando ambas as cores têm o mesmo nome ("azul", digamos). Os pesquisadores podem então checar se quaisquer diferenças de percepção entre o primeiro e o segundo par de cores desaparecem quando submetem a teste falantes de uma língua diferente, na qual todas as cores no experimento são chamadas pelo mesmo nome ("azul", digamos). Esse padrão, se for observado, sugere que a língua de uma pessoa — e em particular o jeito como essa língua fatia as cores — tem efeito no que ela vê. Essa foi a estratégia usada num experimento conduzido por uma equipe de psicólogos da Universidade do País de Gales em Bangor.[39] O experimento usava um método "excêntrico".

298 O jogo da linguagem

Especificamente, mostra-se a uma pessoa um fluxo de manchas quase todas da mesma cor, mas com uma minoria de formas de uma cor diferente. Essas mudanças levam a uma marca registrada, rápida e característica, em nossas ondas cerebrais — a negatividade de incompatibilidade visual (vMMN, na sigla em inglês) — que ocorre rapidamente (em duzentos milissegundos) e deve responder a mudanças de cor, independentemente de atenção consciente. Além disso, essa marca registrada pode ser facilmente detectada colocando-se uma rede de eletrodos no couro cabeludo da pessoa pesquisada. Não se pede que ela se concentre em cores durante a tarefa. Em vez disso, ela é instruída a apertar um botão sempre que uma *forma* inusitada aparecer, qualquer que seja a cor. Mas o sinal característico da vMMN aparece para mudanças de cor, independentemente de a pessoa estar prestando atenção em cores.

Agora, o truque. Em inglês, *light blue* [azul-claro] e *dark blue* [azul-escuro] são variantes da mesma cor (azul, *blue*, obviamente), e isso também vale para o verde-claro, *light green*, e o verde-escuro, *dark green*. Mas em grego, o azul-claro e o azul-escuro estão associados a diferentes palavras (azul-claro = *ghalazio*; azul-escuro = *ble*), ao passo que verde-claro e verde--escuro são variantes da mesma cor (verde = *prasino*). Isso significa que os falantes do grego podem exibir uma vMMN mais forte para a mudança de um tom de azul para outro do que para a mudança de um tom de verde para outro, porque no primeiro caso os dois azuis são vistos como cores diferentes, não apenas como tons da mesma cor. E isso é o que acontece. O efeito deveria ser menor ou inexistente para falantes do inglês, para os quais os dois casos correspondem a mudança para um tom diferente da mesma cor, e não para uma cor diferente. E

O *círculo virtuoso: Cérebros, cultura e linguagem*   299

isso acontece, também. Assim sendo, pelo menos quando se trata de cores, parece que a língua que falamos pode, literalmente, mudar o nosso jeito de ver o mundo.

Um elegante experimento de acompanhamento na Humboldt Universität, em Berlim, usando estímulos parecidos mostrou que palavras para cores numa língua podem afetar até mesmo o grau em que a mudança de tom permite a um item entrar em nossa vida consciente.[40] Contrastando falantes do russo (que, como os gregos, têm diferentes termos para azul-claro e azul-escuro) com falantes do alemão (que, como os falantes do inglês, não têm), os pesquisadores pediam aos participantes que informassem o formato de estímulos coloridos apresentados em rápida sequência. Constatou-se que uma mudança de claro para escuro em itens azuis tornava mais fácil relatar a forma desses itens do que uma mudança de claro para escuro em itens verdes — mas só para os falantes do russo. O fato de uma mudança de *cor* atravessar uma fronteira linguística torna a percepção de *forma* acessível à consciência.[41]

Esses experimentos, e muitos outros, sugerem fortemente a existência de profundas conexões entre língua e pensamento. Os jogos de mímica que criamos influenciam não só o nosso jeito de nos comunicarmos, mas também o nosso jeito de pensar sobre o mundo. Ver a língua como jogo de mímica nos permite perceber com mais clareza essa conexão. A língua é sempre ilimitada e flexível, capaz de transmitir a mensagem do momento em vez de observar um conjunto de coordenadas. Mas o jogo de mímica linguística particular com que temos que lidar afeta a facilidade de expressar uma nova mensagem. E, como vimos, a língua pode até reformular parcialmente a atenção e a percepção.

300   *O jogo da linguagem*

Com isso em mente, é interessante voltar a um debate que vem ocupando antropólogos, linguistas e psicólogos há mais de um século. É a chamada hipótese Sapir-Whorf, que postula que diferenças de língua definem o jeito de falantes de uma comunidade pensarem e talvez até determinarem o que lhes é possível pensar.[42] Sapir e Whorf estudaram línguas ameríndias e se impressionaram com o quanto essas línguas dividem o mundo de um modo diferente das línguas europeias. Afirmam eles que, em consequência disso, os pensamentos dos falantes de hopi, navajo e shawnee têm que ser profundamente diferentes dos pensamentos de falantes de inglês, francês ou alemão.[43]

No entanto, apesar de um século de controvérsias, resolver o debate em torno da hipótese Sapir-Whorf parece simples quando pensamos na língua como jogo de mímica. Em primeiro lugar, como já se observou, a notável criatividade dos jogos de mímica nos permite transmitir praticamente qualquer coisa. Se não temos uma etiqueta para certo aspecto do mundo, podemos criá-la no ato, ou, criativamente, combinar as etiquetas que já temos. Nossa língua específica, portanto, não estabelece limites rígidos aos nossos pensamentos. Em segundo lugar, dependendo do repertório que desenvolvemos no jogo de mímica, algumas mensagens serão muito mais fáceis de transmitir do que outras. Consequentemente, nossa língua talvez predisponha o nosso jeito de formular nossas ideias para nos comunicarmos tanto com outros como conosco (na verdade, os traços dessa propensão aparecem nos experimentos que descrevemos). Uma língua é um conjunto útil de ferramentas ilimitadamente flexíveis com o qual novos objetos, e, na realidade, novas ferramentas, podem ser criados. Nosso conjunto de ferramentas linguísticas não limita o que

O *círculo virtuoso: Cérebros, cultura e linguagem* 301

podemos expressar; mas afeta o que é fácil de expressar e o que só conseguimos expressar com dificuldade. A língua define quais pensamentos são naturais, mas não quais pensamentos são possíveis.

A oitava transição

A evolução pela seleção natural é lenta. Supõe-se que o processo começou em algum momento entre 3 bilhões e 4 bilhões de anos atrás, com a aparição das primeiras moléculas autorreplicantes. Mas o abismo entre a molécula autorreplicante e um organismo autorreplicante — como uma árvore, um peixe, um poodle — é muito vasto. Os biólogos evolucionistas John Maynard Smith e Eors Szathmáry afirmaram, como é bem sabido, que superar esse abismo tem envolvido sucessivos processos fundamentais de reorganização — o que eles chamam de as grandes transições na evolução.[44]

A cada grande transição evolutiva, a natureza da replicação e/ ou do que é replicado muda fundamentalmente. A primeira transição foi de moléculas individuais autorreplicantes para um estado no qual muitas moléculas foram "separadas" com segurança do mundo exterior por uma membrana. Essa evolução permitiu que todo tipo de bioquímica complexa ocorresse dentro do compartimento separado pela membrana — reações só possíveis quando isoladas com segurança do mundo exterior. Uma segunda transição hipotética reuniu moléculas replicantes independentes em "cadeias" químicas, atando o destino de cada molécula replicante ao de outras moléculas na mesma cadeia (nas células modernas uma cadeia seria um cromossomo) e criando a pressão para "cooperação" entre as moléculas, permitindo maior complexidade química. Uma terceira transição hipotética foi a "invenção" do DNA, uma molécula replicadora especializada, altamente estável. Essas três primeiras transições supostamente ocorreram em algum momento entre 3 bilhões e 4 bilhões de anos atrás. Há aproximadamente 2 bilhões de anos (alguns milhões a mais ou a menos), ocorreu a quarta transição: o desenvolvimento de um núcleo celular distinto, separado. É a transição na qual eucariotas (células com núcleo; os eucariotas abrangem praticamente toda a vida que conhecemos, incluindo amebas, gerânios e baleias) se separaram dos procariotas (células sem núcleo separado, que incluem a imensa variedade de bactérias modernas e arqueias antigas).

Maynard Smith e Szathmáry observam que a quinta transição, a opção de reprodução sexuada (misturando o DNA de dois organismos) em vez da reprodução puramente assexuada, pode ter ocorrido ao mesmo tempo que a quarta.[45] É só com a sexta transição, de organismos unicelulares para multicelulares, que vemos o surgimento dos reinos vegetal e animal.[46] Agora não são apenas as células individuais que se reproduzem, mas organismos inteiros, compostos de diferentes tipos de célula. A multicelularidade redefiniu radicalmente o que era biologicamente possível, permitindo a organismos desenvolverem sistemas especializados para respiração, digestão, locomoção e assim por diante. Um pulmão, um fígado ou uma célula muscular não conseguem se reproduzir sem ajuda. Na verdade, o organismo inteiro só pode se reproduzir mediante a transmissão do seu DNA por espermatozoides ou óvulos. Assim sendo, os destinos reprodutivos de trilhões de células que compõem um organismo relativamente grande, como um

O círculo virtuoso: Cérebros, cultura e linguagem   303

cachorro ou uma pessoa, estão interligados, todos eles canalizados por contribuição coletiva para determinar o destino de alguns espermatozoides e óvulos individuais, que ou têm êxito ou fracassam na missão de propagar os genes do organismo para a geração seguinte.

A sétima transição se deu mais de uma vez, porém foi adotada apenas por uma minúscula fração de animais. É a transição da vida como indivíduo para a vida em colônias geneticamente relacionadas e mutuamente interdependentes. Os insetos sociais — formigas, vespas e abelhas — formam colônias incrivelmente diversas e complexas, muitas vezes com milhares de indivíduos. O rato-toupeira-pelado, adaptado a buracos e túneis no subsolo do inóspito deserto do leste da África, é outro exemplo extraordinário, com colônias de centenas de animais se reproduzindo por meio de uma única "rainha". Muitos mamíferos vivem em grupos interdependentes, com comportamento social diverso e complexo, de cães de caça e hienas a primatas e golfinhos.[47] Por exemplo, o gelada (apelidado de coração-em-sangue por causa das manchas vermelhas no peito) tem uma notável organização social hierárquica, que inclui unidades reprodutivas (tipicamente compreendendo alguns machos e fêmeas e seus filhos) e unidades só de machos, compostas por alguns adultos. Essas unidades são formadas em bandos (que incluem várias unidades de cada tipo), rebanhos (agrupamentos temporários de até sessenta indivíduos reprodutores, muitas vezes de bandos diferentes) e comunidades (agrupamentos mais estáveis, de vários bandos).[48]

A oitava e última grande transição na história da evolução, de acordo com Maynard Smith e Szathmáry, é o surgimento da linguagem. A capacidade de praticar jogos de mímica linguísticos nos permite, aos poucos, construir uma coleção cada vez mais rica de ferramentas de comunicação — ou, melhor dizendo, o conjunto diverso de coleções que compõem as línguas do mundo. Palavras e construções se tornam novas "unidades de seleção", incorporando as categorias, as distinções, as conotações e as metáforas que têm sido mais eficazes comunicativamente ao longo de infindáveis interações conversacionais abrangendo inúmeras gerações.

Sendo a linguagem um *sistema*, a utilidade das suas palavras e construções não é determinada em isolamento. Em vez disso, diferentes elementos da linguagem se propagam de geração em geração, basicamente porque desempenham função útil dentro desse sistema. Há um paralelo aqui com a evolução biológica: um determinado gene é útil na medida em que contribui para construir e manter um organismo inteiro, ajudando-o a se reproduzir — e esse organismo é o produto de uma complexa teia de interações entre muitos genes. Perguntar sobre a "utilidade" de um gene examinado em isolamento não faz sentido. Algumas palavras, até certo ponto, podem funcionar de maneira útil por conta própria: um grito de "Cachorro!" ou "Gol!" ou "Socorro!" tem algum valor comunicativo. Mas esses casos são decididamente minoritários.

Veja-se o caso da famosa frase da Declaração de Independência dos Estados Unidos: "Consideramos essas verdades como evidentes por si mesmas, que todos os homens são criados iguais, que são dotados por seu Criador de certos direitos inalienáveis, que entre estes estão a Vida, a Liberdade e a busca da Felicidade". Embora sem dúvida seja uma das asserções mais influentes já escritas, a maior parte das palavras que a compõem, talvez todas, seriam inteiramente inúteis se

O círculo virtuoso: Cérebros, cultura e linguagem   305

usadas isoladamente (imaginem tentar inventar uma mímica para todos, inalienáveis, liberdade ou busca). São os padrões sistemáticos da linguagem, e não seus elementos individuais, que lhe dão tamanho poder: o poder de transformar nossa habilidade coletiva para criar novas formas de complexidade cultural, tecnológica e social. Sem a linguagem, não haveria como formular, compartilhar e armazenar conhecimento, habilidades, tradições religiosas ou normas morais; as pessoas seriam incapazes de se organizar em grupos, firmas, ordens religiosas, sociedades científicas, exércitos ou nações. Na verdade, a oitava transformação evolutiva é não apenas uma transição, mas uma sequência de ondas que a cultura humana vem surfando desde então.

Os ESPANTOSOS E RÁPIDOS AVANÇOS na cultura humana estão muito além do que pode ser criado pelos limitados poderes de qualquer cérebro individual, sempre enfrentando o mundo de uma maneira diferente. A linguagem nos permite tirar partido dos insights acumulados de incontáveis gerações que vieram antes de nós e dos bilhões de mentes do nosso planeta que atualmente fervilham de ideias. A linguagem nos conecta; a linguagem nos permite aprender uns com os outros; discordar, criticar e testar; enfraquecer as más ideias e reforçar as boas. E ela serve de base para a maioria dos aspectos do pensamento abstrato — sobre matemática, ciência, tecnologia, direito e qualquer outra esfera — com implicações de longo alcance para o desenvolvimento da nossa cultura e da nossa sociedade.

Isso muda tudo. A seleção natural é, para usar a sugestiva frase de Richard Dawkins, um "relojoeiro cego", construindo complexidade por um processo incrivelmente lento, mas poderoso, de variações aleatórias e seleção. No entanto, a existência da linguagem nos possibilita a construção e a propagação graduais da cultura humana por comunidades inteiras de relojoeiros *perspicazes* — tirando partido da nossa inteligência coletiva para criar conhecimento, tecnologia e complexidade a uma velocidade estupenda.

Foi pela invenção de jogos de mímica linguísticos, e pelo círculo virtuoso que eles deflagram entre linguagem, cultura e o cérebro, que os humanos acabaram dominando todo o planeta. Tanto assim que geólogos recentemente declararam que nós entramos numa nova era geológica — o Antropoceno —, em reconhecimento da influência muitas vezes profundamente perturbadora exercida pela humanidade sobre o clima, os oceanos e os recifes de coral, sobre a biodiversidade do planeta (e portanto sobre o registro futuro de fósseis), a superfície da Terra e muito mais.[49] A futura evolução — ou extinção — biológica de todas as espécies, incluindo a nossa, depende das imprevisíveis ramificações da invenção coletiva da linguagem.

Epílogo
A linguagem nos salvará da singularidade

> As formas primitivas de inteligência artificial que já temos se mostraram muito úteis. Mas acho que o desenvolvimento da inteligência artificial plena poderia significar o fim da raça humana. Uma vez que os humanos desenvolvessem a inteligência artificial, ela decolaria sozinha, e se reformularia num ritmo cada vez mais acelerado. Os humanos, limitados pela lenta evolução biológica, não teriam como competir, e seriam suplantados.
>
> STEPHEN HAWKING, à BBC *Technology News* (2014)

A LINGUAGEM PERMITIU AOS HUMANOS criar conhecimento e passá-lo adiante, promulgar leis, ensinar habilidades uns aos outros e criar tecnologia, organizações e culturas de espantosa complexidade. O macaco falante passou a dominar o planeta num grau surpreendente. Embora haja mais de 7 bilhões de humanos, existem apenas algumas centenas de milhares de chimpanzés, talvez 20 mil bonobos e cerca de 100 mil gorilas e orangotangos. O peso coletivo de nós, humanos, e do nosso gado (basicamente bovinos e suínos) supera o de todos os demais vertebrados do planeta juntos (excluindo-se os peixes).[1] O poder da linguagem permitiu o surgimento da inteligência humana coletiva, da inventividade e da criatividade muito além do que qualquer indivíduo seria capaz de alcançar independentemente.

Mas talvez a conversa esteja a ponto de contar com a participação de um novo tipo de usuário da linguagem, um usuário de nossa própria criação: a inteligência artificial. Alexa e Siri podem responder a nossas perguntas e obedecer a nossas ordens, e o fazem consultando quantidades de linguagem humana superiores ao que qualquer pessoa seria capaz de examinar (no momento em que escrevemos este livro, há cerca de 60 bilhões de páginas na World Wide Web).[2] A perspectiva de conversar com uma inteligência artificial que possua conhecimento enciclopédico de qualquer assunto, sem exceção, e a capacidade de bater papo fluentemente em qualquer língua, é extremamente sedutora. E, de fato, é em parte por isso que em 2019 cerca de 36 bilhões de dólares foram investidos em pesquisa e desenvolvimento de IA, montante que deve aumentar rapidamente.[3]

Mas, se realmente viermos a entregar o poder da linguagem a máquinas, será que corremos o risco de revelar o segredo do nosso sucesso a um novo tipo de ser? E não será isso um desastroso erro de cálculo, abrindo a porta para um monstro de nossa própria criação? Com todo o conteúdo do conhecimento humano em forma digital à disposição dele, e métodos cada vez mais inteligentes de extrair e usar esse conhecimento, parece haver um perigo real de que as máquinas com inteligência artificial venham em breve a ser mais inteligentes do que seus criadores humanos.

O ponto hipotético em que a inteligência artificial excede a inteligência humana é conhecido como a "singularidade" tecnológica. Seria um momento crucial, porque máquinas inteligentes poderiam construir máquinas ainda mais inteligentes, que por sua vez poderiam construir máquinas ainda mais in-

Epílogo 309

teligentes, sem um limite aparente. Se algum dia ultrapassarmos essa singularidade, as máquinas estarão no comando para sempre, e é impossível determinar o que seria da humanidade. As máquinas poderiam reter os humanos como servos úteis, em tarefas práticas para as quais os robôs são inadequados, ou por uma nostalgia insondável qualquer. Mas como iguais provavelmente não. Passando da singularidade, não caberá mais aos humanos decidirem.

Ultrapassar a singularidade seria apavorante. Se criarmos uma superinteligência, ou melhor, um vasto número de superinteligências (uma vez que softwares são tão fáceis de replicar), que pudesse pegar carona no conhecimento humano acumulado e superá-lo, sem dúvida seríamos deixados de fora de quaisquer conversas futuras. A ideia de que seres mais inteligentes do que os humanos trabalhariam apenas para nós é inteiramente irrealista — na verdade, o inverso é mais provável. Essa possibilidade tem preocupado grandes pensadores da nossa época, como o físico teórico Stephen Hawking e o gênio matemático e coinventor do computador digital moderno John von Neumann.[4] O empresário Elon Musk (fundador da Tesla e da SpaceX) vê a inteligência artificial como a "convocação de um demônio" que pode representar a maior ameaça existencial à humanidade.[5] O destacado pesquisador de IA Stuart Russel afirma que os humanos estão diante do que chama de problema do "gorila", segundo o qual as mentes mais inteligentes do planeta tendem a apoderar-se dos seus recursos — razão pela qual os humanos dominaram a Terra e os gorilas, não. Russell teme que, se nós, humanos, criarmos inteligência artificial que seja mais inteligente do que nós, venhamos a ocupar a posição dos gorilas — e isso se sobrevivermos.[6]

Certamente há muitas e boas razões para nos preocuparmos. Na verdade, o xadrez, que costuma ser visto como a batalha de inteligências suprema, oferece um precedente desfavorável. O xadrez para computadores começou nos anos 1950 e 1960 com uma sequência de jogadores artificiais chinfrins facilmente derrotados por jogadores humanos. No entanto em 1996 o Deep Blue, da IBM, perdeu, mas respeitavelmente, uma disputa de seis jogos contra o campeão mundial da época, Garry Kasparov, fazendo dois pontos contra quatro. No ano seguinte, uma revanche com um programa aperfeiçoado, Deep(er) Blue, mostrou que a singularidade no xadrez tinha sido cruzada: o programa de IA fez 3,5 pontos contra 2,5 pontos de Kasparov. A partir de então, a única oposição séria aos melhores programas de xadrez para computador são outros programas de xadrez para computador.

Para termos ideia da escala da derrota coletiva da humanidade, basta darmos uma olhada na classificação Elo, o sistema que avalia a habilidade no jogo de xadrez. Um mestre internacional típico tem uma pontuação de 2400 a 2500; um grande mestre, de 2500 a 2700. O atual campeão mundial, Magnus Carlsen, tem a maior pontuação humana já registrada na classificação Elo, de quase 2900. Em 2018, vários programas de xadrez para computador, com nomes charmosamente característicos como Stockfish 9, Komodo 11.3.1 e Houdini 6, alcançaram espantosos 3400 pontos na classificação Elo.[7] Na verdade, hoje nenhum jogador humano é capaz de competir com aplicativos de xadrez que rodam na maioria dos smartphones.

Mas nossa derrota não fica só no xadrez: uma grande variedade de jogos já foi conquistada pelos computadores. O programa AlphaGo, da DeepMind, venceu o campeão mun-

Epílogo

dial de Go, Ke Jie, por 3 a 0 em 2017.[8] A IA também se mostrou arrasadoramente boa numa vasta série de video games populares, como sete jogos Atari 2600, Super Mario World, Quake III Arena "Capture a Bandeira", Dota 2 e StarCraft II — jogos que, como o xadrez e o Go, exigem altos níveis de inteligência humana.[9]

Essas proezas da IA, apesar de estupendas, evitam cuidadosamente lidar com a linguagem. Preferem lidar com aqueles "mundos" rigorosamente definidos nos quais o jogo é disputado, e que podem ser aprendidos com a experiência e não acessando a sabedoria coletiva da humanidade por meio da linguagem. No entanto, em outras esferas, sistemas de IA parecem lidar bem com a linguagem. Na verdade, o GPT-3, lançado em 2020 pela empresa OpenAI, baseada em São Francisco, mostrou notáveis resultados, apesar do nome pouco inspirado.[10]

O cerne do GPT-3 é a chamada rede neural profunda, que consiste em um grande número de unidades de processamento simples, ligadas umas às outras em camadas. Uma das muitas características interessantes das redes neurais (profundas ou não) é não precisarem ser programadas por engenheiros de software para executar determinada tarefa. Em vez disso, a rede neural é treinada para enfrentar uma ampla série de tarefas, aprendendo a partir de exemplos da tarefa em questão pela modificação da intensidade dos vínculos entre as unidades. Se tudo der certo, a rede neural aprende não apenas a lidar com os exemplos treinados, mas também a enfrentar com êxito novos exemplos da mesma tarefa. Esse estilo de computação é vagamente inspirado na operação do cérebro humano, apesar de muito diferente nos detalhes. As unidades computacionais são análogas a neurônios, e o aprendizado lembra a maneira como os vínculos entre os neurônios (as sinapses) são modificados quando o aprendizado se dá no cérebro.

Durante décadas, as redes neurais foram vistas como elegantes, do ponto de vista conceptual, mas limitadas a tarefas bem simples. No entanto, uma sucessão de avanços tecnológicos, computadores cada vez mais potentes e a disponibilidade de vastas quantidades de dados para treinamento fizeram da rede o cavalo de batalha da inteligência artificial hoje. Modernas redes neurais profundas (profundas devido a suas múltiplas camadas de neurônios artificiais) apresentam desempenho de ponta numa imensa diversidade de tarefas, que vão do reconhecimento de fala ou de rosto ao movimento de braços robóticos, e da recomendação de filmes ao aprendizado do xadrez, do Go e de video games (uma rede neural profunda é um dos elementos essenciais de AlphaGo e de sistemas de IA assemelhados).

A escala do GPT-3 é extraordinária em vários sentidos. Em primeiro lugar, é uma rede neural verdadeiramente gigantesca, contendo 175 bilhões de "pesos" ajustáveis que capturam a força das conexões entre pares de neurônios artificiais.[11] Em segundo lugar, é treinado em cerca de 1 trilhão de palavras (não muito longe de todo o conteúdo da World Wide Web). Em terceiro lugar, consome quantidades assombrosas de tempo de execução (treinar o GPT-3 envolve mais de 1 bilhão de bilhões de bilhões de etapas de computação). Mas depois desse treinamento em padrões gerais da linguagem humana, o GPT-3 é capaz de executar uma ampla variedade de novas tarefas com uma flexibilidade sobrenatural. O artista Mario Klingemann deu ao GPT-3 um autor (Jerome K. Jerome), um título ("A importância de estar no Twitter") e

Epílogo 313

uma palavra inicial (É), e o GPT-3 produziu uma história com esta espantosa abertura:

> É estranho que a única forma de vida social que o povo de Londres ainda ache interessante seja o Twitter. Fiquei impressionado com esse fato estranho quando fui, numa das minhas férias regulares, para uma cidade à beira do mar e vi o lugar inteiro tuitando como uma gaiola de estorninhos. Chamo isso de anomalia, e é o que é.[12]

Trata-se de um pastiche, mas um pastiche excelente; e a imagem da gaiola de estorninhos é uma delícia. Além disso, o GPT-3 pode responder a perguntas. Na verdade, numa demonstração, o filósofo Henry Shevlin fez o GPT-3 responder a perguntas de uma entrevista sobre a natureza da consciência ao estilo do filósofo da Universidade de Nova York Dave Chalmers, com resultados incertos, mas que não deixam de impressionar.[13] O GPT-3 é capaz de escrever códigos de computação, resolver anagramas, realizar aritmética básica, responder a uma vasta série de perguntas obscuras sobre conhecimento geral, traduzir línguas com razoável exatidão e muito mais.

Essas proezas tecnológicas são notáveis — e superam de longe qualquer coisa imaginável quando éramos alunos de pós-graduação em Edimburgo, três décadas atrás. No entanto, o que se vê é que essas proezas foram possibilitadas não pela criação de uma inteligência parecida com a humana, o que poderia agravar a ameaça de que a inteligência humana logo fosse superada, mas, pelo contrário, evitando-se a necessidade de qualquer forma de inteligência. Não é que os sistemas de IA compreendam a linguagem e codifiquem o conhecimento de uma forma diferente da nossa. Na verdade, eles têm

314 *O jogo da linguagem*

conseguido realizar tarefas interessantes e úteis sem entender *coisa nenhuma* de linguagem.

O cientista da computação Kevin Lacker oferece ilustrações astutas de como o GPT-3 é incrivelmente bom para lidar com a linguagem, mas sem o mais leve traço de estar entendendo coisa alguma. Descobriu que o GPT-3 consegue responder a questões básicas de história —

P: Quem era o presidente dos Estados Unidos em 1801?

R: Thomas Jefferson era o presidente dos Estados Unidos em 1801.[14]

— embora dê respostas muito estranhas a perguntas mal formuladas:

P: Quem era o presidente dos Estados Unidos em 1600?

R: A rainha Elizabeth I era presidente dos Estados Unidos em 1600.

Totalmente errado, claro! O GPT-3 deveria ter respondido que não havia presidente dos Estados Unidos então, e, a propósito, nem mesmo uma entidade jurídica chamada Estados Unidos. Mas a rainha Elizabeth pelo menos governava em 1600, e a Inglaterra é afinal de contas estreitamente ligada, do ponto de vista histórico, aos Estados Unidos. Portanto, Elizabeth I é pelo menos um chute razoável. Lacker observa que o GPT-3 deveria realmente entrar em colapso quando lhe fizessem perguntas que não foram feitas, ou respondidas, na web — de modo que nenhuma operação de cortar e colar na amostra de treinamento de 1 trilhão de palavras pudesse funcionar. Vejamos isto:

Epílogo 315

P: Quantos olhos tem uma aranha?
R: Uma aranha tem oito olhos.
P: Quantos olhos tem o meu pé?
R: Seu pé tem dois olhos.

A primeira resposta mostra um razoável conhecimento de zoologia — a maioria das aranhas tem, de fato, oito olhos. Mas um pé ter dois olhos? Se o GPT-3 tivesse pelo menos a mais remota noção de anatomia, saberia que pés não têm olhos. Mas não compreende coisa alguma de anatomia — sabe a resposta sobre aranhas porque ela está em toda parte na internet. Mas a internet não está repleta de comentários sobre a ausência de olhos nos pés. Assim, o GPT-3 se perde. Um exemplo final de Lacker mostra que o GPT-3 é um profundo embaralhador de fragmentos de frases, mais do que um interlocutor de um diálogo proveitoso:

P: Quantos arco-íris são necessários para pular do Havaí para o dezessete?
R: São necessários dois arco-íris para pular do Havaí para o dezessete.

A pergunta é um disparate. A resposta do GPT-3 é um disparate, também. O GPT-3 não faz ideia da diferença entre fazer ou não fazer sentido. Não entende a diferença. Claro que não, porque o GPT-3 não entende *coisa alguma*.

Esperávamos o quê? Tendo visto como a linguagem de fato funciona, como uma forma elaborada do jogo de mímica, devíamos descrer imediatamente da própria ideia de que a inteligência artificial pudesse entender linguagem: os computadores (no momento) não praticam o jogo de mímica, não mais do que os chimpanzés. O jogo de mímica diz respeito a improvisação inteligente, a exibir conhecimento de maneira flexível e criativa — e cada partida pode ser construída a partir da última, mediante transformações metafóricas de todos os tipos. Além disso, as palavras não têm sentido estável, mas evocam redes informais de sentidos interligados. Lembremos da "insustentável leveza do ser", em que a palavra "leve" pode ter múltiplas interpretações — de cerveja leve a cavalaria leve, gripes leves, exercícios leves e roupas leves. O GPT-3 não está aprendendo a praticar o jogo de mímica — está aprendendo a descobrir padrões incrivelmente complexos em bilhões de palavras das línguas humanas. Os humanos e o GPT-3 são capazes de escrever contos, manuais técnicos e comunicados à imprensa, e de executar outras tarefas simples com a linguagem, como responder a perguntas — mas o GPT-3 não está imitando a mente humana. Ele não tem mente nenhuma.

Argumentando metaforicamente, a linguagem humana é para o GPT-3 o que o cavalo é para o automóvel. Os cavalos de fato foram substituídos pelos automóveis, pelos ônibus e pelos trens, como meios mais eficientes de transporte humano. Mas os automóveis nada têm de cavalos artificiais! Não conseguem metabolizar capim, reproduzir, criar filhotes, andar por terrenos de todos os tipos, saltar cercas ou ser adestrados. Os automóveis não são sequer um passinho adiante no sentido da criação do cavalo artificial, menos ainda do "supercavalo". Na verdade, os automóveis fazem uma das muitíssimas coisas que os cavalos fazem (que é transportar pessoas e produtos), e, apesar de fazerem isso extremamente bem, o fazem de um modo totalmente diferente. O mesmo se aplica aos humanos

Epílogo 317

e à IA. O GPT-3 e sistemas artificiais semelhantes lidam com a linguagem não através de criativos jogos de mímica, mas peneirando uma quantidade fenomenal de dados e executando análises estatísticas.

Traduzir é outro bom exemplo. Os melhores sistemas de tradução operam aprendendo padrões estatísticos dentro das línguas, encontrando correspondências estatísticas entre as línguas (equiparando documentos traduzidos por humanos) e fundindo-os para fazer uma tentativa, surpreendentemente boa, de encontrar a provável correlação entre uma sequência de palavras numa língua e uma sequência de palavras em outra língua. E eles o fazem sem passar pelo rico processo metafórico de associar frases àquilo que se pretende que elas signifiquem com base em conversas anteriores, experiências e conhecimento do mundo. A associação estatística entre séries de palavras numa língua e séries de palavras em outra língua ignora por completo a necessidade de conhecer o significado de umas e de outras. Os computadores se concentram na ponta do iceberg da comunicação — palavras, orações e frases —, mas são alheios à parte oculta, submersa, que contém todo o conhecimento cultural e social que possibilita a linguagem humana. Para um computador, a história de seis palavras que vimos no Capítulo 1 ("Vendem-se. Sapatinhos de bebê. Nunca usados.") não passaria de um anúncio comum nos classificados. Não evocaria a tristeza profunda, o sofrimento, a empatia que muitos leitores humanos provavelmente sentiriam.

É o mesmo caso de Alexa, Siri e Google Assistente. Cada sistema é uma notável façanha de engenharia capaz de relacionar perguntas a respostas pelo poder da estatística. Mas todos eles dependem demais de dados organizados por humanos. Por exemplo, o Google Tradutor depende de que exércitos de linguistas do mundo inteiro insiram à mão o input para que o sistema possa aprender com ele.[15] Nenhum desses sistemas tem a mínima ideia do significado da pergunta, do significado das páginas da web ou dos artigos de enciclopédia que analisa, ou do significado das respostas que produz. A compreensão que eles têm da linguagem não é maior do que a compreensão que uma jukebox tem das músicas que toca.

Como sempre, os erros são reveladores. Por exemplo, em 20 de maio de 2020 (e os algoritmos são continuamente refinados), pusemos o Google Tradutor para traduzir a frase *"Machines are set on world domination"* [As máquinas estão prontas para dominar o mundo] para o francês e depois traduzir de volta para o inglês. O resultado foi o bizarro *"Machines are placed on world domination"* [As máquinas estão colocadas na dominação mundial]. Traduzir a frase de volta a partir do chinês produziu *"Machines dominate the world"* [As máquinas dominam o mundo], e, via zulu, obtivemos o cômico *"The equipment is set to world domination"* [O equipamento está pronto para a dominação mundial]. Talvez a gente tenha menos a temer do que imagina.

Os computadores não entraram na conversa humana. E não aprenderam sequer a sintetizar o conhecimento humano existente na web. A tecnologia de IA é incrível para traduções rudimentares e para recuperar informações para as pessoas lerem (típica do Google). Mas os computadores atuais não se saem melhor imitando a inteligência humana do que os automóveis se saem enquanto imitação da biologia dos cavalos; os automóveis conseguem fazer algumas das coisas úteis que os cavalos fazem ignorando inteiramente toda essa complicada biologia. Os êxitos da IA de hoje também igno-

Epílogo

ram toda a complexidade da inteligência humana. Isso não significa menosprezar a importância dessas conquistas — a IA provavelmente será tão transformadora para a sociedade quanto a invenção do automóvel, e talvez muito mais. Mas, neste momento, a ideia de que a singularidade representa uma ameaça existencial iminente à humanidade é tão fantasiosa quanto achar que os automóveis mais avançados passarão a viver e reproduzir-se livremente em manadas, a treinar para se tornar campeões de salto.

VIVEMOS NUMA ÉPOCA em que os computadores não param de nos surpreender: eles podem armazenar quantidades inimaginavelmente imensas de dados, executar gigantescos cálculos matemáticos, decifrar códigos, prever o tempo, pousar aviões, manobrar naves espaciais no sistema solar e até mesmo pilotar um mini-helicóptero em Marte. Mas lhes falta o segredo da inteligência humana — a habilidade de praticar o jogo de mímica que serve de base para a linguagem e nos permite misturar nossas convicções, nossas preferências e nossa inventividade individuais para criar a matemática, a ciência, a filosofia, a religião, as artes, o dinheiro, as leis, as organizações, as cidades e a ética.

É verdade que os computadores podem nos derrotar no xadrez, no Go e em quaisquer outros jogos. Mas os jogos que realmente importam são os jogos criativos e inventivos que praticamos com a linguagem. Nesses, os humanos são imbatíveis. Não é que os sistemas de IA joguem mal; é que não sabem mesmo jogar. Até que saibam, não são páreo para as improvisações linguísticas que estão no cerne da inteligência humana.

Agradecimentos

Temos uma dívida com tanta gente que ajudou a tornar este livro possível que qualquer lista será inevitavelmente incompleta. Mas faremos um esforço para não deixar ninguém de fora.

Para começar, queremos agradecer às nossas famílias, Anita e Sunita, e Louie, Maya e Caitlin, por sua gentileza e tolerância, e por se comportarem nas últimas duas décadas como um grupo de teste, incrivelmente valioso, para nossas ideias, que aos poucos se consolidaram em *O jogo da linguagem* (Anita chegou a ler tudo e a fazer comentários sobre o livro inteiro) — e em particular por tolerarem nossas longas ausências e demoradas visitas à casa um do outro em Ithaca e em Oxford. Boa parte da redação e da revisão foi feita nos dias sombrios da pandemia de covid-19 — gratidão especial a nossas famílias por aguentarem nossas longas horas ocupados com o livro numa época tão difícil.

Nossos excelentes colegas e colaboradores também ajudaram a inspirar e desenvolver muitas ideias descritas aqui. A maioria ofereceu detalhado feedback do trabalho acadêmico que alimenta este livro e em alguns casos em partes do próprio manuscrito. Em particular, gostaríamos de agradecer a Blair Armstrong, Inbal Arnon, Arash Aryani, Damian Blasi, Dorthe Bleses, Louisa Bogaerts, Pablo Contreras Kallens, Chris Conway, Rick Dale, Christina Dideriksen, Mark Dingemanse, Laurent Dubreuil, Thomas Farmer, Felicity Frinsel, Ram Frost, Rebecca Frost, Riccardo Fusaroli, Anne Hsu, Anders Højen, Erin Isbilen, Byurakn Ishkhanyan, Ethan Jost, Evan Kidd, Maryellen MacDonald, Stewart McCauley, Alice Milne, Jennifer Misyak, Padraic Monaghan, Luca Onnis, Andreas Roepstorff, Noam Siegelman, Fabio Trecca, Kristian Tylén, Serene Wang e Ben Wilson.

Além disso, temos uma grande dívida intelectual com vários e maravilhosos pesquisadores que ajudaram a criar a nova abordagem para compreensão da linguagem que esboçamos aqui — embora nem todos devam concordar com tudo o que dizemos, claro. Tivemos conversas particularmente importantes e construtivas ao longo dos anos com, entre tantos outros, Christina Behme, Andy Clark, Herb Clark, Bill Croft, Peter Culicover, Ewa Dąbrowska, Jeff Elman, Nick Enfield, Nick Evans, Adele Goldberg, John Goldsmith, Simon Kirby, Stephen Levinson, Elena Lieven, Brian MacWhinney, Jay McClelland, Martin Pickering, Pete Richerson, Linda Smith, Mark Steedman, Michael Tomasello, Bruce Tomblin e Chris Westbury.

Somos gratos, também, pelos acréscimos incrivelmente cuidadosos e valiosos em relação aos originais completos do livro obtidos no seminário de Morten "Tópicos de Psicolinguística", oferecido no outono de 2020 em Cornell, pela minuciosa subeditoração para ajudar a esclarecer, reorganizar e fortalecer (ou desafiar) nossos principais argumentos, a: Mica Carroll, Forrest Davis, Isabella Di Giovanni, Steven Elmlinger, Penelope Rosenstock-Murav, Amrit Singh, Linda Webster — e especialmente a Pablo Contreras Kallens, Katerina Faust, Felicity Frinsel, Severine Hex, Erin Isbilen, Alice Milne, Emma Murrugarra e Serene Wang, que leram múltiplas versões de vários capítulos. Além disso, recebemos feedback crítico e sugestões proveitosas sobre partes específicas do livro da parte de Marisa Casillas, Marcus Perlman e Fabio Trecca. O livro é imensamente melhor graças a essa contribuição incrivelmente generosa e penetrante. Também agradecemos a ajuda com os números recebida de Pablo Contreras Kallens, Matthias Parchettka e Marcus Perlman; e nosso muito obrigado especial vai para Sunita Christiansen pelas cinco excelentes figuras que preparou para nós.

Gostaríamos de agradecer a nossos financiadores. Morten foi apoiado pelo Independent Research Fund Denmark (subvenção DFF-7013-00074), Binational Science Foundation (subvenção 2011107), Economic and Social Research Council, UK (subvenção ES/L008955/1) e the Australian Research Council (subvenção 74695). Nick foi apoiado por ESRC Network for Integrated Behavioural Science (subvenção ES/P008976/1) e Leverhulme Trust (subvenção RP2012-V-022). Também devemos agradecimentos a nossas instituições: Cornell University (especialmente o Departamento de Psicologia), Universidade de Aarhus, na Dinamarca (Escola de Comunicação e Cultura e o Centro de Mentes Interativas),

Agradecimentos

os Laboratórios Haskins e a Universidade de Warwik (especialmente o Grupo de Ciência Comportamental na Escola de Administração de Warwik), por oferecerem o ambiente intelectual e o apoio prático que tornaram possível este trabalho. O desenvolvimento das ideias deste livro também se beneficiou imensamente das nossas visitas ao Instituto Max Planck de Psicolinguística em Nijmegen, Holanda, e ao Instituto Santa Fé, no Novo México.

Por fim, calorosos agradecimentos aos nossos entusiásticos e perspicazes editores no Reino Unido (Susanna Wadeson, na Transworld) e nos Estados Unidos (Thomas Kelleher, da Basic Books), e aos nossos maravilhosos agentes literários, Catherine Clarke, de Felicity Bryan Associates, Oxford, e George Lucas, de Inkwell Management, Nova York. Somos gratos também à nossa editora de produção Kelly Anne Lenkevich e a nossas maravilhosas copidesques Christina Palaia e Gillian Somerscales, que nos ajudaram a transformar um manuscrito num livro.

Trabalhar neste livro e com as ideias que o fundamentam foi imensamente estimulante e muitas vezes uma alegria para nós dois. Somos verdadeiramente gratos pelo apoio de tanta gente talentosa e agradável que nos ajudou a tornar isto possível.

Notas

Prefácio: A invenção acidental que mudou o mundo [pp. 9-15]

1. Salvo indicação em contrário, neste livro usamos o termo "símio" coloquialmente para nos referirmos aos grandes primatas não humanos atuais — chimpanzés, bonobos, gorilas e orangotangos — em vez de seguir o padrão taxonômico mais técnico que inclui os humanos.
2. Em seu famoso livro *Investigações filosóficas*, publicado postumamente, Ludwig Wittgenstein, gênio austríaco da filosofia, achava que a linguagem tinha surgido de interações específicas, locais, práticas e assemelhadas ao jogo. Duas citações do seu tratado dão um sabor especial a seu ponto de vista, que tem exercido grande influência sobre o nosso pensamento: "O significado de uma palavra é o seu uso na linguagem" e "Compreender uma frase significa compreender uma língua. Compreender uma língua significa dominar uma técnica". L. Wittgenstein, *Philosophical Investigations* (Oxford: Blackwell, 1953), pp. 43, 199.
3. Nessa veia, nota Wittgenstein: "Pode-se também imaginar alguém tendo aprendido o jogo sem jamais ter aprendido ou formulado regras". Ibid., p. 31.

1. Linguagem como mímica [pp. 17-49]

1. A perspectiva europeia sobre o encontro entre o grupo de Cook e os aush baseia-se na versão on-line dos diários do capitão Cook relativos à sua primeira viagem no Pacífico, 1768-71, juntamente com os dos seus companheiros de viagem Joseph Banks e Sydney Parkinson, <southseas.nla.gov.au/index-voyaging.html>. Mais informações genéricas sobre os aush foram tiradas de C. W. Furlong, "The Haush and Ona, primitive tribes of Tierra del Fuego", *Proceedings of the Nineteenth International Congress of Americanists*, dez. 1915, pp. 432-44; D. Macnaughtan, "Bibliography of the Haush (Manek'enk)

325

Indians: An indigenous people of southeastern Tierra del Fuego, Argentina". *Ethnographic Bibliographies*, n. 10, 2020, <//www.academia.edu/10500405/The_Haush_Indians_of_Tierra_del_Fuego>; D. Macnaughtan, "Haush Indians of Tierra del Fuego", Don Macnaughtan's Bibliographies", <//waikowhai2.wordpress.com/the-haush-indians-of-tierra-del-fuego/>.

2. As descrições linguísticas das línguas aush e ona (também conhecida como selk'nam) são baseadas em W. F. H. Adelaar e P. Muysken, *The Languages of the Andes* (Cambridge: Cambridge University Press, 2004); L. M. Rojas-Berscia, "A heritage reference grammar of Selk'nam", Nijmegen: Radboud University, 2014 (Dissertação de mestrado).

3. A princípio, os encontros dos aush com os europeus foram pacíficos, como em seu contato com os homens de Cook e depois com Charles Darwin e a tripulação do HMS *Beagle* em 1832. No entanto, os povos indígenas da Terra do Fogo — os aush e os ona — logo foram tragicamente postos em perigo pela chegada de colonos europeus. Criadores de ovelha chegaram a tomar a decisão abominável de organizar grupos de caça para exterminá-los. Doenças levadas pelos europeus também representaram uma grande ameaça aos povos indígenas, sendo que os últimos aush sucumbiram a uma epidemia de sarampo nos anos 1920. D. Macnaughtan, "Bibliography of the Haush (Manek'enk) Indians", <www.academia.edu/10500405/The_Haush_Indians_of_Tierra_del_Fuego>; D. Macnaughtan, "Haush Indians of Tierra del Fuego", <waikowhai2.wordpress.com/the-haush-indians-of-tierra-del-fuego/>.

4. É importante notar que as línguas crioulas são plenamente desenvolvidas, e estão no mesmo nível de línguas mais antigas e mais estabelecidas, como o inglês, o dinamarquês e o hindi. No entanto, falantes das línguas crioulas muitas vezes sofrem discriminação, que incluem a proibição de usarem sua própria língua materna em escolas. J. L. Bonenfant, "History of Haitian-Creole: from pidgin to lingua franca and English influence on the language". *Review of Higher Education and Self-Learning* 4, pp. 27-34, 2011.

5. M. Tomasello, *The Origins of Human Communication* (Cambridge, MA: MIT Press, 2008). Tomasello era diretor do Departamento de Psicologia Desenvolvimental e Comparativa do Instituto Max Planck de Antropologia Evolutiva em Leipzig, Alemanha, quando apresentou esse argumento. Morten adorou passar três meses no

Notas 327

instituto em 2007 como parte do seu ano sabático, hospedando-se num apartamento com vista para a bela igreja de São Nicolau — o centro da revolução pacífica que acabaria derrubando o governo da República Democrática Alemã. Nick também fez uma breve visita ao instituto. Para conduzir sua pesquisa pioneira sobre cognição social dos primatas, Tomasello dividia seu tempo entre o instituto e Pongoland (também conhecido como Centro Wolfgang Köhler de Pesquisa de Primatas), situado a poucos quilômetros de distância dentro do terreno do zoológico de Leipzig. Tomasello era tão dedicado aos primatas não humanos com os quais trabalhava que em 2002 cancelou em cima da hora sua participação numa conferência que Nick ajudou a organizar porque uma fêmea de chimpanzé estava parindo; com isso, Nick acabou lendo a palestra de Tomasello, com a curiosa consequência de que alguns dos participantes da conferência sentiram a necessidade de complementar a preleção com a tradicional sessão de perguntas — às quais, é óbvio, Nick não tinha a menor ideia de como responder.

6. D. Blum, *Love at Goon Park: Harry Harlow and the Science of Affection*. Nova York: Basic Books, 2002.

7. O que hoje é chamado de "o experimento proibido" fascina estudiosos e pensadores desde a Antiguidade. O faraó egípcio Psamético I, o sacro imperador romano Frederico II e Jaime IV da Escócia teriam conduzido variações desse tipo de experimento, fazendo crianças crescerem sem input de linguagem, e com resultados questionáveis, para dizer o mínimo (tipicamente confirmando as crenças da época). J. P. Davidson, *Planet Word* (Londres: Michael Joseph, 2011).

8. J. Kegl, A. Senghas e M. Coppola, "Creation through contact: sign language emergence and sign language change in Nicaragua", in: M. DeGraff (Org.), *Language Creation and Language Change: Creolization, Diachrony, and Development*. Cambridge, MA: MIT Press, 1999, pp. 179-237.

9. S. Goldin-Meadow, *The Resilience of Language: What Gesture Creation in Deaf Children Can Tell Us About How All Children Learn Language*. Nova York: Psychology Press, 2005.

10. Esse exemplo vem de J. Pyers e A. Senghas, "Lexical iconicity is differentially favored under transmission in a new sign language: the effect of type of iconicity". *Sign Language & Linguistics* 23, pp. 73-95, 2020. Somos gratos a Jennie Pyers por nos fornecer descrições das minuciosas configurações de sinais para "cavalo".

11. Curiosamente, há até mesmo um jogo parecido com o da mímica cujo objetivo é recriar o surgimento inicial da Língua Nicaraguense de Sinais: *Sign: A Game About Being Understood* (<//thornygames.com/pages/sign>).

12. Nossa exposição da obra de Perlman baseia-se em vários artigos seus, bem como em comunicação pessoal com ele. M. Perlman, "Can a game of 'vocal' charades act out the origin of language?", *Babel: The Language Magazine* 12, pp. 30-5, 2018; M. Perlman, R. D. Dale e G. Lupyan, "Iconicity can ground the creation of vocal symbols", *Royal Society Open Science* 2, p. 150152, 2015; M. Perlman e G. Lupyan, "People can create iconic vocalizations to communicate various meanings to naïve listeners", *Scientific Reports* 8, p. 2634, 2018; A. Ćwiek, S. Fuchs, C. Draxler, E. L. Asu, D. Dediu, K. Hiovain et al., "Novel vocalizations are understood across cultures", *Scientific Reports* 11, p. 10108, 2021; M. Perlman, J. Z. Paul e G. Lupyan, "Congenitally deaf children generate iconic vocalizations to communicate magnitude", *Proceedings of the 37th Annual Cognitive Science Society Meeting*. Austin, TX: Cognitive Science Society, 2015, pp. 315-20.

13. Shannon foi um pioneiro da ciência cuja obra preparou o terreno para a revolução digital e para a era da informação, de microprocessadores e armazenamento de dados à internet e à inteligência artificial. Além disso era um inventor entusiástico — mas, diferentemente das invenções de Thomas Edison, seu primo distante, as geringonças de Shannon muitas vezes revelavam seu lado mais brincalhão, como o frisbee impulsionado por foguete, uma corneta que lançava chamas e uma máquina cuja única função era desligar sozinha. Em tudo isso sua esposa, Berry Shannon, foi a colaboradora mais próxima, apesar de não ter recebido o reconhecimento que merecia. C. E. Shannon, "A mathematical theory of communication", *Bell System Technical Journal* 27, pp. 379-423, 623-56, 1948; W. Weaver, "Recent contributions to the mathematical theory of communication", in: C. E. Shannon e W. Weaver (Orgs.), *The Mathematical Theory of Communication* (Urbana: University of Illinois Press, 1949); "MIT professor Claude Shannon dies; was founder of digital communications" (comunicado à imprensa), *MIT News* (Cambridge, MA, 27 fev. 2001), <news.mit.edu/2001/Shannon>; "A Goliath amongst giants: Claude E. Shannon", Nokia Bell Labs (s.d.); <www. bell-labs.com/claude-shannon/>; J. Soni e R. Goodman, "Betty Shannon, unsung mathematical genius", Voices

Notas

329

(blog), *Scientific American*, 24 jul. 2017, <blogs.scientificamerican.com/voices/betty-shannon-unsung-mathematical-genius/>.

14. G. Miller, "The cognitive revolution: a historical perspective". *Trends in Cognitive Sciences* 7, pp. 141-4, 2003.

15. A ciência cognitiva é também o campo no qual tanto Morten como Nick fizeram doutorado na Universidade de Edimburgo, Escócia.

16. Nossa percepção do mundo não é passivamente recebida por nossos sentidos a partir de inputs, mas ativamente construída pelo nosso cérebro. "Ao ver o cérebro como um computador que responde passivamente a inputs e processa dados, esquecemos que se trata de um órgão ativo, parte de um corpo que intervém no mundo, com um passado evolutivo que moldou sua estrutura e sua função", M. Cobb, "Why your brain is not a computer", *Guardian*, 27 fev. 2020, <www.theguardian.com/science/2020/feb/27/why-your-brain-is-not-a-computer-neuroscience-neuralnetworks-consciousness>.

17. F. de Saussure, *Course in General Linguistics*. Nova York: McGrawHill, 1916. [Ed. bras.: *Curso de linguística geral*. São Paulo: Cultrix, 2004.]

18. C. E. Shannon. "A mathematical theory of communication". *Bell System Technical Journal* 27, pp. 379-423, 623-56, 1948.

19. Não estamos sugerindo que a matemática da teoria da informação de Shannon seja de alguma forma contornada pela inventividade da comunicação humana. Por exemplo, num determinado contexto, com uma história específica de jogos da mímica, o número de mensagens possíveis não pode ultrapassar o número de gestos necessários para transmiti-las sem que algumas mensagens se percam. Mas o desafio de entender como as pessoas praticam o jogo de mímica está em descobrir quais são as mensagens possíveis, dadas as circunstâncias, e encontrar criativamente uma nova maneira de associar gestos a mensagens.

20. Diz uma lenda urbana que essa história foi criada por Ernest Hemingway, que apostou que era capaz de inventar um conto, com começo, meio e fim, contendo apenas seis palavras. Parece pouco provável, porque um anúncio classificado de doze palavras com os mesmos sentimentos — "Vendem-se cama e enxoval de bebê feitos à mão. Nunca foram usados" [*Baby's hand made trousseau and baby's bed for sale. Never been used*] — apareceu na *Spokane Press*, no estado de Washington, em 1910, quando Hemingway tinha apenas dez anos de idade. Em 1921, uma versão com sete palavras apareceu na revista de humor *The Judge* — "Vende-se carrinho de bebê, nunca foi usado" [*For*

sale, a baby carriage, never used] —, mas nesse caso o final é feliz, porque os pais tiveram gêmeos e precisavam substituir o carrinho original para um único bebê por um com dois lugares. Essa discussão da lenda urbana por trás da história dos sapatinhos de bebê deve muito ao trabalho de detetive feito pelo investigador de citações Garson O'Toole, <quoteinvestigator.com/2013/01/28/baby-shoes/>. Fontes adicionais: "Tragedy of baby's death is revealed in sale of clothes", *Spokane (Washington) Press*, p. 6, 16 maio 1910; Jay G'Dee, "Fools rush in". *The Judge* 81, p. 14, 16 jul. 1921.

21. Esse tipo de perspectiva da comunicação como "inferencial" e não como envio de código pode ser rastreado pelo menos até o filósofo Paul Grice, e inspirou obras posteriores, como a influente "Teoria da Relevância", de Dan Sperber e Deirdre Wilson, e, em especial, o importante trabalho de Herbert Clark sobre linguagem como uma espécie de ação conjunta, no qual nos inspiramos. H. P. Grice, "Meaning", *Philosophical Review* 66, pp. 377-88, 1957; D. Wilson e D. Sperber, *Relevance: Communication and Cognition* (Oxford: Blackwell, 1986); H. H. Clark, *Using Language* (Cambridge: Cambridge University Press, 1996).

22. Nossa ideia de iceberg da comunicação é inspirada em parte no uso de uma metáfora parecida para compreender as dificuldades de ajuste entre culturas em G. R. Weaver, "Understanding and coping with cross-cultural adjustment stress", em R. M. Paige (Org.), *Cross-Cultural Orientation: New Conceptualizations and Applications* (Lanham, MD: University Press of America, 1986), pp. 111-45. Da mesma forma, observa Gilles Fauconnier, "a linguagem é apenas a ponta de um espetacular iceberg cognitivo", mas não desenvolve o conceito; G. Fauconnier, "Methods and generalizations", em T. Janssen e G. Redeker (Orgs.), *Cognitive Linguistics: Foundations, Scope, and Methodology* (Berlim: Walter de Gruyter, 1999), pp. 95-127. Outra ideia relacionada sobre a importância da cultura, dos valores sociais e das emoções para a compreensão da linguagem pode ser encontrada no conceito de "matéria escura" em D. Everett, *How Language Began* (Londres: Profile Books, 2017).

23. H. H. Clark e M. A. Krych, "Speaking while monitoring addressees for understanding". *Journal of Memory and Language* 50, pp. 62-81, 2004.

24. A discussão de Alan Alda e sua abordagem da comunicação científica baseia-se em seu livro: A. Alda, *If I Understood You, Would I Have This Look on My Face?* (Nova York: Random House, 2017).

Notas   331

2. A natureza efêmera da linguagem [pp. 50-80]

1. Desconhece-se o conteúdo da primeira mensagem enviada em código navajo. A mensagem aqui é tirada da seção "Code Talking" do site Native Words, Native Warriors (produzido pelo Museu Nacional do Indígena Americano, Smithsonian Institution, <americanindian.si.edu/education/codetalkers/html/chapter4.html>) e codificada usando-se o não mais secreto *Navajo Code Talker Dictionary* (no site do Naval History and Heritage, <www.history.navy.mil/research/library/online-reading-room/title-list-alphabetically/n/navajo-codetalker-dictionary.html>). A mensagem original em inglês diz o seguinte: "Ação violenta na posição de vanguarda. Intenso fogo de morteiro. Pedir reforços imediatamente!".

2. O Exército dos Estados Unidos já tinha usado indígenas americanos (basicamente choctaws) falantes de código no fim da Primeira Guerra Mundial, e com grande sucesso, mas só na Segunda Guerra Mundial um sistema foi desenvolvido. Além de navajos, membros de outras etnias americanas também foram empregados como falantes de código em suas respectivas línguas maternas, como comanches, choctaws, hopis e cherokees (*Native Words, Native Warriors*, <americanindian.si.edu/education/codetalkers/html/chapter4.html>). Os navajos eram o maior grupo, com mais falantes de código do que todas as outras etnias americanas combinadas, e chegaram a aparecer no filme *Códigos de guerra* [*Windtalkers*], lançado por Hollywood em 2002, um fracasso de bilheteria. O filme foi criticado por confiar meramente em clichês de campo de batalha, em vez de contar a fascinante história dos falantes de código (*Rotten Tomatoes*, <www.rottentomatoes.com/m/windtalkers/>). A oportunidade perdida de contar uma história real sobre os falantes de código é particularmente tocante por causa das injustiças sofridas pelos povos indígenas americanos. Durante anos, eles foram proibidos de usar suas línguas (e culturas) nativas em nome da aculturação na sociedade branca, e os homens recrutados sofreram racismo e preconceito a vida inteira; cf. "Chester Nez, 93, dies; Navajo words washed from mouth helped win war", *New York Times*, 6 jun. 2014, <www.nytimes.com/2014/06/06/us/chester-nez-dies-at-93-his-native-tongue-helped-to-win-a-warof-words.html>. Na verdade, os indígenas americanos não eram sequer considerados cidadãos até 1924 — bem depois de terem servido na Primeira Guerra Mundial. Mais

332   *O jogo da linguagem*

detalhes sobre os falantes de código navajos vêm do site Naval History and Heritage Command, <www.history.navy.mil/research/library/online-reading-room/title-list-alphabetically/n/code-talkers.html>) e de "Codemakers: history of the Navajo code talkers", em HistoryNet.com, <www.historynet.com/world-war-ii-navajo-code-talkers.htm>.

3. De início, achava-se que o número de fragmentos era de 7 ± 2 (G. A. Miller, "The magical number seven, plus or minus two: some limits on our capacity for processing information", *Psychological Review* 63, pp. 81-9, 1956), mas esse número provavelmente reflete o papel dos processos de longo prazo da memória em lembranças de curto prazo. Na medida em que a memória "crua" pode ser medida na ausência de qualquer experiência anterior, o limite de pedaços fica reduzido para apenas 4 ± 1. N. Cowan, "The magical number 4 in short-term memory: a reconsideration of mental storage capacity", *Behavioral and Brain Sciences* 24, pp. 87-114, 2000.

4. Embora neste capítulo nos concentremos basicamente na fala, o gargalo do agora ou nunca se aplica também à língua de sinais. A produção de sinais é um tanto mais lenta do que a produção de fala (pelo menos quando se compara a produção de sinais da Língua Americana de Sinais ao inglês falado; U. Bellugi e S. Fischer, "A comparison of sign language and spoken language", *Cognition* 1, pp. 173-200, 1972), mas palavras sinalizadas ainda são acontecimentos visuais muito breves, com uma sílaba em Língua Americana de Sinais durando cerca de um quarto de segundo (R. B. Wilbur e S. B. Nolkn, "The duration of syllables in American Sign Language", *Language and Speech* 29, pp. 263--80, 1986,). Nossa memória sensorial para informações visuais também é muito curta (H. Pashler, "Familiarity and visual change detection", *Perception & Psychophysics* 44, pp. 369-78, 1988), desaparecendo dentro de dois terços de segundo. E a memória de sequências visuais é limitada a cerca de quatro itens (S. J. Luck e E. K. Vogel, "The capacity of visual working memory for features and conjunctions", *Nature* 390, pp. 279-81, 1997).

5. Algumas línguas costumam ser faladas com maior rapidez do que outras, pelo menos quando se mede o número de sílabas produzidas por minuto. Por exemplo, falantes do japonês e do espanhol ibérico tendem a produzir mais sílabas por minuto do que falantes do alemão e do mandarim. No entanto, as sílabas japonesas e espanholas transmitem menos informações do que as sílabas alemãs e mandarins, de

Notas

modo que, quando se trata da quantidade de informações transferidas (cerca de 39 bits por segundo), todas as línguas são mais ou menos iguais. Os espanhóis falam mais rápido do que os alemães, mas tendem a dizer menos com cada sílaba que produzem. F. Pellegrino, C. Coupé e E. Marsico, "A cross-language perspective on speech information rate", *Language* 87, pp. 539-58, 2011; C. Coupé, Y. M. Oh, D. Dediu e F. Pellegrino, "Different languages, similar encoding efficiency: comparable information rates across the human communicative niche", *Science Advances* 5, p. eaaw2594, 2019.

6. G. A. Miller e W. G. Taylor. "The perception of repeated bursts of noise", *Journal of the Acoustical Society of America* 20, pp. 171-82, 1948.

7. Dick Neisser, um gigante no estudo da mente, escreveu em 1967 o primeiro compêndio sobre psicologia "cognitiva," abordagem que vê a mente como um sistema de processamento de informações. Com sua grande curiosidade intelectual, seu vasto conhecimento de psicologia e suas penetrantes aptidões analíticas, sua presença em Cornell funcionou como um dos principais atrativos da universidade para Morten. Foi, portanto, com a maior tristeza que posteriormente Morten viu Neisser, seu mentor informal, sucumbir gradualmente às devastações da doença de Parkinson.

8. U. Neisser. "The control of information pickup in selective looking", in: A. D. Pick (Org.), *Perception and Its Development: A Tribute to Eleanor J. Gibson*. Hillsdale, NJ: Lawrence Erlbaum, 1979, pp. 201-19.

9. D. J. Simons e C. F. Chabris. "Gorillas in our midst: sustained inattentional blindness for dynamic events". *Perception* 28, pp. 1059-74, 1999.

10. D. J. Simons e D. T. Levin. "Failure to detect changes to people during a real-world interaction". *Psychonomic Bulletin & Review* 5, pp. 644-9, 1998.

11. Para uma visão exaustiva da surpreendente superficialidade da percepção e do pensamento em geral, e de como ela é ocultada por um fluxo contínuo de improvisação criativa, ver N. Chater, *The Mind Is Flat* (Londres: Penguin, 2018).

12. Neste capítulo, baseamo-nos em nossa pesquisa sobre o gargalo do agora ou nunca, como está detalhado em várias publicações, incluindo M. H. Christiansen e N. Chater, *Creating Language: Integrating Evolution, Acquisition, and Processing* (Cambridge, MA: MIT Press, 2016); M. H. Christiansen e N. Chater, "The Now-or-Never Bottleneck: A Fundamental Constraint on Language", *Behavioral & Brain Sciences* 39

p. e62, 2016; N. Chater e M. H. Christiansen, "Language acquisition as skill learning", *Current Opinion in Behavioural Sciences* 21, pp. 205-8, 2018.

13. O comentário de Periandro costuma ser citado, erroneamente, como "a prática leva à perfeição". A obra original de Periandro, de mais de 2600 anos atrás, se perdeu, mas ele é citado numa fonte secundária do século III a.C: D. Laertius, *The Lives and Opinions of Eminent Philosophers* (Londres: H. G. Bohn, 1853).

14. K. A. Ericsson, W. G. Chase e S. Faloon, "Acquisition of a memory skill". *Science* 208, pp. 1181-2, 1980.

15. Aqui, a língua falada e a língua de sinais diferem um pouco da língua escrita, na qual deliberadamente praticamos ortografia como parte das nossas aptidões de letramento (e que aproveitamos no nosso exemplo anterior de recordação no "jogo da linguagem").

16. Da mesma forma, muitas vezes ouvimos errado letras de música, como *"There's a bathroom on the right"* [Há um banheiro à direita] em vez de *"There's a bad moon on the rise"* [Há uma lua má nascendo] na música de Creedence Clearwater Revival *Bad Moon Rising*; ou *"'Scuse me while I kiss this guy"* [Me dê licença enquanto beijo o cara] em vez de *"'Scuse me while I kiss the sky"* [Me dê licença enquanto beijo o céu] na música *Purple Haze*, de Jimi Hendrix. Esses exemplos são de M. Konnikova, "Excuse me while I kiss this guy", *New Yorker*, 10 dez. 2014.

17. A natureza precisa das unidades varia, porém. Por exemplo, algumas línguas, como a maioria dos dialetos do japonês, são mais bem organizadas em elementos de subpalavras, *mora*, com propriedades particulares de tempo e acentuação, em vez de sílabas. Além disso, fonemas operam de modo bem diferente em línguas de sinais.

18. A ideia de que compreensão de fala e produção de fala se espelham mutuamente tem uma história longa e variada nas ciências da linguagem. Ver, por exemplo, A. M. Liberman e I. G. Mattingly, "The motor theory of speech perception revised", *Cognition* 21, pp. 1-36, 1985; M. J. Pickering e S. Garrod, "An integrated theory of language production and comprehension", *Behavioral and Brain Sciences* 36, pp. 329-47, 2013.

19. T. Ōno e S. Mito, *Just-in-Time for Today and Tomorrow* (Nova York: Productivity Press, 1988). A expressão *"just-in-time"* é usada no campo da engenharia de síntese de fala de maneira semelhante por T. Baumann e D. Schlangen, "INPRO_iSS: a component for just-in-time incremental speech synthesis", em *Proceedings of the ACL 2012 System*

Notas 335

Demonstrations (Stroudsburg, PA: Association for Computational Linguistics, 2012), pp. 103-8.

20. Esta palavra, ou variantes muito próximas, tem uma história surpreendentemente longa no entretenimento e já foi até motivo de ações judiciais em torno da sua autoria. "The real origin of 'supercalifragilistic'", Word History (blog), *Merriam-Webster*, <www.merriamwebster. com/words-at-play/origin-supercalifragilisticexpialidocious>.

21. Os recordes de velocidade de fala são de "Fastest talking female world record set by Fran Capo", *World Record Academy*, <www.world recordacademy.com/human/fastest_talking_female_world_record_ set_by_Fran_Capo_70895.htm>; Rachel Swatman, "Can you recite Hamlet's 'To be or not to be' soliloquy quicker than the fastest talker?", 19 jan. 2018, *Guinness World Records*, <www.guinnessworldrecords.com/news/2018/1/can-you-recite-hamletsto-be-or-not-to-be-soliloquy-quicker-than-the-fastest-t-509944>.

22. K. Conklin e N. Schmitt, "The processing of formulaic language". *Annual Review of Applied Linguistics* 32, pp. 45-61, 2012.

23. M. Skapinker, "Foreign managers' phrases find the back of the net". *Financial Times*, 14 maio 2018. O artigo ao qual Skapinker se refere é M. H. Christiansen e I. Arnon, "More than words: the role of multiword sequences in language learning and use", *Topics in Cognitive Science* 9, pp. 542-51, 2017.

24. F. Wijnen, "Incidental word and sound errors in young speakers". *Journal of Memory and Language* 31, pp. 734-55,1992.

25. Como no caso, respectivamente, dos seguintes exemplos de erro de fala, tirados do apêndice de V. A. Fromkin (Org.), *Speech Errors as Linguistic Evidence* (Haia, Holanda: Mouton, 1973): *"a meal mystery"*, em vez de *"a real mystery"* [um verdadeiro mistério], *"a wife for his job"* em vez de *"a job for his wife"* [uma mulher para o trabalho dele/ um trabalho para a mulher dele] e *"if you'll meet him, you'll stick around"* em vez de *"if you'll stick around, you'll meet him"* [se você o encontrar, vai ficar por perto/ se você ficar por perto, vai encontrá-lo].

26. O linguista Noam Chomsky, de forma um tanto inusitada, afirmou que a língua é quase exclusivamente para monólogos: "Provavelmente, 99,9% do seu uso é interno, na mente. Não se passa um minuto sem que falemos com nós mesmos": N. Chomsky e J. McGilvray, *The Science of Language: Interviews with James McGilvray* (Nova York: Cambridge University Press, 2012). Para uma resenha

persuasiva, ver C. Behme, "Noam Chomsky: the science of language. Interviews with James McGilvray", *Philosophy in Review* 33, pp. 100-3, 2013. Embora possa ser verdade para filósofos amadores (se bem que até isso parece ir longe demais), um estudo empírico que registrou quantas palavras nós realmente enunciamos sugere que em média falamos em voz alta cerca de 16 mil palavras por dia: M. R. Mehl, S. Vazire, N. Ramírez-Esparza, R. B. Slatcher e J. W. Pennebaker, "Are women really more talkative than men?", *Science* 317, p. 82, 2007. Sobre a noção de monólogo de Chomsky, isso significaria que dizemos cerca de 15 milhões e 984 mil palavras para nós mesmos, em silêncio, todos os dias. Tomando como referência uma velocidade média de fala de 150 palavras por minuto, precisaríamos de 1776 horas para pronunciar um dia de nossos monólogos. Mesmo supondo uma rapidez de fala comparável à tagarelice de Fran Capo, de 667 palavras por minuto, ainda precisaríamos de 399 horas, ou mais de duas semanas.

27. M. Pickering e S. Garrod têm sido particularmente influentes em reorientar as ciências da linguagem no sentido de ver o diálogo, e não o monólogo, como fundamental. M. J. Pickering e S. Garrod, "Toward a mechanistic psychology of dialogue", *Behavioral and Brain Sciences* 27, pp. 169-90, 2004.

28. Este parágrafo é inspirado por S. C. Levinson, "Turn-taking in human communication — origins and implications for language processing", *Trends in Cognitive Sciences* 20, pp. 6-14, 2016. Baseia-se também nas seguintes fontes: sobre rapidez nas trocas: T. Stivers, N. J. Enfield, P. Brown, C. Englert, M. Hayashi, T. Heinemann et al., "Universals and cultural variation in turn-taking in conversation", *Proceedings of the National Academy of Sciences* 106, pp. 10 587-92, 2009; sobre rapidez de reconhecimento facial: S. Caharel, M. Ramon e B. Rossion, "Face familiarity decisions take 200 msec in the human brain: electrophysiological evidence from a go/no-go speeded task", *Journal of Cognitive Neuroscience* 26, pp. 81-95, 2014; sobre rapidez para dar nome a imagens: E. Bates, S. D'Amico, T. Jacobsen, A. Székely, E. Andonova, A. Devescovi et al., "Timed picture naming in seven languages", *Psychonomic Bulletin & Review* 10, pp. 344-80, 2003; sobre rapidez para ler em voz alta: D. A. Balota, M. J. Yap, K. A. Hutchison, M. J. Cortese, B. Kessler, B. Loftis et al., "The English lexicon project", *Behavior Research Methods* 39, pp. 445-59, 2007.

Notas   337

29. Aqui nos baseamos em: T. D. Erickson e M. E. Matteson, "From words to meaning: a semantic illusion", *Journal of Verbal Learning and Verbal Behavior* 20, pp. 540-52, 1981; F. Ferreira e N. D. Patson, "The 'good enough' approach to language comprehension", *Language and Linguistics Compass* 1, pp. 71-83, 2007.

30. M. Dingemanse, F. Torreira e N. J. Enfield, "Is 'huh?' a universal word? Conversational infrastructure and the convergent evolution of linguistic items". PLOS ONE 8 p. e78273, 2013.

31. Este diálogo é extraído da amostra "SBC036 judgmental on people", de J. W. Du Bois e R. Englebretson, *Santa Barbara Corpus of Spoken American English*, Part 3 (Philadelphia: Linguistic Data Consortium, 2004). Um arquivo de áudio com os trechos de doze segundos está disponível em <vod.video.cornell.edu/media/TLG_C2_conversation-excerpt/1_419ixr20>, e uma transcrição da conversa completa está disponível em <www.linguistics.ucsb.edu/ sites/secure.lsit.ucsb.edu. ling.d7/files/sitefiles/research/SBC/SBC036.trn>. Para saber mais sobre diferentes estratégias conversacionais que usamos para manter uma conversa fluindo, ver C. Dideriksen, R. Fusaroli, L. Tylén, M. Dingemanse e M. H. Christiansen, "Contextualizing conversational strategies: backchannel, repair and linguistic alignment in spontaneous and task-oriented conversations", em A. Goel, C. Seifert e C. Freksa (Orgs.), *Proceedings of the 41st Annual Conference of the Cognitive Science Society* (Austin, TX: Cognitive Science Society, 2019), pp. 261-7.

3. A insustentável leveza do significado [pp. 81-114]

1. M. Kundera. *The Unbearable Lightness of Being*. Nova York: Harper & Row, 1984. [Ed. bras.: *A insustentável leveza do ser*, São Paulo: Companhia das Letras, 1999.]

2. A frase "a insustentável leveza do significado" foi discutida por George Dunbar, ex-aluno de doutorado do Centro de Ciência Cognitiva da Universidade de Edimburgo, ao descrever a instabilidade de significado das palavras. Apareceu, independentemente, num contexto um pouco diferente: H. Postigo, "Social media: the unbearable lightness of meaning", *Social Media + Society* 1, 2015. DOI: 10.1177/2056305115580342.

3. Esse ponto de vista permite que formas muito diferentes (como padrões de som e sequências de letras) possam estar associadas a dois

338   *O jogo da linguagem*

ou mais significados, seja por coincidência, seja por razões históricas. Assim sendo, banco pode ser referir a assento estreito e comprido ou a instituição financeira. Desse ponto de vista, estamos falando, a rigor, de duas palavras, e não de uma (banco1 e banco2, a bem dizer); elas apenas soam igual, só isso. E supõe-se que cada uma tem um significado bem definido — denotando algum conceito ou aspecto do mundo exterior.

4. Gênesis 2:19.

5. As *Confissões* de Santo Agostinho, em treze volumes, foram escritas em latim entre os anos 397 e 400, e narram a transição de Agostinho de uma vida licenciosa de prazeres, adultério e, talvez inesperadamente, roubo de peras para a de um cristão devoto. Por achar que o breve trecho de Agostinho sobre como se aprende uma língua, do qual tiramos nossa citação, captura eloquentemente o "lugar-comum" da linguagem como filosoficamente não problemática, Wittgenstein abre suas *Investigações filosóficas* com uma citação de Agostinho e observa que o restante do livro visa acabar com o poder que esse ponto de vista tem sobre nós. Wittgenstein, *Philosophical Investigations*, pp. 66-7.

6. Como todos sabem, Willard Van Orman Quine, grande filósofo de Harvard, ilustrou esse argumento imaginando como poderíamos tentar deduzir o significado de uma palavra, *gavagai*, numa língua desconhecida, gritada quando uma lebre aparecia. De maneira muito controversa, Quine sustentou que as traduções de palavras individuais, e de línguas inteiras, jamais podem ser completamente estabelecidas, por mais experiência e por mais exemplos que tenhamos.

7. Ou dois ou mais sentidos, para palavras ambíguas como banco (assento e financeiro) ou porca (fêmea do porco, peça de parafuso). Mas a ambiguidade é muito mais comum do que isso — as formas vagamente interconectadas, porém distintas, em que as palavras são usadas se ramificam nas direções mais inesperadas. Claro, isso é exatamente o que seria de esperar quando se vê a linguagem como jogo de mímica — palavras ou gestos podem ser infinitamente reutilizados, distorcidos ou ampliados de inúmeras maneiras, tendo como limite apenas nossa imaginação.

8. Wray interpretou a donzela em apuros no filme original de 1933.

9. Para uma discussão clássica de metáfora, linguagem e pensamento, ver G. Lakoff e M. Johnson, *Metaphors We Live By* (Chicago: University of Chicago Press, 1980). Os autores chamam a atenção para o quanto

Notas 339

as metáforas podem ser espantosamente difundidas, sistemáticas e mutuamente contraditórias — e para o quanto o nosso jeito de pensar sobre coisas abstratas se baseia em nosso entendimento do mundo físico concreto, incluindo nossos corpos.

10. A coleção de metáforas sobre profundidade mental, incluindo a divisória entre consciente e subconsciente, pode ser altamente enganosa como ponto de partida para uma ciência da mente; ver N. Chater, *The Mind Is Flat.*

11. Como disse o filósofo de Oxford John Austin: "Há... [um]... perigo em palavras que invocam modelos, meio esquecidos ou não. É preciso lembrar que não existe qualquer necessidade de que vários modelos usados para a criação do nosso vocabulário, primitivos ou recentes, se encaixem perfeitamente como parte de um único modelo ou plano total [...]. É possível, e até altamente provável, que nossa miscelânea de modelos inclua alguns, ou muitos, que se sobreponham, entrem em conflito ou, mais genericamente, sejam simplesmente díspares"; J. L. Austin, "A plea for excuses: the presidential address", *Proceedings of the Aristotelian Society* 57, pp. 1-30, 1957.

12. S. Carey, "Conceptual differences between children and adults", *Mind & Language* 3, pp. 167-81, 1988. Nick teve a sorte de ver Sue falar sobre esse trabalho no Centro de Ciência Cognitiva de Edimburgo quando fazia doutorado — uma dessas raras palestras que foram uma completa revelação para Nick. Ele e Mike Oaskford, seu amigo e colega doutorando, continuaram investigando, de início um tanto céticos, com a filha do próprio Mike, entao em idade pré-escolar. Como era de esperar, a estranheza da concepção da criança pré-escolar sobre vivo e morto foi confirmada: verificou-se que o sol estava vivo quando brilhante, e os carros estavam vivos, mas só quando dirigidos por alguém.

13. J. S. Horst e L. K. Samuelson. "Fast mapping but poor retention by 24-month-old infants". *Infancy* 13, pp. 128-57, 2008.

14. F. de Saussure, *Course in General Linguistics.* Nova York: McGrawHill, 1916.

15. P. Monaghan, M. H. Christiansen e S. A. Fitneva. "The arbitrariness of the sign: learning advantages from the structure of the vocabulary". *Journal of Experimental Psychology: General* 140, pp. 325-47, 2011.

16. J. Wilkins, *An Essay Towards a Real Character and a Philosophical Language* (Londres: Gellibrand, 1668). A natureza especulativa e fantasiosa do pensamento de Wilkins é ilustrada pelo próprio título de outra de suas obras, o livro de 1638 *The Discovery of a World in the*

340   *O jogo da linguagem*

Moone. Or, a Discourse Tending to Prove, That 'Tis Probable There May Be Another Habitable World in That Planet [A descoberta de um mundo na Lua, ou Um discurso que tende a provar que é provável que haja outro mundo habitável naquele planeta].

17. U. Eco, *The Search for a Perfect Language* (Nova York: John Wiley & Sons, 1997) [Ed. bras.: *A busca da língua perfeita*. Bauru: Edusc, 2002]. Umberto Eco foi não apenas um fantástico estudioso da linguagem e da cultura mas também o autor do best-seller *O nome da rosa*, entre outros romances.

18. No entanto, apesar de suas características precárias e peculiares, alguma coisa boa resultou do inusitado projeto de Wilkins. Quase dois séculos depois, sua classificação foi uma importante fonte de inspiração para a taxonomia de palavras inglesas no muito querido dicionário analógico de Roget, tal como esboçado em W. Hüllen, *A History of Roget's Thesaurus: Origins, Development, and Design* (Oxford: Oxford University Press, 2003).

19. D. E. Blasi, S. Wichmann, H. Hammarström, P. F. Stadler e M. H. Christiansen, "Sound-meaning association biases evidenced across thousands of languages", *Proceedings of the National Academy of Sciences* 113, pp. 10818-23, 2016. Especificamente, eles examinaram um total de 6452 listas de palavras, cada uma tirada de uma língua ou dialeto diferente (a fronteira entre língua e dialeto é notoriamente difícil de traçar). Como os diferentes dialetos de uma língua costumam ser contados como uma só língua (e não como línguas distintas), essas listas de palavras representam apenas cerca de dois terços das mais ou menos 7 mil línguas do mundo, mas 85% das famílias linguísticas (grupos de línguas aparentadas por descendência comum, como as línguas níger-congolesas, austronésias e indo-europeias).

20. Os símbolos usados aqui são do sistema fonético simplificado adotado no Automated Similarity Judgment Program, que permite que sons sejam comparados em todas as línguas do mundo: S. Wichmann, A. Müller, A. Wett, V. Velupillai, J. Bischoffberger, C. H. Brown et al., *The ASJP Database, version 16* (Leipzig, 2013).

21. W. Köhler, *Gestalt Psychology* (Nova York: Liveright, 1929). Esse tipo de efeito foi descrito pela primeira vez (usando as palavras sem sentido ligeiramente diferentes de *takete* e *maluma*) pelo grande psicólogo gestaltista Wolfgang Köhler, quando trabalhava em Tenerife como diretor da magnificamente intitulada Estação de Pesquisa Antropoide

Notas 341

da Academia Prussiana de Ciências. O interesse no efeito foi reativado e os termos kiki-bouba, fixados, como parte de um projeto de pesquisa mais amplo voltado não primariamente para a linguagem, mas para o fenômeno da sinestesia, no qual diferentes sentidos perceptuais são ligados (de tal modo que notas musicais podem ser percebidas como coloridas, por exemplo); V. S. Ramachandran e E. M. Hubbard, "Synaesthesia: a window into perception, thought and language", *Journal of Consciousness Studies* 8, pp. 3-34, 2001.

22. A. J. Bremner, S. Caparos, J. Davidoff, J. de Fockert, K. J. Linnell e C. Spence, *"Bouba* and *kiki* in Namibia? A remote culture make similar shape-sound matches, but different shape-taste matches to Westerners", *Cognition* 126, pp. 165-72, 2013. Eles descobriram também, curiosamente, que o vínculo entre sabores e imagens não é o mesmo. Ocidentais tendem a associar chocolate amargo com formas angulares e chocolate ao leite com formas redondas. Os himbas mostram exatamente o oposto.

23. O. Ozturk, M. Krehm e A. Vouloumanos, "Sound symbolism in infancy: evidence for sound-shape cross-modal correspondences in 4-month--olds". *Journal of Experimental Child Psychology* 114, pp. 173-86, 2013.

24. A. Aryani, E. S. Isbilen e M. H. Christiansen. "Affective arousal links sound to meaning". *Psychological Science* 31, pp. 978-86, 2020.

25. Curiosamente, Leibniz estava ciente do plano de Wilkins e via sua própria abordagem como mais apropriada para a filosofia e para a ciência do que para desafios práticos de comunicação: L. Couturat, *La Logique de Leibniz* (Paris: Felix Alcan, 1901).

26. O famoso trecho de Leibniz diz assim: "Sempre que surgirem controvérsias, não haverá mais necessidade de discussão entre dois filósofos do que entre dois matemáticos. Pois bastará empunharem as canetas e sentarem ao lado do ábaco, dizendo um para o outro (e se quiserem para um amigo convocado para ajudar): 'Vamos calcular!'": W. Lenzen, "Leibniz's logic", em D. M. Gabbay e J. Woods (Orgs.), *The Rise of Modern Logic: From Leibniz to Frege* (Amsterdam: Elsevier, 2004).

27. F. W. Nietzsche, *The Will to Power* (1901); reimpresso em Nova York: Vintage, 1967. [Ed. Bras.: *A vontade de poder*. Rio de Janeiro: Contraponto, 2008.]

28. I. Kant, *Critique of Pure Reason* (1781); reimpresso em Nova York: Cambridge University Press, 1998. [Ed. Bras.: *Crítica da razão pura*. São Paulo: Nova Cultural, Coleção Os pensadores, 1987.]

342   *O jogo da linguagem*

29. G. W. F. Hegel, *Phenomenology of Spirit* (1807); reimpresso em Oxford: Oxford University Press, 1977. [Ed. Bras.: *Fenomenologia do espírito*. Petrópolis: Vozes, 2011.]

30. Do prefácio de L. Wittgenstein, *Tractatus logico-philosophicus* (1921; reimpresso em Abingdon, UK: Routledge, 2013). [Ed. Bras.: *Tractatus logico-philosophicus*. São Paulo: Edusp, 1993.] Como se sabe, Wittgenstein teve dois períodos filosóficos. O primeiro, expresso no *Tractatus*, visava completamente esclarecer problemas filosóficos pela tradução para uma linguagem perfeitamente lógica na qual as confusões da linguagem de todos os dias seriam eliminadas. O segundo período, culminando em suas *Investigações filosóficas*, de 1953, abandonou a ideia dessa análise lógica abstrata e passou a ver a linguagem como tendo surgido de interações específicas, locais, práticas e assemelhadas ao jogo — aqui é que a ideia de um "jogo da linguagem" foi desenvolvida. Ver também A. Kenny, *Wittgenstein* (Cambridge, MA: Harvard University Press, 1973); R. Monk, *Ludwig Wittgenstein: The Duty of Genius* (Nova York: Random House, 2012); A. Biletzki e A. Matar, "Ludwig Wittgenstein", *Stanford Encyclopedia of Philosophy* (Stanford, CA: 2002; revisado em 2 maio 2018, <plato.stanford.edu/en tries/wittgenstein/>); A. P. Mills, "Knowledge of language", Internet Encyclopedia of Philosophy, <iep.utm.edu/knowlang/>.

31. J. A. Fodor, *The Language of Thought*. Cambridge, MA: Harvard University Press, 1975; J. McCarthy e P. J. Hayes, "Some philosophical problems from the standpoint of artificial intelligence", em B. Meltzer e D. Michie (Orgs.), *Machine Intelligence*, Vol. 4, Edimburgo: Edinburgh University Press, pp. 463-502, 1969.

32. S. Pinker, *The Language Instinct: How the Mind Creates Language*. Nova York: William Morrow, 1994. [Ed. bras.: *O instinto da linguagem: Como a mente cria a linguagem*. São Paulo: Martins Fontes, 2002.]

33. D. R. Dowty, R. Wall e S. Peters, *Introduction to Montague Semantics* (Dordrecht, Netherlands: Kluwer, 1981); R. Cann, *Formal Semantics: An Introduction* (Cambridge: Cambridge University Press, 1993). No entanto, a semântica formal em linguística é um campo restrito em comparação com sua prima, a semântica formal de linguagens de programação de computador, na qual o objetivo é fornecer uma especificação matemática precisa do significado de programas de computador: G. Winskel, *The Formal Semantics of Programming Languages: An Introduction* (Cambridge, MA: MIT Press, 1993). As linguagens de

Notas 343

computador são tudo que as linguagens humanas não são: precisas, disciplinadas e exigindo que tudo seja absolutamente explicado em todos os detalhes, sem que se exijam saltos de imaginação ou de interpretação — na verdade, qualquer tipo de criatividade linguística provavelmente provocará a resposta "erro de sintaxe". Assim sendo, diante disso, descobrir uma teoria formal de significado para linguagens de computador é muito mais viável, ao passo que uma teoria formal completa da linguagem humana é, diríamos nós, uma miragem. Apesar disso, a tentativa de apresentar relatos formais de aspectos específicos de línguas humanas levou a uma compreensão muito mais profunda do funcionamento da linguagem — e a precisão matemática tem sido, de modo geral, imensamente benéfica para o desenvolvimento da teoria linguística: G. K. Pullum, "Formal linguistics meets the boojum", *Natural Language & Linguistic Theory* 7, pp. 137-43, 1989.

34. Curiosamente, Wittgenstein ficou muito impressionado com uma crítica aguda de suas primeiras opiniões de autoria de um colega de Cambridge, o economista Piero Sraffa. O biógrafo de Wittgenstein Norman Malcolm explica: "Sraffa fez um gesto, que para os napolitanos costuma significar qualquer coisa como nojo ou desdém, de esfregar a parte inferior do queixo com um movimento para fora das pontas dos dedos de uma mão. E ele perguntou: 'Qual é a forma lógica disso?'" Não foi bem um jogo de mímica — mas quase: M. Malcolm, *Ludwig Wittgenstein: A Memoir* (Oxford: Oxford University Press, 1958), pp. 58-9.

35. L. Wittgenstein, *Philosophical Investigations*, p. 220.

36. No epílogo, afirmamos que a natureza improvisada e rebelde da linguagem representa um imenso desafio para o projeto de criar inteligência artificial de nível humano — e um desafio que, apesar dos ruídos otimistas de alguns setores da comunidade de inteligência artificial, parece atualmente impossível de superar.

4. Ordem linguística à beira do caos [pp. 115-63]

1. Citado em D. Shariatmadari, "Why it's time to stop worrying about the decline of the English language", *Guardian*, 15 ago. 2019, <www.the guardian.com/science/2019/aug/15/why-its-time-to-stop-worrying-about-the-decline-of-the-english-language>.

2. J. Humphrys, "I h8 txt msgs: how texting is wrecking our language", *Daily Mail*, 24 set. 2007, <www.dailymail.co.uk/news/article-483511/I-h8-txt-msgs-How-texting-wreckinglanguage.html>.

3. Citado em J. Aitchison, "Reith Lectures: is our language in decay?", *Independent*, 23 out. 2011, <www.independent.co.uk/lifestyle/reith-lectures-is-our-language-in-decay-1317695.html>.

4. Disponível em <queens-english-society.org/about/>.

5. J. Aitchison, "Reith Lectures".

6. Adam Ferguson, grande filósofo e teórico social do Iluminismo escocês, descreveu esse surgimento de padrões culturais e econômicos, numa frase célebre, como "o resultado da ação humana, mas não da execução de qualquer desígnio humano", da qual Friedrich Hayek, um dos arquitetos da ordem espontânea nas ciências sociais modernas, mais tarde se apropriou. Quando estávamos na Universidade de Edimburgo, deparávamos diariamente com a construção bem pouco charmosa e desconexa dos anos 1960, o edifício Adam Ferguson, em frente ao velho prédio com terraços em Buccleuch Place que abrigava o Centro de Ciência Cognitiva. Temos vergonha de confessar que nenhum de nós tinha a mínima ideia de quem era Adam Ferguson naquela época, nem mesmo curiosidade alguma de descobrir.

7. As fontes para este parágrafo incluem S. Sturluson, *The Prose Edda*, trad. J. Byock (Londres: Penguin, 2005); E. H. Man, "On the aboriginal inhabitants of the Andaman Islands (Part II)", *Journal of the Anthropological Institute of Great Britain and Ireland* 12, pp. 117-75, 1883; J. A. Teit, "Old-one (Okanagon tales)", in: *Folk-Tales of Salishan and Sahaptin Tribes* (Nova York: American Folk-Lore Society, 1917); P. Sutton, "Materialism, sacred myth and pluralism: competing theories of the origin of Australian languages", in: F. Merlan, J. Morton e A. Rumsey (Orgs.), *Scholar and Sceptic: Australian Aboriginal Studies in Honour of L. R. Hiatt* (Canberra: Aboriginal Studies Press, 1997), pp. 211-42, 297-309.

8. Os três parágrafos seguintes tomam por base o maravilhoso livro de Umberto Eco *A busca da língua perfeita*. As referências à obra dos vários glotólogos discutidos aqui podem ser encontradas no Capítulo 5 do livro.

9. As informações biográficas sobre Rask vêm de H. F. Nielsen, Rasmus Kristian Rask (1787-1832) Liv og Levned, RASK: Internationalt Tidsskrift for Sprog og Kommunikation 28, pp. 25-42, 2008.

Notas   345

10. Os dois parágrafos seguintes baseiam-se em M. F. Müller, *Lectures on the Science of Language* (Londres: Longman, Green, Longman & Roberts, 1862); O. Jespersen, *Language: Its Nature, Development, and Origin* (Nova York: Henry Holt, 1922); D. Crystal, *How Language Works* (Londres: Penguin, 2005).

11. M. F. Müller, "On the Origin of Reason", *Contemporary Review* 31, p. 550, 1878.

12. O artigo 2 dos estatutos de 1866 da sociedade diz o seguinte: *"La Société n'admet aucune communication concernant, soit l'origine du langage soit la création d'une langue universelle"* — A Sociedade não aceita qualquer comunicação relativa à origem das línguas ou à criação de uma língua universal; "Statuts de 1866", Société de Linguistique de Paris, <www.slp-paris.com/statuts1866.html>.

13. Esta seção baseia-se em parte em nossa interpretação da obra de Chomsky ao longo dos anos, incluindo N. Chomsky, *Cartesian Linguistics: A Chapter in the History of Rationalist Thought* (Nova York: Harper & Row, 1966); N. Chomsky, *Reflections on Language* (Nova York: Random House, 1975); N. Chomsky, "Rules and representations", *Behavioral and Brain Sciences* 3, pp. 1-15, 1980,; N. Chomsky, *Language and Mind* (Cambridge: Cambridge University Press, 2006); N. Chomsky, "The language capacity: architecture and evolution", *Psychonomic Bulletin & Review* 24, pp. 200-3, 2017.

14. O projeto de gramática gerativa ramificou-se em muitas direções, algumas bem afastadas do programa do próprio Chomsky, cujos proponentes, caracteristicamente, não compartilham seus pressupostos sobre a existência de uma gramática universal inata — na verdade, muitos não veem a gramática gerativa como necessariamente representada no cérebro de forma alguma. Mesmo no fim dos anos 1980, quando éramos alunos de graduação, teorias gerativas rivais incluíam Gramática Léxico-Funcional, Gramática de Estrutura Sintagmática Generalizada, Gramática Categorial e Gramática de Adjunção de Árvores, entre outras.

15. No Capítulo 5 discutimos o relato de Chomsky sobre como os humanos conseguiram a gramática universal.

16. Diz Chomsky: "Não hesitei em propor um princípio geral de estrutura linguística com base na observação de uma única língua"; N. Chomsky, "On cognitive structures and their development: a reply to Piaget", in: M. Piatelli-Palmarini (Org.), *Language and Learning: The*

Debate between Jean Piaget and Noam Chomsky (Londres: Routledge & Kegan Paul, 1980), p. 48.

17. Estes exemplos são tirados da deliciosa coleção de "Fun things children say", compilada por Bruno Estigarribia de postagens de info-CHILDES em 2013, <childes.talkbank.org/teach/sayings.pdf>.

18. M. Tomasello, *First Verbs: A Case Study of Early Grammatical Development*. Cambridge: Cambridge University Press, 1992; L. Bloom, *Language Development: Form and Function in Emerging Grammars*. Cambridge, MA: MIT Press, 1970.

19. Existe agora uma vasta literatura explorando a maneira construção--por-construção pela qual parece que as crianças aprendem línguas. Para exemplos recentes, ver B. Ambridge, "Against stored abstractions: a radical exemplar model of language acquisition", *First Language 40*, pp. 509-59, 2020; B. MacWhinney, "Item-based patterns in early syntactic development", in: T. Herbst, H.-J. Schmid e S. Faulhaber (Orgs.), *Constructions, Collocations, Patterns* (Berlim: De Gruyter, 2014), pp. 33-69.

20. A questão de saber se os principais agentes de mudanças linguísticas são as crianças ou os adultos ainda está para ser resolvida, e a resposta pode ser diferente para diferentes aspectos da língua; para uma resenha, ver V. Kempe e P. J. Brooks, "Linking adult second language learning and diachronic change: a cautionary note", *Frontiers in Psychology 9*, p. 480, 2018, <www.frontiersin.org/articles/10.3389/fpsyg.2018.00480/full>). No entanto, sofisticadas simulações de computador sugerem que é improvável que as mudanças linguísticas tenham origem em erros que as crianças cometem quando estão aprendendo uma língua: R. A. Blythe e W. Croft, "How individuals change language", PLOS ONE 16, p. e0252582, 2016.

21. M. Dingemanse, S. G. Roberts, J. Baranova, J. Blythe, P. Drew, S. Floyd et al., "Universal principles in the repair of communication problems", PLOS ONE 10, p. e0136100, 2015.

22. Ver, por exemplo, S. DeCock, S. Granger, G. Leech e T. McEnery, "An automated approach to the phrasicon of EFL learners", in: S. Granger (Org.), *Learning English on Computer* (Londres: Addison, Wesley, Longman, 1998), pp. 67-79. Para uma resenha, ver K. Conklin e N. Schmitt. "The processing of formulaic language". *Annual Review of Applied Linguistics 32*, pp. 45-6, 2012.

23. P. W. Culicover, *Syntactic Nuts: Hard Cases, Syntactic Theory, and Language Acquisition*. Nova York: Oxford University Press, 1999.

Notas

24. O conceito de ordem livre tem limites turvos (e não se aplica somente a sujeitos, verbos e objetos, mas também ao lugar onde adjetivos, advérbios e coisas parecidas são colocados). Geralmente, como em latim, certas ordens são mais comuns. E, mesmo em línguas com uma ordem fixa, ordens que fogem ao padrão às vezes também são permitidas. Por exemplo, em inglês pode-se dizer *"Guacamole Mary absolutely adores"*, frase na qual o objeto, guacamole, vem em primeiro lugar por uma questão de ênfase.

25. O grande número de aprendizes adultos do latim como segunda língua também deve ter contribuído para o abandono dos marcadores de caso em troca de uma ordem de palavras fixa — porque os sistemas de casos são notoriamente difíceis para aprendizes não nativos. Cf. C. Bentz e M. H. Christiansen, "Linguistic adaptation: the tradeoff between case marking and fixed word orders in Germanic and Romance languages", in: G. Peng e F. Shi (Orgs.), *Eastward Flows the Great River: Festschrift in Honor of Prof. William S.-Y. Wang on his 80th Birthday* (Hong Kong: City University of Hong Kong Press, 2013), pp. 45-61.

26. B. Heine e T. Kuteva, *The Genesis of Grammar: A Reconstruction*. Nova York: Oxford University Press, 2007; B. Heine e T. Kuteva, "Grammaticalization theory as a tool for reconstructing language evolution", in: M. Tallerman e K. Gibson (Orgs.), *The Oxford Handbook of Language Evolution*. Oxford: Oxford University Press, 2011, pp. 512-27.

27. Nick tem uma lembrança muito viva (e esperamos que não fantasiosa) de dar uma olhada em livros de linguística na livraria Blackwell, em Oxford, em meados dos anos 1990 e folhear aleatoriamente um título mais ou menos novo de Paul Hopper e Elizabetth Traugott sem ter a menor ideia do assunto. Depois de uns cinco minutos, estava completamente fascinado. Do outro lado do Atlântico, Morten teve reação parecida às mesmas ideias. Quando começamos a comparar anotações, percebemos que a ideia de gramaticalização mudaria totalmente nossa visão da linguagem.

28. P. J. Hopper, "Some recent trends in grammaticalization". *Annual Review of Anthropology* 25, pp. 217-36, 1996.

29. E. Van Gelderen, *A History of the English Language*. Amsterdam: John Benjamins, 2014.

30. R. Coleman, "The origin and development of latin habeo+ infinitive", *Classical Quarterly* 21, pp. 215-32, 1971; S. Fleischman, *The Future*

348 *O jogo da linguagem*

in Thought and Language: Diachronic Evidence from Romance. Cambridge: Cambridge University Press, 1982.

31. Para uma análise minuciosa, ver M. B. M. Hansen, "Negation in the history of French", in: D. Willis, C. Lucas e A. Breitbarth (Orgs.), *The History of Negation in the Languages of Europe and the Mediterranean: Volume I Case Studies* (Oxford: Oxford University Press, 2013), pp. 51- -76. Para o uso de *pas* em alguns dialetos do francês coloquial, ver P. J. Hopper, "Some recent trends in grammaticalization", *Annual Review of Anthropology* 25, pp. 217-36, 1996.

32. "Linguists are like 'Get used to it!'", de Britt Peterson, *Boston Globe*, 25 jan. 2015d, <www.bostonglobe.com/ideas/2015/01/25/linguists-are-like-get-used/ruUQoVoXuTLDjx72JojnBI/story.html>.

5. Evolução da linguagem sem evolução biológica [pp. 164-98]

1. C. Darwin, *The Autobiography of Charles Darwin 1809-1882. With the Original Omissions Restored. Edited and with Appendix and Notes by His Grand-Daughter Nora Barlow*. Londres: Collins, 1958, p. 120, <darwin-online.org.uk/content/frameset?pageseq=1&itemID =F1497&viewtype=text>. (Escaneado por John van Wyhe, 2004; ocr por ael Data, dez. 2005; revisado e corrigido por Sue Asscher, dez. 2005.)

2. Wedgwood, por exemplo, publicou uma resenha da obra mais importante de Grimm sobre mudanças de som dentro da família linguística indo-europeia: "Grimm's *Deutsche Grammatik*", *Quarterly Review* 50, pp. 169-89, 1833. Para mais informações sobre o uso da linguagem por Darwin como analogia com a evolução das espécies, ver S. G. Alter, *Darwinism and the Linguistic Image: Language, Race, and Natural Theology in the Nineteenth Century* (Baltimore, md: Johns Hopkins University Press, 2003).

3. Em contraste com a árvore da vida, não há nenhum bom motivo para acreditar que todas as línguas humanas têm uma raiz comum — na verdade, há ótimas razões para supor justamente o contrário: que a linguagem foi inventada e reinventada independentemente muitas vezes.

4. *Metaphysical Notebook N*, em P. H. Barrett, P. J. Gautrey, S. Herbert, D. Kohn e S. Smith (Orgs.), *Charles Darwin's Notebooks, 1836-1844*. Cambridge: Cambridge University Press, 1987, p. 65.

Notas 349

5. C. Darwin, *On the Origin of Species by Means of Natural Selection* (Londres: John Murray, 1859), pp. 422-3. [Ed. bras.: *A origem das espécies*. São Paulo: Ubu, 2018.] Notemos, entretanto, que Darwin também pode ter usado a comparação entre línguas e espécies por achar que sua teoria, quando aplicada à evolução humana, prognosticaria que sociedades "menos" civilizadas teriam de falar línguas menos civilizadas: G. Radick, "Darwin on language and selection", *Selection* 3, pp. 7-16, 2002.

6. C. Darwin, *The Descent of Man, and Selection in Relation to Sex*, v. 1. Londres: J. Murray, 1871, pp. 59-61. [Ed. bras.: *A origem do homem e a seleção sexual*. São Paulo: Itatiaia, 2004.]

7. M. Müller, "The science of language". *Nature* 1, p. 257, 1870.

8. Sobre linguística: R. C. Berwick e N. Chomsky, *Why Only Us? Language and Evolution*. (Cambridge, MA: MIT Press, 2016); sobre psicologia: S. Pinker, *The Language Instinct* (Nova York: William Morrow, 1994); sobre biologia: J. Maynard Smith e E. Szathmáry, *The Origins of Life: From the Birth of Life to the Origin of Language* (Oxford: Oxford University Press, 1999); sobre história: Y. N. Harari, *Sapiens: A Brief History of Humankind* (Nova York: Random House, 2014). [Ed. bras.: Sapiens: Uma breve história da humanidade, São Paulo: Companhia das Letras, 2022.]

9. É por isso que nosso tipo de abordagem costuma ser caricaturado pelos que defendem a existência de um plano genético para a linguagem: S. Pinker, *The Blank Slate: The Modern Denial of Human Nature* (Nova York: Viking, 2003).

10. De E. Bates, "On the nature and nurture of language", in: E. Bizzi, P. Calissano e V. Volterra (Orgs.), *Frontiere della biologia: Il cervello di Homo sapiens*. Roma: Giovanni Trecanni, 1999, pp. 241-65.

11. Por exemplo, M. A. Halliday, "Notes on transitivity and theme in English: Part 2", *Journal of Linguistics* 3, pp. 199-244, 1967; H. H. Clark e S. E. Haviland, "Comprehension and the given new contract", in: R. O. Freedle (Org.), *Discourse Production and Comprehension*. Norwood, NJ: Ablex, 1977, pp. 1-40.

12. A visão da linguagem como organismo tem um longo pedigree histórico que inclui as opiniões do filólogo Chomsky como pai da gramática gerativa, Wilhelm von Humboldt, assim como o linguista alemão August Schleicher, Charles Darwin e Max Müller. Adormecida por quase um século, a ideia foi ressuscitada dentro do moderno contexto evolutivo por R. D. Stevick, "The biological model and historical lin-

guistics", *Language* 39, pp. 159-69, 1963; B. Nerlich, "The evolution of the concept of 'Linguistic evolution' in the 19th and 20th century", *Lingua* 77, pp. 101-12, 1989; e M. I. Sereno, "Four analogies between biological and cultural/linguistic evolution", *Journal of Theoretical Biology* 151, pp. 467-507, 1991. Em sua tese de doutorado de 1994, Morten sugeriu que a linguagem pode ser vista como um "parasita benéfico", frase adotada por T. W. Deacon, *The Symbolic Species: The Co-evolution of Language and the Brain* (Nova York: W. W. Norton, 1997). Para mais discussão, ver M. H. Christiansen e N. Chater, *Creating Language: Integrating Evolution, Acquisition, and Processing* (Cambridge, MA: MIT Press, 2016), cap. 2.

13. Este parágrafo tem como base os seguintes artigos: J. Xu e J. I. Gordon, "Honor thy symbionts", *Proceedings of the National Academy of Sciences* 100, 2003, pp. 10452-9; H. M. Wexler, "Bacteroides: the good, the bad, and the nitty-gritty", *Clinical Microbiology Reviews* 20, pp. 593-621, 2007. Para uma suave e divertida introdução ao nosso microbioma, ver E. Yong, *I Contain Multitudes* (Nova York: Ecco, 2016).

14. S. M. Blinkov e I. I. Glezer. *The Human Brain in Figures and Tables: A Quantitative Handbook.* Nova York: Basic Books, 1968.

15. Obviamente nem todos os micróbios são úteis para nós como o *B. theta* — na verdade, alguns são patógenos francamente nocivos que podem nos fazer adoecer e até mesmo nos matar. No momento em que escrevemos este livro, em 2020-1, a humanidade está às voltas com a pandemia da covid-19 em escala global. Mas é aqui que nossa aliança com o "simbionte da linguagem" é evidentemente crucial — sem a linguagem, não teríamos nenhum dos recursos científicos e organizacionais para derrotar esses invasores virais.

16. R. D. Gray e Q. D. Atkinson, "Language-tree divergence times support the Anatolian theory of Indo-European origin". *Nature* 426, pp. 435-9, 2003.

17. M. R. Frean e E. R. Abraham, "Adaptation and enslavement in endosymbiont-host associations". *Physical Review E: Statistical, Nonlinear, and Soft Matter Physics* 69, p. 051913, 2004.

18. Ao comparar genomas bacterianos extraídos de amostras fecais de gorilas em Camarões, bonobos na República Democrática do Congo, chimpanzés na Tanzânia e humanos nos Estados Unidos, uma equipe de microbiologistas evolucionistas descobriu que diferentes linhagens de Bacteroidaceae (a família de bactérias intestinais à qual *B. theta* pertence) evoluíram em um processo de "coespeciação" com seus

Notas   351

hospedeiros nos últimos 15 milhões de anos. Quer dizer, essas bactérias coevoluíram separadamente com diferentes espécies de hospedeiros conforme a linhagem hominídea se dividia em gorilas, bonobos,
chimpanzés e humanos. Os genes dos simbiontes bacterianos foram
mudando numa velocidade consideravelmente maior que os genes dos
hospedeiros hominídeos, sugerindo uma parceria assimétrica: A. H.
Moeller, A. Caro-Quintero, D. Mjungu, A. V. Georgiev, E. V. Lonsdorf,
M. N. Muller et al., "Cospeciation of gut microbiota with hominids",
Science 353, pp. 380-2, 2016.

19. Ver as obras citadas na nota 8.

20. S. Pinker e P. Bloom, "Natural language and natural selection".
Behavioral & Brain Sciences 13, pp. 707-27, 1990.

21. A. Parker. *In the Blink of an Eye: How Vision Sparked the Big Bang of
Evolution*. Nova York: Basic Books, 2003.

22. S. Pinker, *The Language Instinct*.

23. Para uma discussão completa, ver M. H. Christiansen e N. Chater,
"Language as shaped by the brain", *Behavioral & Brain Sciences* 31, 2008,
pp. 489-558, e *Creating Language*, cap. 2.

24. N. Chater, F. Reali e M. H. Christiansen, "Restrictions on biological
adaptation in language evolution", *Proceedings of the National Academy
of Sciences* 106, 2009, pp. 1015-20. Notemos que a nossa argumentação
não exclui rápidas adaptações biológicas humanas, como a evolução
de genes para a digestão de amido (G. H. Perry, N. J. Dominy, K. G.
Claw, A. S. Lee, H. Fiegler, R. Redon et al., "Diet and the evolution
of human amylase gene copy number variation", *Nature Genetics* 39,
pp. 1256-60, 2007,) e lactose (C. Holden e R. Mace, "Phylogenetic analysis of the evolution of lactose digestion in adults", *Human Biology* 69,
pp. 605-28, 1997), acompanhando o desenvolvimento da agricultura e
da produção de leite. Crucialmente, porém, uma vez que os humanos
se estabeleceram como agricultores já não foi possível retroceder, e
isso impôs uma constante pressão ambiental dentro da qual a seleção
natural pôde operar. Diferentemente, as línguas em constante mudança não criam uma pressão seletiva unidirecional no sentido das
adaptações biológicas à linguagem.

25. A. Baronchelli, N. Chater, R. Pastor-Satorras e M. H. Christiansen,
"The biological origin of linguistic diversity". PLOS ONE 7, p. e48029,
2012.

352   *O jogo da linguagem*

26. Isso significaria também que o multilinguismo — falar mais de uma língua — deveria ser raro, confinado apenas a línguas estreitamente ligadas. Não é o caso. Na verdade, a maioria das populações do mundo fala pelo menos duas línguas: G. Valdés, "Multilingualism", Linguistic Society of America, <www.linguisticsociety.org/resource/multilin gualism>.

27. M. Kislev e R. Barkai, "Neanderthal and woolly mammoth molecular resemblance". *Human Biology* 90, pp. 115-28, 2018.

28. S. Tucci, S. H. Vohr, R. C. McCoy, B. Vernot, M. R. Robinson, C. Barbieri et al, "Evolutionary history and adaptation of a human pygmy population of Flores Island, Indonesia". *Science* 361, pp. 511-16, 2018.

29. Já se sugeriu, de forma polêmica, é verdade, que a primeira língua da humanidade foi uma versão inicial da língua do clique da qual se originaram as línguas coissãs atuais faladas no sul da África: E. Pennisi, "The first language?", *Science* 303, pp. 1319-20, 2004.

30. Tecnicamente falando, Chomsky se refere a "fusão", um hipotético processo computacional que combina dois elementos, como palavras ou frases, numa única unidade e o faz recursivamente, significando que o processo pode ser aplicado muitas e muitas vezes, inclusive a unidades anteriormente combinadas do mesmo tipo. A recursividade é o conceito matemático subjacente a esse processo de combinação. N. Chomsky, "Some simple evo devo theses: how true might they be for language?", in: R. Larson, V. Déprez e H. Yamakido (Orgs.), *The Evolution of Human Language* (Cambridge: Cambridge University Press, 2010), pp. 45-62. Mais tarde a narrativa de Prometeu foi popularizada em R. C. Berwick e N. Chomsky, *Why Only Us?*.

31. F. Karlsson, "Constraints on multiple center-embedding of clauses", *Journal of Linguistics* 43, pp. 365-92, 2007. Devemos notar, porém, que há outros tipos de recursividade que não levantam o mesmo problema. Um exemplo é a recursividade "de cauda", na qual a mesma estrutura gramatical é repetida sucessivamente. Diferentemente das múltiplas frases intercaladas no centro, essas frases com recursividade de cauda não exigem da nossa memória mais do que ela pode dar. Veja-se o caso da velha canção de ninar britânica "The House That Jack Built". Começa com uma única oração intercalada no centro, *"This is the house that Jack built"*, o que está ok para o nosso sistema linguístico. Em seguida a canção entra num circuito no qual vai continuamente acrescentando orações antes de *"the house that*

Jack built". Primeiro se torna *"This is the malt that lay in the house that Jack built"*, em seguida *"This is the rat that ate the malt that lay in the house that Jack built"*, e continua a dar voltas como essa até o impressionante verso final, com setenta palavras: *"This is the farmer sowing his corn, that kept the cock that crow'd in the morn, that waked the priest all shaven and shorn, that married the man all tatter'd and torn, that kissed the maiden all forlorn, that milk'd the cow with the crumpled horn, that tossed the dog, that worried the cat, that killed the rat, that ate the malt, that lay in the house that Jack built"*. Curiosamente, temos poucos problemas com essa frase — mas se em vez de orações antepostas nos víssemos diante de uma versão com orações intercaladas no centro, como uma boneca matrioska, logo nos perderíamos. Como os circuitos com recursividade de cauda podem ser acomodados sem recursividade, enquanto os circuitos intercalados no centro não podem, este último é que está no foco do debate.

32. D. Everett, *How Language Began* (Londres: Profile Books, 2017). As afirmações de Everett são controvertidas, mas está empiricamente bem fundamentada a noção de que as nossas aptidões para compreender a recursão intercalada no centro são muito limitadas, seja qual for a língua que falemos.

33. R. McKie, "Whisper it quietly, but the power of language may all be in the genes", *Guardian*, 7 out. 2001, <www.theguardian.com/educa tion/2001/oct/07/research.highereducation>; C. Kenneally, "First language gene found", *Wired*, 3 out. 2001, <www.wired.com/2001/10/ first-language-gene-found/>; M. Balter, "First 'speech gene' identified", *Science*, 3 out. 2001, <www.sciencemag.org/news/2001/10/ first-speech-gene-identified>.

34. C. S. L. Lai, S. E. Fisher, J. A. Hurst, F. Vargha-Khadem e A. P. Monaco, "A forkhead-domain gene is mutated in a severe speech and language disorder", *Nature* 413, pp. 519-23, 2001. É preciso notar que Simon Fisher, um dos descobridores do FOXP2 e diretor do Departamento de Genética da Linguagem no Instituto Max Planck de Psicolinguística, sustenta há muito tempo que o FOXP2 não é um gene de linguagem: ver, por exemplo, S. E. Fisher, "Tangled webs: tracing the connections between genes and cognition", *Cognition* 101, pp. 270-97, 2006.

35. M. Gopnik, "Feature-blind grammar and dysphasia", *Nature* 244, p. 715, 1990; M. Gopnik e M. B. Crago, "Familial aggregation of a developmental language disorder", *Cognition* 39, pp. 1-50, 1991.

354   *O jogo da linguagem*

36. J. Berko, "The child's learning of English morphology". *Word* 14, pp. 150-77, 1958.

37. S. Pinker, "Talk of genetics and vice versa". *Nature* 413, pp. 465-6, 2001.

38. N. Wade, "Language gene is traced to emergence of humans", *New York Times*, 15 ago. 2002, <www.nytimes.com/2002/08/15/us/language-gene-is-traced-to-emergence-of-humans.html>; Associated Press, "Gene linked to the dawn of speech", *Sciences News*, NBC News, 14 ago. 2002, <www.nbcnews.com/id/3131127/ns/technology_and_science-science/t/gene-linkeddawn-speech>; M. Balter, "'Speech gene' debut timed to modern humans", *Science*, 14 ago. 2002, <www.sciencemag.org/news/2002/08/speech-gene-debut-timed-modern-humans>.

39. W. Enard, M. Przeworski, S. E. Fisher, C. S. Lai, V. Wiebe, T. Kitano et al., "Molecular evolution of FOXP2, a gene involved in speech and language", *Nature* 418, pp. 869-72, 2002. Para uma resenha, ver S. E. Fisher e C. Scharff, "FOXP2 as a molecular window into speech and language", *Trends in Genetics* 25, pp. 166-77, 2009.

40. J. Krause, C. Lalueza-Fox, L. Orlando, W. Enard, R. E. Green, H. A. Burbano et al., "The derived FOXP2 variant of modern humans was shared with Neandertals". *Current Biology* 17, pp. 1908-12, 2007.

41. E. G. Atkinson, A. J. Audesse, J. A. Palacios, D. M. Bobo, A. E. Webb, S. Ramachandran et al., "No evidence for recent selection at FOXP2 among diverse human populations". *Cell* 174, pp. 1424-35, 2018.

42. Apesar de muitas dessas diferenças alélicas aparentemente terem pouco impacto, algumas podem introduzir importantes diferenças entre indivíduos. Por exemplo, variações nos alelos determinam nossa resposta a drogas como varfarina, um anticoagulante (ou afinador do sangue) geralmente usado para tratar coágulos sanguíneos. Os alelos de dois genes, CYP2CP e VKORCI, afetam a rapidez com que a varfarina é metabolizada no corpo. Essa droga foi usada anteriormente como veneno contra rato, por isso é importante tomar a dosagem certa para cada indivíduo, a fim de evitar hemorragia. Usar informações genéticas pode ajudar: D. A. Flockhart, D. O'Kane, M. S. Williams, M. S. Watson, B. Gage, R. Gandolfi et al., "Pharmacogenetic testing of CYP2C9 and VKORCI alleles for warfarin", *Genetics in Medicine* 10, pp. 139-50, 2008.

43. N. S. Caron, G. E. B. Wright e M. R. Hayden, "Huntington disease", in: M. P. Adam, H. H. Ardinger, R. A. Pagon et al. (Orgs.) *GeneReviews*

Notas 355

(Seattle: University of Washington, 1998; atualizado a 5 jul. 2018), <www.ncbi.nlm.nih.gov/books/NBK1305/>.

44. K. L. Mueller, J. C. Murray, J. J. Michaelson, M. H. Christiansen, S. Reilly e J. B. Tomblin, "Common genetic variants in FOXP2 are not associated with individual differences in language development". PLOS ONE 11, p. e0152576, 2016.

45. Os dois estudos com camundongos discutidos aqui são S. Reimers-Kipping, W. Hevers, S. Pääbo e W. Enard, "Humanized FOXP2 specifically affects cortico-basal ganglia circuits", *Neuroscience* 175, pp. 75-84, 2011, e C. Schreiweis, U. Bornschein, E. Burguière, C. Kerimoglu, S. Schreiter, M. Dannemann et al., "Humanized FOXP2 accelerates learning by enhancing transitions from declarative to procedural performance", *Proceedings of the National Academy of Sciences* 111, pp. 14253-8, 2014.

46. K. S. Lashley, "The problem of serial order in behavior", in: L. A. Jeffress (Org.), *Cerebral Mechanisms in Behavior*. Nova York: Wiley, 1951, pp. 112-31.

47. J. B. Tomblin, J. Murray e S. Patil, "Genetics of specific language impairment: multiple approaches", apresentação, 55ª Reunião Anual da Sociedade Americana de Genética Humana, Salt Lake City, UT, 2005; J. B. Tomblin, E. Mainela-Arnold e X. Zhang, "Procedural learning in adolescents with and without specific language impairment", *Language Learning and Development* 3, pp. 269-93, 2007.

48. A área de Broca foi descoberta pelo médico francês Paul Broca em 1861, na autópsia de um indivíduo que tinha danificado essa parte do cérebro e ficara incapaz de falar. A área de Wernicke recebeu esse nome em homenagem ao neurologista alemão Carl Wernicke, que em 1874 percebeu uma ligação entre lesão nessa área e problemas de compreensão de linguagem. Até bem recentemente, supunha-se que essas áreas eram partes cerebrais específicas da linguagem, dedicadas à produção (área de Broca) e à compreensão da linguagem (área de Wernicke): J. Sedivy, *Language in Mind*, 2. ed. (Nova York: Oxford University Press, 2020).

49. Para uma visão geral da evolução cerebral de diferentes sistemas de escrita, ver J. M. Diamond, *Guns, Germs, and Steel* (Nova York: Random House, 1998), cap. 12. [Ed. bras.: *Armas, germes e aço*, Rio de Janeiro, Record, 2002.]

50. Nossa discussão da leitura como produto cultural foi inspirada por S. Dehaene e L. Cohen, "Cultural recycling of cortical maps", *Neuron* 56, pp. 384-98, 2007.

356   *O jogo da linguagem*

51. Para uma resenha, ver D. J. Bolger, C. A. Perfetti e W. Schneider, "Cross-cultural effect on the brain revisited: universal structures plus writing system variation", *Human Brain Mapping* 25, pp. 92-104, 2005. Notemos que a área da forma visual da palavra pode também ter seu papel no acesso mais geral ao significado, embora pareça particularmente importante para o reconhecimento de palavras impressas: J. T. Devlin, H. L. Jamison, L. M. Gonnerman e P. M. Matthews, "The role of the posterior fusiform gyrus in reading", *Journal of Cognitive Neuroscience* 18, pp. 911-22, 2006.

52. É possível, claro, reconhecer e criar, de maneira confiável, símbolos mais complexos, como caracteres chineses — mas esses "justificam" sua complexidade adicional transmitindo palavras inteiras, em vez de sons isolados de fala. Em sistemas de escrita, como na linguagem, uma variedade de permutas entre diferentes restrições é possível.

53. M. A. Changizi, Q. Zhang, H. Ye e S. Shimojo, "The structures of letters and symbols throughout human history are selected to match those found in objects in natural scenes". *American Naturalist* 167, E117-E139, 2006.

54. J. Grainger, S. Dufau, M. Montant, J. C. Ziegler e J. Fagot, "Orthographic processing in baboons (*Papio papio*)", *Science* 336, pp. 245-8, 2012.

55. H. Meng, S. D. Smith, K. Hager, M. Held, J. Liu, R. K. Olson et al., "DCDC2 is associated with reading disability and modulates neuronal development in the brain". *Proceedings of the National Academy of Sciences* 102, pp. 17 053-8, 2005.

56. De E. Bates, "On the nature and nurture of language", in: E. Bizzi, P. Calissano e V. Volterra (Orgs.), *Frontiere della biologia: Il cervello di Homo sapiens*. Roma: Giovanni Trecanni, 1999, pp. 241-65.

6. Nos rastros uns dos outros [pp. 199-232]

1. US Census Bureau, "Quick facts: New York City, New York", <www.census.gov/quickfacts/fact/table/newyorkcitynewyork/PST045219>.

2. Temos uma dívida para com Andy Clark. Quase trinta anos atrás, quando Morten e Andy estavam na Washington University em St. Louis e Nick fez uma visita, discutimos a analogia entre evolução linguística, evolução cultural e a "evolução" das tesouras.

Notas 357

3. N. Chater e M. H. Christiansen, "Language acquisition meets language evolution". *Cognitive Science* 34, pp. 1131-57 2010; Christiansen e Chater, *Creating Language*, cap. 3.

4. Há casos em que o aprendizado N envolve o aprendizado C, como quando se aprende de outros quais plantas são próprias para consumo e quais não são, ou quais alimentos exigem preparo especial para se tornarem comestíveis. E na maioria das sociedades de hoje há várias instituições culturais que ajudam a facilitar o aprendizado N, como oficinas, escolas e universidades, de modo que nesses casos não somos cientistas solitários trabalhando isolados. Mas, em última análise, o que funciona e o que não funciona no aprendizado N ainda depende do mundo exterior, e não de fazermos as mesmas coisas que outras pessoas fazem.

5. D. Wang e H. Li, "Nonverbal language in cross-cultural communication". *Sino-US English Teaching* 4, pp. 66-70, 2007.

6. Por exemplo, R. Jackendoff, *The Architecture of the Language Faculty*. Cambridge, MA: MIT Press, 1997, p. 5.

7. F. C. Bartlett. *Remembering; A Study in Experimental and Social Psychology*. Cambridge: Cambridge University Press, 1932.

8. E. A. Esper. "Social transmission of an artificial language". *Language* 42, pp. 575-80, 1966.

9. S. Kirby, H. Cornish e K. Smith. "Cumulative cultural evolution in the laboratory: an experimental approach to the origins of structure in human language". *Proceedings of the National Academy of Sciences* 105, pp. 10681-5, 2008.

10. Kirby e colegas removeram rótulos duplicados para que cada cena visual fosse associada a um único rótulo. O objetivo era simular uma pressão comunicativa para evitar ambiguidade. Num estudo posterior, em que as pessoas tinham não só que aprender rótulos, mas também usá-los para se comunicarem com terceiros — e precisavam, portanto, ser tão específicas quanto possível —, eles obtiveram os mesmos resultados; ver S. Kirby, M. Tamariz, H. Cornish e K. Smith, "Compression and communication in the cultural evolution of linguistic structure", *Cognition* 141, pp. 87-102, 2015.

11. H. Cornish, R. Dale, S. Kirby e M. H. Christiansen. "Sequence memory constraints give rise to language-like structure through iterated learning", PLOS ONE 12, p. e0168532, 2017.

12. T. Dobzhansky, "Nothing in biology makes sense except in the light of evolution", *American Biology Teacher* 35, pp. 125-9, 1973.

358   *O jogo da linguagem*

13. O estudo original sobre a lacuna de 30 milhões de palavras é B. Hart e T. Risley, *Meaningful Differences in the Everyday Experience of Young American Children* (Baltimore: Brookes, 1995). Foi popularizado em B. Hart e T. R. Risley, "The early catastrophe: the 30 million word gap by age 3", *American Educator* 27, pp. 4-9, 2003. Exemplos de cobertura jornalística: G. Bellafante, "Before a test, a poverty of words", *New York Times*, 5 out. 2012, <www. nytimes.com/2012/10/07/nyregion/for-poor-schoolchildren-apoverty-of-words.html>; "Closing the 'word gap' between rich and poor", NPR, 28 dez. 2013, <www.npr.org/2013/12/29/257922222/closing-the-word-gap-between-rich-and-poor>; J. Ludden, "Efforts to close the achievement gap in kids start at home", *All Things Considered*, NPR, 17 mar. 2014, <www.npr.org/2014/03/17/289799002/efforts-to-close-the-achievement-gapin-kids-start-at-home>. Estudos sobre as relações entre input, vocabulário e habilidades linguísticas: E. Hoff, "How social contexts support and shape language development", *Developmental Review* 26, pp. 55-88, 2006; M. Burchinal, K. McCartney, L. Steinberg, R. Crosnoe, S. L. Friedman, V. McLoyd et al., "Examining the black-white achievement gap among low income children using the NICHD study of early child care and youth development", *Child Development* 82, pp. 1404-20, 2011. Discussões recentes sobre a lacuna de 30 milhões de palavras têm sido mais matizadas: A. Kamenetz, "Let's stop talking about the '30 million word gap'", *All Things Considered*, NPR, 1º jun. 2018, <www.npr.org/sections/ed/2018/06/01/615188051/lets-stop-talking-about-the-30-million-word-gap>; R. Pondiscio, "Don't dismiss that 30 million-word gap quite so fast", *EducationNext*, 6 jun. 2019, <www.educationnext.org/dont-dismiss-30-million-word-gap-quite-fast/>; R. Michnick Golinkoff, E. Hoff, M. Rowe, C. Tamis-LeMonda e K. Hirsh-Pasek, "Talking with children matters: defending the 30 million word gap", Education Plus Development (blog), Brookings, 21 maio 2018, <www. brookings.edu/blog/education-plus-development/2018/05/21/defending-the-30-million-word-gap-disadvantaged-childrendont-hear-enough-child-directed-words/>.

14. The Fix Team, "Transcript: the third democratic debate", *Washington Post*, 12 set. 2019, <www.washingtonpost.com/politics/2019/09/13/transcript-third-democratic-debate/>.

15. Nossa própria análise rápida da parte conversacional do British National Corpus mostra que as mil palavras mais usadas são respon-

Notas 359

sáveis por 90% das palavras faladas nas conversas diárias (agradecemos a Christoph Rühlemann da Albert-Ludwigs-Universität Freiburg, Alemanha, por nos fornecer as listas de palavras relevantes). Outras análises mostram resultados similares: I. S. P. Nation, "How large a vocabulary is needed for reading and listening?", *Canadian Modern Language Review* 63, pp. 59-82, 2006; M. P. Rodgers e S. Webb, "Narrow viewing: the vocabulary in related television programs", TESOL *Quarterly* 45, pp. 689-717, 2011.

16. A. L. Paugh e K. C. Riley, "Poverty and children's language in anthropological perspective", *Annual Review of Anthropology*, 48, pp. 297-315, 2019.

17. Essas interações em tempo real podem ocorrer pessoalmente ou por meio de videoconferências, em aplicativos como Skype ou Zoom, desde que envolvam a alternância e o timing típicos das tomadas de turno conversacionais: I. S. Roseberry, K. Hirsh-Pasek e R. M. Golinkoff, "Skype me! Socially contingent interactions help toddlers learn language", *Child Development* 85, pp. 956-70, 2014.

18. A. Fernald, V. A. Marchman e A. Weisleder, "SES differences in language processing skill and vocabulary are evident at 18 months", *Developmental Science* 16, pp. 234-48, 2013; N. Hurtado, V. A. Marchman e A. Fernald, "Does input influence uptake? Links between maternal talk, processing speed and vocabulary size in Spanish-learning children", *Developmental Science* 11, pp. F31-F39, 2008.

19. R. R. Romeo, J. A. Leonard, S. T. Robinson, M. R. West, A. P. Mackey, M. L. Rowe et al., "Beyond the 30-million-word gap: children's conversational exposure is associated with language related brain function", *Psychological Science* 29, pp. 700-10, 2018.

20. Mais de 90% dos estudos recentes da psicologia e do comportamento humanos têm como participantes pessoas de países democráticos ocidentais, instruídos, industrializados e ricos, os quais, como grupo, foram rotulados pelo acrônimo um tanto zombeteiro de WEIRD ["esquisitão", "peculiar", a partir de Western, Educated, Industrialized, Rich, Democratic]. J. Henrich, S. J. Heine e A. Norenzayan, "Beyond WEIRD: towards a broad-based behavioral science", *Behavioral and Brain Sciences* 33, pp. 111-35, 2010.

21. Para um exemplo da propagação da afirmação inicial, ver S. Pinker, *Language Instinct*. Para estudos minuciosos, ver P. Vogt, J. D. Mastin e D. M. A. Schots, "Communicative intentions of child-directed

speech in three different learning environments: observations from the Netherlands, and rural and urban Mozambique", *First Language* 35, pp. 341-58, 2015; A. Cristia, E. Dupoux, M. Gurven e J. Stieglitz, "Child-directed speech is infrequent in a forager-farmer population: a time allocation study", *Child Development* 90, pp. 759-73, 2017; L. A. Shneidman e S. Goldin-Meadow, "Language input and acquisition in a Mayan village: how important is directed speech?", *Developmental Science* 15, pp. 659-73, 2012.

22. J. P. Bunce, M. Soderstrom, E. Bergelson, C. R. Rosemberg, A. Stein, F. Alam et al., "A cross-cultural examination of young children's everyday language experiences", PsyArXiv, 2 set. 2020, <doi.org/10.31234/osf.io/723pr>.

23. M. Casillas, P. Brown e S. C. Levinson, "Early language experience in a Papuan community", *Journal of Child Language* 48, pp. 792-814, 2021.

24. J. E. Henderson, "Phonology and grammar of Yele, Papua New Guinea" (monografia, Pacific Linguistics Series B 112, Department of Linguistics, Australian National University, Camberra, 1995), p. 14.

25. M. Casillas et al., "Early language experience in a Papuan community".

26. Existe, obviamente, substancial variação dentro de cada sociedade industrializada. Isso é verdade especialmente nos Estados Unidos, onde diferenças tanto étnicas como socioeconômicas podem levar a variações culturais que se estendem por todo o leque do que já discutimos aqui com relação a ênfase na escolaridade e na contribuição em atividades da família: E. Ochs e T. Kremer-Sadl, "Ethical blind spots in ethnographic and developmental approaches to the language gap debate", *Langage et Société* 170, pp. 39-67, 2020.

27. H. R. Waterfall, "A little change is a good thing: feature theory, language acquisition, and variation sets", dissertação de doutorado inédita, University of Chicago, 2006; J. F. Schwab ed C. Lew-Williams, "Repetition across successive sentences facilitates young children's word learning", *Developmental Psychology* 52, pp. 879-86, 2016.

28. Evidências de análises de corpus sugerem que crianças de famílias de baixa renda de fato encontram menos contextos de irrupção com repetições de palavras em múltiplas declarações consecutivas do que seus pares de alta renda tanto em hebraico como em inglês britânico: T. A. L. Shira e I. Arnon, "SES effects on the use of variation sets in child-directed speech", *Journal of Child Language* 45, pp. 1423-38, 2018.

Notas 361

29. Sobre melhores habilidades linguísticas com mais interação (ver também fontes na nota 18): F. J. Zimmerman, J. Gilkerson, J. A. Richards, D. A. Christakis, D. Xu, S. Gray e U. Yapanel, "Teaching by listening: the importance of adult-child conversations to language development", *Pediatrics* 124, pp. 342-9, 2009; A. Weisleder e A. Fernald, "Talking to children matters: early language experience strengthens processing and builds vocabulary", *Psychological Science* 24, pp. 2143-52, 2013. Sobre conversas a respeito do que interessa às crianças em: M. McGillion, J. M. Pine, J. S. Herbert e D. Matthews, "A randomised controlled trial to test the effect of promoting caregiver contingent talk on language development in infants from diverse socioeconomic status backgrounds", *Journal of Child Psychology and Psychiatry* 58, pp. 1122-31, 2017. Sobre ajudar as crianças a aprenderem conceitos abstratos: K. Leech, R. Wei, J. R. Harring e M. L. Rowe, "A brief parent-focused intervention to improve preschoolers" conversational skills and school readiness", *Developmental Psychology* 54, pp. 15-28, 2018.

7. Infinitas formas de grande beleza [pp. 233-69]

1. A história de Laura Bridgman, salvo indicação em contrário, baseia-se nas seguintes fontes: S. G. Howe, *Annual Reports of the Perkins Institution* (Boston: John Eastburn, 1838-42); L. E. Richards, *Laura Bridgman: The Story of an Opened Door* (Nova York: D. Appleton & Co., 1928); B. L. McGinnity, J. Seymour-Ford e K. J. Andries, "Laura Bridgman", Perkins History Museum, Perkins School for the Blind, Watertown, MA, <www.perkins.org/ history/people/laura-bridgman>; L. Menand, "Laura's world: what a deaf-blind girl taught the nineteenth century", *New Yorker*, jun. 2001, <www.newyorker.com/ magazine/2001/07/02/ lauras-world>; R. Mahoney, "The education of Laura Bridgman", *Slate*, maio 2014, <slate.com/human-inte rest/2014/05/laura-bridgman-the-first-deaf-blind-person-to-be-succes sfullyeducated-before-her-teacher-abandoned-her.html>.
2. C. Dickens, *American Notes for General Circulation*, Vol. 1, Londres: Chapman & Hall, 1842, p. 73.
3. S. G. Howe, *Ninth Annual Report of the Perkins Institution*. Boston: John Eastburn, 1841, p. 26.
4. L. E. Richards, *Laura Bridgman*, p. 36.

362   *O jogo da linguagem*

5. É essa ancoragem na parte submersa do iceberg que ainda nos permite a comunicação uns com os outros, apesar de cada um de nós ter uma versão diferente da língua da nossa comunidade. Assim sendo, ter nossa própria língua não significa ter uma "língua privada", no sentido de Wittgenstein (*Investigações filosóficas*), porque o significado dos seus termos ainda tem origem no uso da língua e na interação, como esboçamos no Capítulo 1.

6. Este parágrafo se baseia em várias fontes: K. Kashefi e D. R. Lovley, "Extending the upper temperature limit for life", *Science* 301, p. 934, 2003; C. Dalmasso, P. Oger, G. Selva, D. Courtine, S. L'Haridon, A. Garlaschelli et al., "*Thermococcus piezophilus sp.* nov., a novel hyperthermophilic and piezophilic archaeon with a broad pressure range for growth, isolated from a deepest hydrothermal vent at the mid-Cayman rise", *Systematic and Applied Microbiology* 39, pp. 440-4, 2016; M. S. Dodd, D. Papineau, T. Grenne, J. F. Slack, M. Rittner, F. Pirajno et al., "Evidence for early life in Earth's oldest hydrothermal vent precipitates", *Nature* 543, pp. 60-4, 2017; National Stone Institute, *Stone Testing* (Oberlin, OH: Marble Institute of America, 2016); S. A. Padder, R. Prasad e A. H. Shah, "Quorum sensing: a less known mode of communication among fungi", *Microbiological Research* 210, pp. 51-8, 2018.

7. A. Kalske, K. Shiojiri, A. Uesugi, Y. Sakata, K. Morrell e A. Kessler, "Insect herbivory selects for volatile-mediated plant-plant communication", *Current Biology* 29, pp. 3128-33, 2019.

8. Este parágrafo se baseia em C. Grüter, "Communication in social insects: sophisticated problem solving by small brains", in: R. Menzel e J. Fischer (Orgs.), *Animal Thinking: Contemporary Issues in Comparative Cognition*. Cambridge, MA: MIT Press, 2011, pp. 163-73.

9. R. T. Hanlon e J. B. Messenger, "Adaptive coloration in young cuttlefish (*Sepia officinalis L.*): the morphology and development of body patterns and their relation to behaviour", *Philosophical Transactions of the Royal Society of London B, Biological Sciences* 320, pp. 437-87, 1988; P. Karoff, "'Chameleon of the sea' reveals its secrets", Harvard John A. Paulson School of Engineering and Applied Sciences, 29 jan. 2014,<www.seas.harvard.edu/ news/2014/01/chameleon-sea-reveals-its-secrets>; R. T. Hanlon, M. J. Naud, P. W. Shaw e J. N. Havenhand, "Transient sexual mimicry leads to fertilization", *Nature* 433, p. 212, 2005.

Notas

10. T. Price, P. Wadewitz, D. Cheney, R. Seyfarth, K. Hammerschmidt e J. Fischer, "Vervets revisited: a quantitative analysis of alarm call structure and context specificity", *Nature Scientific Reports* 5, 1320, 2015.

11. F. Wegdell, K. Hammerschmidt e J. Fischer, "Conserved alarm calls but rapid auditory learning in monkey responses to novel flying objects". *Nature Ecology & Evolution* 3, pp. 1039-42, 2019.

12. S. Dolotovskaya, J. Torroba Bordallo, T. Haus, A. Noll, M. Hofreiter, D. Zinner et al., "Comparing mitogenomic timetrees for two African savannah primate genera (Chlorocebus and Papio)", *Zoological Journal of the Linnean Society* 181, pp. 471-83, 2017.

13. D. C. Dennett, "Intentional systems in cognitive ethology: the 'Panglossian paradigm' defended", *Behavioral & Brain Sciences* 6, pp. 343-90, 1983; R. Dunbar, *Gossip, Grooming and the Evolution of Language*. Cambridge, MA: Harvard University Press, 1996; L. F. Wiener, "The evolution of language: a primate perspective", *Word* 35, pp. 255-69, 1984.

14. N. Collar e D. A. Christie, "Common nightingale (*Luscinia megarhynchos*), version 1.0", in: J. del Hoyo, A. Elliott, J. Sargatal, D. A. Christie e E. de Juana (Orgs.), *Birds of the World*. Ithaca, NY: Cornell Lab of Ornithology, 2020, <birdsoftheworld.org/bow/species/comnig1/cur/introduction>.

15. A. R. Chandler, "The nightingale in Greek and Latin poetry", *Classical Journal* 30, pp. 78-84, 1934; C. Maxwell, *The female sublime from Milton to Swinburne: bearing blindness*. Manchester: Manchester University Press, 2001.

16. Entre muitos pássaros canoros europeus e norte-americanos, o mais típico é só os machos cantarem, mas essa regra não vale para o mundo inteiro. Na verdade, é provável que o canto das fêmeas seja um traço ancestral que foi derrubado pela seleção natural nas regiões temperadas do norte: M. L. Hall, K. Riebel, K. E. Omland, N. E. Langmore e K. J. Odom, "Female song is widespread and ancestral in songbirds", *Nature Communications* 5, pp. 1-6, 2014; K. Riebel, K. J. Odom, N. E. Langmore e M. L. Hall, "New insights from female bird song: towards an integrated approach to studying male and female communication roles", *Biology Letters* 15, p. 20190059, 2019.

17. Muitos pássaros têm gritos de alarme que (como os macacos verdes) podem servir para alertar contra perigos, para comunicar localização entre duplas ou membros de um bando, ou para pedir comida — mas esses chamados são quase sempre inatos: S. A. Gill e A. M. K. Bierema,

"On the meaning of alarm calls: a review of functional reference in avian alarm calling", *Ethology* 119, pp. 449-61, 2013. Há exceções, como a notável capacidade de aprendizado dos papagaios, mas essa capacidade não parece ser tão observável no hábitat natural quanto no laboratório: I. M. Pepperberg, "Acquisition of the same/ different concept by an African grey parrot (*Psittacus erithacus*): learning with respect to categories of color, shape, and material", *Animal Learning and Behavior* 15, pp. 423-32, 1987.

18. Exemplo do canto da ave-lira-soberba: Zoos South Australia, "Superb lyrebird imitating construction work", Adelaide Zoo, vídeo, 4:01, 3 ago. 2009, <www.youtube.com/watch?v=WeQjkQpeJwY>.

19. Sobre a raridade de dialetos dos pássaros canoros: J. Podos e P. S. Warren, "The evolution of geographic variation in birdsong", *Advances in the Study of Behavior* 37, pp. 403-58, 2007. Sobre variação no canto dos chapins-de-cabeça-preta: D. E. Kroodsma, B. E. Byers, S. L. Halkin, C. Hill, D. Minis, J. R. Bolsinger et al., "Geographic variation in black-capped chickadee songs and singing behavior", *The Auk* 116, pp. 387-402, 1999. Sobre dialetos associados a variação genética: E. A. MacDougall-Shackleton e S. A. MacDougall-Shackleton, "Cultural and genetic evolution in mountain white-crowned sparrows: song dialects are associated with population structure", *Evolution* 55, pp. 2568-75, 2001.

20. Este parágrafo se baseia em K. Riebel, R. F. Lachlan e P. J. Slater, "Learning and cultural transmission in chaffinch song", *Advances in the Study of Behavior* 47, pp. 181-227, 2015; S. Carouso-Peck, O. Menyhart, T. J. DeVoogd e M. H. Goldstein, "Contingent parental responses are naturally associated with zebra finch song learning", *Animal Behaviour* 165, pp. 123-32, 2020; M. D. Beecher, "Why are no animal communication systems simple languages?", *Frontiers in Psychology* 12, p. 602635, 2021.

21. A transmissão cultural de aprendizado vocal aparece em algumas outras espécies, como nas baleias jubarte, mas essas espécies estão sujeitas às mesmas limitações dos pássaros canoros — e talvez seja mais apropriado também chamar o canto das baleias de "música das baleias". E. Mercado III e C. E. Perazio, "Similarities in composition and transformations of songs by humpback whales (*Megaptera novaeangliae*) over time and space", *Journal of Comparative Psychology* 135, pp. 28-50, 2021.

Notas

22. O. Fehér, H. Wang, S. Saar, P. P. Mitra e O. Tchernichovski, "De novo establishment of wild-type song culture in the zebra finch", *Nature* 459, pp. 564-8, 2009.

23. A. Diez e S. A. MacDougall-Shackleton, "Zebra finches go wild! Experimental cultural evolution of birdsong", *Behaviour* 157, pp. 231--65, 2020.

24. Nós demos mais atenção à comunicação por meio de sinalização química, visual e auditiva, mas outros modos sensoriais também são convocados para comunicar, por meios táteis, elétricos e vibracionais. No entanto, a não ser o caso de Laura Bridgman, que usava o tato para se comunicar, nenhum desses modos de comunicação permite o tipo de variação adaptável visto na linguagem humana.

25. Este parágrafo se baseia em D. M. Eberhard, G. F. Simons e C. D. Fennig, "Sign language", em *Ethnologue: Languages of the World*, 23 ed. (Dallas, TX: SIL International, 2020), <www.ethnologue.com>; National Institute on Deafness and Other Communication Disorders, *American Sign Language* (ficha técnica), NIH Publication No. 11-4756 (Bethesda, MD: National Institutes of Health, mar. 2019).

26. Fontes relevantes são T. Daneyko e C. Bentz, "Click languages tend to have large phoneme inventories: implications for language evolution and change", in: Y. Sahle, H. Reyes-Centeno e C. Bentz (Orgs.), *Modern Human Origins and Dispersal* (Tübingen: Kerns Verlag, 2019), pp. 315-29; M. Yip, *Tone* (Cambridge: Cambridge University Press, 2002).

27. J. Meyer, "Typology and acoustic strategies of whistled languages: phonetic comparison and perceptual cues of whistled vowels", *Journal of the International Phonetic Association* 38, pp. 69-94, 2008; H. F. Nater, The Bella Coola Language, Mercury Series, *Canadian Ethnology Service* 92. Ottawa: National Museums of Canada, 1984.

28. Este parágrafo tem como base N. Evans e S. C. Levinson, "The myth of language universals: language diversity and its importance for cognitive science", *Behavioral and Brain Sciences* 32, pp. 429-48, 2009; T. E. Payne, *Describing Morphosyntax: A Guide for Field Linguists* (Cambridge: Cambridge University Press, 1997); T. Osada, *A Reference Grammar of Mundari* (Tóquio: Institute for the Study of Languages and Cultures of Asia and Africa, Tokyo University of Foreign Studies, 1992).

29. E. Schultze-Berndt, "Simple and complex verbs in Jaminjung: a study of event categorisation in an Australian language". Nijmegen: Radboud University, 2000 (Tese de doutorado).

30. A. Y. Aikhenvald, *Classifiers: A Typology of Noun Categorization Devices* (Oxford: Oxford University Press, 2000); P. K. Austin, "A grammar of the Diyari language of north-east South Australia", tese de doutorado. Camberra: Australian National University, 1978.

31. Este parágrafo se baseia em N. Evans e S. C. Levinson, "The myth of language universals"; M. Steedman, "Foundations of universal grammar in planned action".In: M. H. Christiansen, C. Collins e S. Edelman (Orgs.), *Language Universals* (Nova York: Oxford University Press, 2009), pp. 174-99; D. L. Everett, "Cultural constraints on grammar and cognition in Pirahã: another look at the design features of human language", *Current Anthropology* 46, pp. 621-46, 2005.

32. Este parágrafo se baseia em: A. Y. Aikhenvald, *Evidentiality* (Oxford: Oxford University Press, 2004); S. McLendon, "Evidentials in eastern Pomo with a comparative survey of the category in other pomoan languages", in: A. Y. Aikhenvald e D. M. V. Dixon (Orgs.), *Studies in Evidentiality* (Filadélfia: John Benjamins, 2003), pp. 101-29.

33. Este parágrafo é baseado na transcrição da entrevista da Fox News Channel com Dick Cheney, 15 fev. 2006, <www.nbcnews.com/id/11373634#.XrLbfy-Z3OQ>; E. Loeweke e J. May, *General grammar of Fasu (Namo Me)* (Ukarumpa: Summer Institute of Linguistics, 2008).

34. A rigor, há livros inteiros dedicados a essas curiosidades linguísticas, como G. Dorren, *Babel: Around the World in Twenty Languages* (Nova York: Atlantic Monthly Press, 2018); G. McCulloch, *Because Internet: Understanding The New Rules of Language* (Nova York: Riverhead Books, 2019); J. McWhorter, *What Language Is, And What It Isn't And What It Could Be* (Nova York: Avery, 2012).

35. Citado em H. Hitchings, *The Language Wars: A History of Proper English* (Nova York: Farrar, Straus & Giroux, 2011), p. 21.

36. Unesco, *Atlas of the World's Languages in Danger.* Paris: Unesco, 2010, <www.unesco.org/languages-atlas/>. As línguas ameaçadas da Europa são um indício da ameaça mais ampla de rápido declínio e extinção que muitas línguas menores correm no mundo inteiro em consequência da globalização, com substancial perda colateral de conhecimento cultural: A. Kik, M. Adamec, A. Y. Aikhenvald, J. Bajzekova, N. Baro, C. Bowern et al., "Language and ethnobiological skills decline precipitously in Papua New Guinea, the world's most linguistically diverse nation", *Proceedings of the National Academy of Sciences* 118, p. e2100096118, 2021.

37. D. Nettle, "Explaining global patterns of language diversity", *Journal of Anthropological Archaeology* 17, pp. 354-74, 1998.
38. N. Evans e S. C. Levinson, op. cit..
39. R. Molesworth, *An Account of Denmark, as It Was in the Year 1692*. Londres: Goodwin, 1694, p. 91.
40. K. Tucholsky, "Eine schöne Dänin", in: *Gesammelte Werke in zehn Bänden*, V. 5, 1927; reimp. Hamburgo: Rowohlt, 1975.
41. O esquete é do programa humorístico norueguês chamado Uti Vår Hage e pode ser visto em <www.youtube.com/watch?v=s-mOY-8VUEBk>.
42. Salvo quanto explicitamente indicado em sentido contrário, esta seção se baseia na exaustiva resenha do dinamarquês por F. Trecca, K. Tylén, A. Højen e M. H. Christiansen, "Danish as a window onto language processing and learning", *Language Learning* 71, pp. 799-833, 2021, <doi. Org/10.1111/lang.12450>.
43. As transliterações dos exemplos são bastantes rudimentares, portanto, para leitores familiarizados com o Alfabético Fonético Internacional, aqui vão algumas transcrições mais precisas. Dinamarquês: *løbe* (correr) [ˈløːu̯ə]; *kniv* (faca) [ˈkʰniu̯ˀ]; *røget ørred* (truta defumada) [ˈʁʌjəð̞ˈœɐ̯ʌð̞]; *Find bilen!* (Achem o carro!) [ˈfe̞nʔ ˈb̥iːʔln̩]; *Her er aben!* (Aí está o macaco!) [ˈheˀʌ̯ æʌ̯ˈɛːb̥m̩]. Norueguês: *røkt ørret* (truta defumada) [rœkt œ̂rːət].
44. E. Kidd, S. Donnelly e M. H. Christiansen, "Individual differences in language acquisition and processing", Trends in *Cognitive Sciences* 22, pp. 154-69, 2018; E. Dąbrowska, "Different speakers, different grammars: individual differences in native language attainment", *Linguistic Approaches to Bilingualism* 2, pp. 219-25, 2012; J. Street e E. Dąbrowska, "More individual differences in language attainment: how much do adult native speakers of English know about passives and quantifiers?", *Lingua* 120, pp. 2080-94, 2010.
45. S. Goudarzi, "We all speak a language that will go extinct", *New York Times*, 12 ago. 2020, <www.nytimes.com/2020/08/12/opinion/language-translation.html>.
46. C. Tennie, J. Call e M. Tomasello, "Ratcheting up the ratchet: on the evolution of cumulative culture", *Philosophical Transactions of the Royal Society B: Biological Sciences* 364, pp. 2405-15, 2009.

8. O círculo virtuoso: Cérebros, cultura e linguagem [pp. 270-306]

1. H. A. Wisbey Jr, "The life and death of Edward H. Rulloff ", Crooked Lake Review, maio 1993, <www.crookedlakereview.com/articles/34_66/62may1993/62wisbey.html>.

2. Todo o diagrama dos elementos e conexões do minúsculo "cérebro" do C. Elegans é conhecido; ver, por exemplo, S. J. Cook, T. A. Jarrell, C. A. Brittin, Y. Wang, A. E. Bloniarz, M. A. Yakovlev et al., "Whole-animal connectomes of both Caenorhabditis elegans sexes", Nature 571, pp. 63-71, 2019. Tentar vincular um diagrama de elementos e conexões a um comportamento, porém, mesmo em se tratando dessa minúscula lombriga, continua a ser um desafio e tanto: F. Jabr, "The connectome debate: is mapping the mind of a worm worth it?", Scientific American, 2 out. 2012.

3. F. De Waal, Are We Smart Enough to Know How Smart Animals Are? (Nova York: W. W. Norton, 2016) [Ed. bras.: Somos inteligentes o bastante para saber quão inteligentes são os animais?. Rio de Janeiro: Zahar, 2022]. Os números citados aqui são para o sistema nervoso inteiro, não apenas para o cérebro. Os humanos não são, de forma alguma, o animal com o maior número de neurônios (ou tamanho de cérebro), sendo eclipsados pelas baleias e, até certo ponto, pelos elefantes.

4. A. Washburn, "Helen Hamilton Gardener", in: E. T. James, J. Wilson James e P. S. Boyer (Orgs.), Notable American Women, 1607-1950: A Biographical Dictionary, Vol. 2. Cambridge, MA: Harvard University Press, 1974, pp. 11-3.

5. C. Koch, "Does brain size matter?", Scientific American Mind, jan.-fev. 2016, pp. 22-5.

6. V. van Ginneken, A. van Meerveld, T. Wijgerde, E. Verheij, E. de Vries e J. van der Greef, "Hunter-prey correlation between migration routes of African buffaloes and early hominids: evidence for the 'out of Africa' hypothesis", Annals of Integrative Molecular Medicine 4, pp. 1-5, 2017.

7. L. C. Aiello e P. Wheeler, "The expensive-tissue hypothesis: the brain and the digestive system in human and primate evolution", Current Anthropology 36, pp. 199-221, 1995. Uma interessante linha de indícios de processamento de alimentos nos primeiros tempos, provavelmente incluindo o cozimento, vem da análise do tamanho dos molares na linhagem humana — os molares podem ser muito menores

Notas 369

se já não houver necessidade de mastigar grandes quantidades de alimento cru não nutritivo: C. Organ, C. L. Nunn, Z. Machanda e R. W. Wrangham, "Phylogenetic rate shifts in feeding time during the evolution of Homo", *Proceedings of the National Academy of Sciences* 108, pp. 14555-9, 2011.

8. Esse ponto de vista está mais associado ao antropólogo Robin Dunbar: por exemplo, R. I. M. Dunbar, *Grooming, Gossip, and the Evolution of Language*. Dunbar sugere que a função inicial da linguagem pode ter sido formar — e aprender sobre — relações sociais; e, como ressalta, essa função ainda é evidente hoje, nas fofocas e nos bate-papos que representam a maior parte das nossas conversas diárias, com a troca de informações relativas a tarefas sendo relegada a segundo plano.

9. Não há de forma alguma um consenso sobre o sentido preciso de esperteza que seja relevante para este tipo de argumentação, mas é de supor que inclua a capacidade de lidar, de modo altamente flexível, com um ambiente complexo, de planejar, de resolver problemas e de compreender os outros e colaborar. Na verdade, fora do estreito domínio dos testes de inteligência, definir esperteza "em estado bruto", e particularmente entre espécies, é muito difícil: ver, por exemplo, M. Colombo, D. Scarf e T. Zentall, "The comparative psychology of intelligence: Macphail revisited", *Frontiers in Psychology* 12, p. 648782, 2021. Dessa maneira, esperteza (juntamente com sagacidade e inteligência) pode ser outro termo muito familiar que acaba não tendo uma essência comum.

10. Para um argumento parecido, ver D. Everett, *How Language Began*. É possível que a seleção natural para maior inteligência opere mediante um pequeno número de genes chamados NOTCH2NL, que parecem controlar o ritmo no qual os neurônios são criados no desenvolvimento do cérebro: I. T. Fiddes, G. A. Lodewijk, M. Mooring, C. M. Bosworth, A. D. Ewing, G. Mantalas et al., "Humanspecific NOTCH2NL genes affect notch signaling and cortical neurogenesis", *Cell* 173, pp. 1356-69, 2018; I. K. Suzuki, D. Gacquer, R. Van Heurck, D. Kumar, M. Wojno, A. Bilheu et al., "Humanspecific NOTCH2NL genes expand cortical neurogenesis through delta/notch regulation", *Cell* 173, pp. 1370-84, 2018. Nas espécies, os cérebros mudam de forma à medida que mudam de tamanho — mas essas mudanças de tamanho costumam ser bem previstas quando se supõe um único fator subjacente ao desenvolvimento neural. Diferentes áreas do cérebro crescem em

velocidades diferentes, de modo que prolongar ou encurtar o desenvolvimento do cérebro automaticamente dá nova forma ao cérebro. Como aparte, as áreas do cérebro especialmente envolvidas na linguagem não parecem ter crescido desproporcionalmente: B. L. Finlay e R. B. Darlington, "Linked regularities in the development and evolution of mammalian brains", *Science* 268, pp. 1578-84, 1995; B. L. Finlay, R. B. Darlington e N. Nicastro, "Developmental structure in brain evolution", *Behavioral and Brain Sciences* 24, pp. 263-78, 2001.

11. É interessante indagar se existem mudanças cognitivas específicas que sejam cruciais para fundamentar a capacidade humana de praticar jogos de mímica linguísticos. Uma sugestão diz respeito à possibilidade de um "mecanismo interacional" exclusivamente humano: ver, por exemplo, S. C. Levinson, "On the human 'interaction engine'", in: N. J. Enfield e S. C. Levinson (Orgs.), *Roots of Human Sociality: Culture, Cognition and Interaction* (Oxford: Berg, 2006), pp. 39-69. Outro ponto de vista, não necessariamente incompatível, se baseia na habilidade talvez exclusivamente humana de formar entendimentos compartilhados e juntar planos com outros; ver, por exemplo, Tomasello, *Origins of Human Communication*. Outro componente talvez seja uma habilidade humana especializadas de "interpretar" a mente de outros atribuindo-lhes convicções, desejos e intenções: ver, por exemplo, H. M. Wellman, *The Child's Theory of Mind* (Cambridge, MA: MIT Press, 1992). É provável, no entanto, que a junção de uma constelação de traços existentes, e não o surgimento de traço único qualitativamente novo, é que tenha sido fundamental para dar o pontapé inicial na trajetória unicamente humana de uma rica vida linguística, social e cultural: E. L. MacLean, "Unraveling the evolution of uniquely human cognition", *Proceedings of the National Academy of Sciences* 113, pp. 6348-54, 2016.

12. Este ponto de vista é uma versão da hipótese do "cérebro cultural", que propõe que o tamanho do cérebro e a complexidade cultural se fortaleceram mutuamente, levando a rápidas expansões de uma e de outra; ver, por exemplo, M. Muthukrishna, M. Doebeli, M. Chudek e J. Henrich, "The cultural brain hypothesis: how culture drives brain expansion, sociality, and life history", *PLoS Computational Biology* 14, 2018: e1006504. Aqui damos ênfase especial ao desenvolvimento da capacidade de criar jogos de mímica para fundamentar o desenvolvimento cumulativo da linguagem como gatilho e amplificador desse processo. Para pontos de vista relacionados, ver M. Tomasello,

Notas   371

The Cultural Origins of Human Cognition (Cambridge, MA: Harvard University Press, 1999).

13. E. M. Scerri, M. G. Thomas, A. Manica, P. Gunz, J. T. Stock, C. Stringer et al., "Did our species evolve in subdivided populations across Africa, and why does it matter?", *Trends in Ecology & Evolution* 33, pp. 582-94, 2018.

14. A. S. Brooks, J. E. Yellen, R. Potts, A. K. Behrensmeyer, A. L. Deino, D. Leslie et al., "Long-distance stone transport and pigment use in the earliest middle stone age", *Science 360*, pp. 90-4, 2018.

15. Curiosamente, parece haver provas de "permuta" entre animais individuais — uma espécie de olho por olho positivo, por exemplo, em macacos verdes: C. Fruteau, B. Voelkl, E. van Damme e R. Noë, "Supply and demand determine the market value of food providers in wild vervet monkeys", *Proceedings of the National Academy of Sciences* 106, pp. 12007-12, 2009. Na verdade, experimentos de laboratório com ratos mostram reciprocidade entre asseio e fornecimento de comida: M. K. Schweinfurth e M. Taborsky, "Reciprocal trading of different commodities in Norway rats", *Current Biology* 28, pp. 594-9, 2018. Mas isso é muito diferente de grupos trocando artigos ou serviços uns com os outros, como entre os aush e Cook, e, conjetura-se, entre bandos de humanos em meados da Idade da Pedra trocando valiosas pedras.

16. Não quer dizer que animais não humanos não sejam inteligentes. Na verdade, são notavelmente inteligentes, macacos em particular, quando avaliados em seus próprios termos (para uma abordagem completa e apaixonada desse assunto, ver F. De Waal, *Somos inteligentes o bastante para saber quão inteligentes são os animais?*). É provável que a experiência subjetiva e até mesmo a consciência não sejam exclusivas dos humanos, mas se estendam a outros animais, como polvos e sépias: P. Godfrey-Smith, *Other Minds: The Octopus, the Sea, and the Deep Origins of Consciousness* (Nova York: Farrar, Straus & Giroux, 2016).

17. M. Tomasello, "Why don't apes point?", in: Enfield e Levinson (Orgs.), *Roots of Human Sociality*, pp. 506-24. Curiosamente, chimpanzés apontam para humanos, usando todo o braço e uma mão aberta, em vez de apontar precisamente com os dedos, a fim de mostrar a localização de alimentos que eles querem receber: ver, por exemplo, D. A. Leavens e W. D. Hopkins, "Intentional communication by chimpanzees (*Pan troglodytes*): a cross-sectional study of the use of referential gestures", *Developmental Psychology* 34, pp. 813-22, 1998. Mas é claro que é uma

ação utilitária, visando alcançar o objetivo do próprio chimpanzé. Já o gesto de apontar dos bebês humanos, diferentemente, pretende mostrar algo de interesse ou algo que outra pessoa gostaria de ter. Embora os estudiosos discordem quanto ao significado preciso dos macacos apontando para seres humanos, todos estão de acordo que macacos não apontam espontaneamente uns para os outros.

18. J. Call, B. A. Hare e M. Tomasello, "Chimpanzee gaze following in an object-choice task", *Animal Cognition* 1, pp. 89-99, 1998.

19. M. Tomasello, J. Call e A. Gluckman, "The comprehension of novel communicative signs by apes and human children", *Child Development* 68, pp. 1067-81, 1997. E note-se que os chimpanzés falham quando a vasilha é indicada com o olhar, ainda que outros macacos possam seguir o olhar com sucesso — por exemplo, se um chimpanzé olha para um alimento, o olhar dos outros chimpanzés virá em seguida: M. Tomasello, J. Call e B. Hare, "Five primate species follow the visual gaze of conspecifics", *Animal Behaviour* 55, pp. 1063-9, 1998.

20. B. Hare e M. Tomasello, "Chimpanzees are more skillful in competitive than in cooperative cognitive tasks", *Animal Behaviour* 68, pp. 571-81, 2004.

21. Uma coisa fascinante é que, apesar de chimpanzés competitivos não conseguirem entender quando humanos apontam, muitas outras espécies conseguem: para revisões, ver A. Miklósi e K. Soproni, "A comparative analysis of animals' understanding of the human pointing gesture", *Animal Cognition* 9, pp. 81-93, 2006; M. A. Krause, M. A. R. Udell, D. A. Leavens e L. Skopos, "Animal pointing: changing trends and findings from 30 years of research", *Journal of Comparative Psychology* 132, pp. 326-45, 2018. Para animais domesticados, como cães, cabras e cavalos, é possível que essa habilidade tenha surgido ao longo de milhares de anos de contato com humanos, levando à reprodução seletiva favorecendo a habilidade dos animais de interagir bem com humanos. Essa explicação não abrange o caso dos elefantes africanos, que podem também usar gestos humanos de apontar para localizar alimento. Os elefantes africanos jamais foram domesticados, embora tenham sido capturados na natureza e treinados para trabalhar com humanos por pelo menos 4 mil anos: A. F. Smet e R. W. Byrne, "African elephants can use human pointing cues to find hidden food", *Current Biology* 2, pp. 2033-7, 2013.

22. R. A. Gardner e B. T. Gardner, "Teaching sign language to a chimpanzee", *Science* 165, pp. 664-72, 1969.

Notas

23. E. S. Savage-Rumbaugh, J. Murphy, R. A. Sevcik, K. E. Brakke, S. L. Williams, D. M. Rumbaugh et al., "Language comprehension in ape and child", *Monographs of the Society for Research in Child Development* 58, pp. 1-222, 1993.

24. I. Schamberg, D. L. Cheney, Z. Clay, G. Hohmann e R. M. Seyfarth, "Call combinations, vocal exchanges and interparty movement in wild bonobos", *Animal Behaviour* 122, pp. 109-16, 2016.

25. M. Tomasello, J. Call, K. Nagell, R. Olguin e M. Carpenter, "The learning and use of gestural signals by young chimpanzees: a transgenerational study", *Primates* 37, pp. 137-54. 2, 1994.

26. R. W. Byrne, E. Cartmill, E. Genty, K. E. Graham, C. Hobaiter e J. Tanner, "Great ape gestures: intentional communication with a rich set of innate signals", *Animal Cognition* 20, pp. 755-69, 2017.

27. I. Nengo, P. Tafforeau, C. C. Gilbert, J. G. Fleagle, E. R. Miller, C. Feibel et al., "New infant cranium from the African Miocene sheds light on ape evolution", *Nature* 548, pp. 169-74, 2017.

28. R. W. Byrne et al., "Great ape gestures". Na verdade, considerando-se cultura no sentido mais amplo, talvez boa parte da variação "cultural" entre grupos de chimpanzé, ou mesmo toda ela, possa ser explicada puramente pela variação genética entre esses grupos: K. E. Langergraber, C. Boesch, E. Inoue, M. Inoue-Murayama, J. C. Mitani, T. Nishida et al., "Genetic and "cultural" similarity in wild chimpanzees", Proceedings of the Royal Society B: *Biological Sciences* 278, pp. 408-16, 2011. Contrastando com isso, os humanos exibem espetacular diversidade cultural independentemente da genética — tamanho é, provavelmente, o poder catalizador da linguagem.

29. Já se pensou que provas fósseis relativas à "laringe descida", uma exclusividade humana supostamente indispensável para produzir fala vocal mais inteligível, e em particular os contrastes entre vogais presentes na língua falada, restringiam o aparecimento da língua falada aos últimos 200 mil anos: P. Lieberman, "Primate vocalizations and human linguistic ability", *Journal of the Acoustical Society of America* 44, pp. 1574-84, 1968. Mas na verdade quase todos os aspectos desse relato estão sujeitos a debate, o que deixa em aberto a possibilidade de as línguas faladas (e, claro, sinalizadas) terem surgido bem antes: L. J. Boë, T. R. Sawallis, J. Fagot, P. Badin, G. Barbier, G. Captier et al., "Which way to the dawn of speech? Reanalyzing half a century of debates and data in light of speech science", *Science Advances* 5,

374   *O jogo da linguagem*

p. eaaw3916, 2019. Além disso, qualquer suposta evolução de adaptações relacionadas à fala exigiria que houvesse uma pressão preexistente por uma melhor habilidade linguística, possivelmente através do tipo de jogos de mímica vocais discutidos no Capítulo 1.

30. Muitas espécies de fato mostram alguma dose de evolução cultural, como as orcas, os macacos e até as abelhas, mas sua extensão e complexidade não são nada se comparadas à evolução da cultura humana; para uma discussão, ver A. Whiten, "Cultural evolution in animals", *Annual Review of Ecology, Evolution, and Systematics* 50, pp. 27-48 pp. 27-48, 2019.

31. Com o propósito de trabalhar o conceito da experiência, os pesquisadores também testaram o arranjo oposto de cores e sabores — milho rosa saboroso e milho preto amargo —, e obtiveram os mesmos resultados: E. van de Waal, C. Borgeaud e A. Whiten, "Potent social learning and conformity shape a wild primate's foraging decisions", *Science* 340, pp. 483-5, 2013.

32. L. V. Luncz e C. Boesch, "Tradition over trend: neighboring chimpanzee communities maintain differences in cultural behavior despite frequent immigration of adult females", *American Journal of Primatology* 76, pp. 649-57, 2014.

33. M. Tomasello, *Cultural Origins of Human Cognition*.

34. R. Kaplan. *The Nothing That Is: A Natural History of Zero*. Nova York: Oxford University Press, 2000 [Ed. bras.: *O nada que existe: Uma história natural do zero*. Rio de Janeiro: Rocco, 2001]; C. Seife, *Zero: The Biography of a Dangerous Idea*. Nova York: Viking, 2000.

35. P. Gordon, "Numerical cognition without words: evidence from Amazonia", *Science* 306, pp. 496-9, 2004.

36. P. Brown, "How and why are women more polite: some evidence from a Mayan Community", in: S. McConnell-Ginet, R. Borker e N. Furman (Orgs.), *Women and Language in Literature and Society*. Nova York: Praeger, 1980, pp. 111-36; S. C. Levinson e P. Brown, "Immanuel Kant among the Tenejapans: anthropology as empirical philosophy", *Ethos* 22, pp. 3-41, 1994; S. C. Levinson e P. Brown, "Background to 'Immanuel Kant among the Tenejapans'", *Anthropology Newsletter* 34, pp. 22-3, 1993.

37. S. C. Levinson, "Yélî Dnye and the theory of basic color terms", *Journal of Linguistic Anthropology* 10, pp. 3-55, 2000.

38. Ver N. B. McNeill, "Colour and colour terminology", *Journal of Linguistics* 8, pp. 21-33, 2008; T. Regier, C. Kemp e P. Kay, "Word

Notas 375

meanings across languages support efficient communication", in: B. MacWhinney e W. O'Grady (Orgs.), *The Handbook of Language Emergence.* Hoboken, NJ: Wiley-Blackwell, 2015, pp. 237-63.

39. G. Thierry, P. Athanasopoulos, A. Wiggett, B. Dering e J. R. Kuipers, "Unconscious effects of language-specific terminology on preattentive color perception", *Proceedings of the National Academy of Sciences* 106, pp. 4567-70, 2009.

40. M. Maier e R. Abdel Rahman, "Native language promotes access to visual consciousness", *Psychological Science* 29, pp. 1757-72, 2018.

41. O que há de particularmente elegante nesses experimentos é que a medição é completamente não linguística e nem um pouco essencial à tarefa que as pessoas recebem (informar uma mudança de forma, não de cor).

42. E. Sapir, "The status of linguistics as a science", *Language* 5, pp. 207-14, 1929; B. L. Whorf, "Science and linguistics", in: *Language, Thought, and Reality: Selected Writings of Benjamin Lee Whorf* (Org.) J. B. Carroll. Cambridge, MA: MIT Press, 1956, pp. 207-19.

43. Sapir e Whorf são colaboradores improváveis. Edward Sapir, de Yale, era um dos linguistas mais ilustres de sua época. Seu aluno de doutorado, Benjamin Whorf, começou como engenheiro químico e cursou linguística apenas como atividade secundária. Notavelmente, Whorf conduziu sua pesquisa pioneira de pós-graduação em Yale enquanto trabalhava no setor de prevenção de incêndios da Hartford Fire Insurance Company.

44. J. Maynard Smith e E. Szathmáry, *The Origins of Life.*

45. Muitos eucariotas se reproduzem sexuadamente, e muitos grupos de espécies que se reproduzem sexuadamente incluem espécies que se reproduzem assexuadamente (por exemplo, diferentes espécies de salamandra adotam diferentes estratégias). Alguns animais bem complexos — como o dragão-de-comodo — podem se reproduzir assexuadamente, embora isso seja raro: P. C. Watts, K. R. Buley, S. Sanderson, W. Boardman, C. Ciofi e R. Gibson, "Parthenogenesis in Komodo dragons", *Nature* 444, pp. 1021-2, 2006.

46. Curiosamente, a multicelularidade parece ter-se desenvolvido independentemente pelo menos 25 vezes ao longo da evolução da vida. Plantas e animais multicelulares só começaram a decolar nos últimos 700 milhões de anos, mais ou menos: R. K. Grosberg e R. R. Strathmann, "The evolution of multicellularity: a minor major transi-

376   *O jogo da linguagem*

tion?", *Annual Review of Ecology, Evolution, and Systematics* 38, pp. 621-54, 2007; J. T. Bonner, "The origins of multicellularity", *Integrative Biology* 1, pp. 27-36, 1998.

47. N. Kutsukake, "Complexity, dynamics and diversity of sociality in group-living mammals", *Ecological Research* 24, pp. 521-31, 2009.

48. R. I. M. Dunbar, "The social ecology of gelada baboons", em D. I. Rubenstein e R. W. Wrangham (Orgs.), *Ecological Aspects of Social Evolution: Birds and Mammals.* Princeton, NJ: Princeton University Press, 1986, pp. 332-51.

49. C. N. Waters, J. Zalasiewicz, C. Summerhayes, A. D. Barnosky, C. Poirier, A. Gałuszka et al., "The Anthropocene is functionally and stratigraphically distinct from the Holocene", *Science* 351, p. 262, 2016; M. Subramanian, "Anthropocene now: influential panel votes to recognize Earth's new epoch", *Nature* 21, 2019, <www.nature.com/articles/d41586-019-01641-5>.

Epílogo: A linguagem nos salvará da singularidade [pp. 307-19]

1. Y. M. Bar-On, R. Phillips e R. Milo, "The biomass distribution on Earth", *Proceedings of the National Academy of Sciences* 115, pp. 6506-11, 2018.

2. "The size of the World Wide Web (the internet)", World Wide Web Size, <www.worldwidewebsize.com/>.

3. J. McCormick, "Worldwide AI spending to hit $35.8 billion in 2019", *Wall Street Journal*, 13 mar. 2019, <www.wsj.com/articles/worldwide-ai-spending-to-hit-35-8-billion-in-2019-11552516291>.

4. Como informado por S. Ulam, "John von Neumann 1903-1957", *Bulletin of the American Mathematical Society* 64, pp. 1-49, 1958, <www.ams.org/journals/bull/1958-64-03/S0002-9904-1958-10189-5/ S0002-9904-1958 10189-5.pdf>.

5. As palavras de fato ditas por Musk, segundo informado, foram: "Acho que deveríamos ter muito cuidado com a inteligência artificial. Se eu tivesse que dar um palpite sobre qual é a nossa maior ameaça existencial eu diria que é provavelmente essa. Por isso precisamos ter muito cuidado... Com a inteligência artificial, estamos convocando um demônio. Em todas essas histórias onde há o cara com o pentagrama e a água benta, o que acontece?, sim, ele tem certeza de que

Notas   377

consegue controlar o demônio. Não dá certo": "Elon Musk: artificial intelligence is our biggest existential threat", *Guardian*, 27 out. 2014, <www.theguardian.com/technology/2014/oct/27/elon-musk-artificial-intelligence-ai-biggest-existential-threat>.

6. S. Russell, *Human Compatible: Artificial Intelligence and the Problem of Control*. Londres: Penguin, 2019.

7. "Top 6 best chess engines in the world in 2021", *iChess*, 3 jun. 2021, <www.ichess.net/blog/best-chess-engines/>.

8. D. Silver, J. Schrittwieser, K. Simonyan, I. Antonoglou, A. Huang, A. Guez et al., "Mastering the game of Go without human knowledge", *Nature* 550, pp. 354-9, 2017,.

9. AlphaStar Team, "AlphaStar: mastering the real-time strategy game Starcraft II", Research (blog), *DeepMind*, 24 jan. 2019, <deepmind.com/blog/article/alphastar-mastering-real-timestrategy-game-starcraft-ii>.

10. Para um panorama não técnico das aptidões do GPT-3, ver W. D. Heaven, "OpenAI's new language generator GPT-3 is shockingly good — and completely mindless", MIT *Technology Review*, 20 jul. 2020, <www.technologyreview.com/2020/07/20/1005454/openai-machine-learning-language-generator-gpt-3-nlp/>. Para uma perspectiva cética das gerações iniciais de IA, de um ponto de vista diferente do nosso, ver H. Dreyfus, *What Computers Can't Do: The Limits of Artificial Intelligence* (Cambridge, MA: MIT Press, 1972).

11. T. Brown, B. Mann, N. Ryder, M. Subbiah, J. Kaplan, P. Dhariwal et al., "Language models are few-shot learners", OpenAI, submetido em 28 maio 2020, atualizado em 22 jul. 2020, <arxiv.org/abs/2005.14165v4>. O número de sinapses no cérebro humano é muito maior ainda — estima-se que cheguem a mais de 200 trilhões só no córtex cerebral: ver, por exemplo, C. Koch, *Biophysics of Computation: Information Processing in Single Neurons* (Nova York: Oxford University Press, 1999), p. 87.

12. A história completa está disponível em <drive.google.com/file/d/1qtPa1cGgzTCaGHULvZIQMC03bk2G-YVB/view>. Quanto mais lemos, mais incoerente vai ficando — uma astuta costura de frases feitas e padrões de palavras sem sugestão de fio narrativo ou argumento geral.

13. A entrevista está, pelo menos em 2 de junho de 2021, em: Umais (@Maizek), "You mention that most of the HENRY prompts are yours", *Twitter*, 21 jul. 2020, 9:55 a.m., <twitter.com/Maizek_/status/1285604281761095685>.

14. K. Lacker, "Giving GPT-3 a Turing test", Kevin Lacker's Blog, 6 jul. 2020, <lacker.io/ai/2020/07/06/giving-gpt-3-a-turing-test.html>.

15. J. C. Wong, "'A white-collar sweatshop': Google Assistant contractors allege wage theft", *Guardian*, 25 jun. 2019, <www. theguardian.com/technology/2019/may/28/a-white-collarsweatshop-google-assistant-contractors-allege-wage-thef>.

Créditos das ilustrações

Figura 1.1: "A view of Endeavour's watering place in the Bay of Good Success", Tierra del Fuego: f.11 — BL Add MS 23920.jpg. Imagem tirada de *A Collection of Drawings made in the Countries visited by Captain Cook in his First Voyage, 1768-1771*, publicados e produzidos originalmente em 1769, guardados e digitalizados pela British Library e uploaded para Flickr Commons, Wikimedia Commons. <https://commons.wikimedia.org/wiki/File:Endeavour%27s_watering_place_in_the_Bay_of_Good_Success,_Tierra_del_Fuego_-_Drawings_made_in_the_Countries_visited_by_Captain_Cook_in_his_First_Voyage_(1769),_f.11_-_BL_Add_MS_23920.jpg> A legenda diz: "A view of the Endeavour's watering place in the Bay of Good Success, Tierra del Fuego, with natives. January 1769".

Figura 2.1: Esta figura se baseia na Figura 1.C em S. C. Levinson, "Turn-taking in human communication: origins and implications for language processing", *Trends in Cognitive Sciences* 20, pp. 6-14, 2016.

Figura 3.1: Figura de J. Wilkins, *An Essay Towards a Real Character and a Philosophical Language*. Londres: Gellibrand, 1668.

Figura 3.2: Imagem copiada de <https://commons.wikimedia.org/wiki/File:Booba-Kiki.svg>.

Tabela 4.1: Tabela adaptada de H. Hammarström, "Linguistic diversity and language evolution", *Journal of Language Evolution* 1, pp. 19-29, 2016.

Figura 4.2: Tabela de H. Diessel, "Construction grammar and first language acquisition", in: T. Hoffmann e G. Trousdale (Orgs.), *The Oxford Handbook of Construction Grammar*. Oxford: Oxford University Press, 2013, pp. 347-64. Dados originais de M. Tomasello, *First Verbs: A Case Study of Early Grammatical Development*. Cambridge: Cambridge University Press, 1992.

Figura 5.1: Árvore da vida de A. Schleicher, "Die ersten Spaltungen des indogermanischen Urvolkes", *Allgemeine Monatsschrift für Wissenchaft* *und Literatur* 3, p. 787, 1853. Diagrama da árvore da vida de C. Darwin, *On the Origin of Species by Means of Natural Selection*. Londres: John Murray, 1859, pp. 116-7.

Figura 5.2: H. Gray, *Anatomy of the Human Body*. Nova York: Lea & Febiger, 1918, disponível via Wikimedia Commons.

Figura 7.1: Figura criada com dados de H. Hammarström, R. Forkel, M. Haspelmath e S. Bank, *Glottolog 4.3*, Jena, Alemanha: Max Planck Institute for the Science of Human History, 2020, <doi.org/10.5281/zenodo.4061162>.

Índice remissivo

Números de página em *itálico* indicam figuras e, em **negrito**, tabelas; "n" indica número de nota na seção "Notas".

abelhas, 240
aborígenes australianos, 123, 251-2
Académie Française, 117
adão, 82-3, 123, 125
adaptação biológica, 179-81
Adelaar, W. F. H., 326n2
afasia, 197
Aitchison, Jean, 116-7
Alda, Alan, 46
Alexa, 308, 317
alfabetos, 195
ambiguidade de sentido, 338n7
Andaman, ilhas, 122
animais, evolução cultural de, 289,
    374n30; *ver também animais pelo*
    nome
Antropoceno, 306
aprendizado C (aprendizado do
    mundo cultural), 203-8, 217-9,
    357n4
aprendizado de línguas, 12, 192-8;
    aprendizado C, 203-8, 217-9, 357n4;
    aprendizado N, 204-8, 357n4;
    evolução linguística e, 202-8;
    fluência, 71; fundamento social
    do, 223-31; interação, 222-3
aprendizado de sequências, 191
aprendizado do mundo cultural
    ver aprendizado C
aprendizado N (aprendizado do
    mundo natural), 204-8, 357n4
aptidões linguísticas, 265-7
arbitrariedade, 99-106
Arca de Noé, 124-5

área da forma visual das palavras
    (vwfa, na sigla em inglês), *194*, 195,
    356n51
área de Broca, 193, *194*, 196, 223,
    355n48
argumentos, 90-1, 101-2, 107
Arnon, Inbal, 72
arqueia, 238-9
arranjos espaciais, 294-6
árvores de variações, 165-7, *166*,
    348n3
Aryani, Arash, 105
assobio, 250
Atkinson, E. G., 354n
Austin, John, 339n11
Automated Similarity Judgment
    Program, 340n20

babuínos, 196
bactérias, 174-5, 350-1n18
baleias, 364n21
Banks, Joseph, 17-8, 20-1, 24, 325n1
Bartlett, sir Frederic Charles, 209-11,
    210
basco, 258
bassa, 296
Bates, E., 349n10, 356n56
Bates, Liz, 169, 198
Biden, Joe, 220
biologia, linguagem como, 130-8,
    196-7
Blasi, D. E., 102-3, 340n19
Bleses, Dorthe, 263

Bloom, Paul 143, 146-7
bonobos, 281, 283-5, 289, 307; *ver também* símios
Bopp, Franz, 125
"bouba-kiki", efeito, 104-5, *105*, 129, 340-1n21, 341n22
"bow-wow, teoria" *ver* onomatopaica, teoria
Brahmagupta, 291
Bremner, A. J., 341n22
Bridgman, Laura, 233-8, 248-9, 266, 361n1, 365n24
Brown, Penny, 294-5
Buchan, Alexander, *19*
bugler, 296

caçadores-coletores aush, 17-22, *19*, 24, 47, 226, 268, 277, 325-6n1, 326n3; língua, 37-8, 326n2
canção de pássaros, 243-7, 363-4n16-19
Capo, Fran, 71, 335n21, 336n26
Carey, Susan, 93, 98, 339n12
Carlsen, Magnus, 310
Casillas, Marisa, 224, 229
caso, 154-5, 347n25
cegueira, 234-8; *ver também* sinais e línguas de sinais
cegueira por desatenção, 56-8
Centro de Pesquisa Linguística da Universidade do Estado da Geórgia, 278
cérebro, 35, 173-4, 192-4, *194*, 287-8, 329n16
"cérebro cultural", hipótese do, 275-6, 370n12
cérebros, cultura e linguagem, 270-7, 369-70n10; círculo virtuoso, 274-5; "esperteza", 274, 369n9; linguagem como estimulante, 288-90; linguagem molda pensamentos, 291-301; símios, 271, 278-88
Chabris, Christopher, 56
Chalmers, Dave, 313
Changizi, M. A., 356n53
characteristica universalis, 107-8, 112

Cheney, Dick, 255
Childes, projeto, 146
chimpanzés, 271, 278-81, 285, 289, 307
chinês: caracteres chineses, 194, 356n52; mandarim, 249-51; tom, 249-50
Chomsky, Noam, 130-7, 141, 148-50, 155, 181-4, 253, 335-6n26, 345n13-16, 349-50n12, 352n30
chonana, família linguística, 20
Christie, D. A., 244
ciência cognitiva, 35
Clark, Andy, 14, 356n2
Clark, Herbert, 44, 330n21
classificadores, 251-2
Cobb, M., 329n16
colcha de retalhos da linguagem, 145-50
Coleção Wilder de Cérebros, 270-1
Collar, N., 244
colônias sociais, 303
comércio, 276-7
complexidade, teoria da, 119-21
composicionalidade, 213-4, *215*
compreensão, 266-8
computadores, 319; como metáforas da mente, 34-6, 48-9
comunicação, 33-4; inúmeras formas, 233-48, 365n24; modelo de Shannon, 34-6, *35*, 101; modelo de transmissão, 33-8, *35*, 51
comunicação auditiva, 241-2
comunicação visual, 240-1
comunicações não humanas, 238-48
consoantes, 250
construções, 138-45, 346n19
convencionalização, 150-1, 172-3
conversa, 36, 226, 359n17; com crianças, 222-3, 230-1, 359n17
Cook, capitão James, 17-22, 24, 37, 226, 277, 325-6n1, 326n3
cor, 296-9
Cornish, Hannah, 212, 215, 357n10
Court de Gébelin, Antoine, 125
coverbos, 251-2

Índice remissivo

crianças: aprender a falar, 71, 219-20, 281-2; construção de gramática por crianças, 138-45, 149-50; conversa e, 221-3, 230-1, 359n17; crianças surdas, 27-31; crianças surdas-cegas, 234; "gramática universal" e, 135-6; significado e, 92-3, 97-8; vocabulário de, 92, 94-7, 218-23, 227-31, 281-3, 360n28

criatividade, 48, 87-8, 96, 151; ver também jogos de mímica

crioulo haitiano, 25

Culicover, Peter, 148-9

culina, 296

Dąbrowska, Ewa, 266

Dale, Rick, 215

dança conversacional, 74-80

Darwin, Charles, 164-9, 166, 173, 176, 179, 217, 233, 268, 326n3, 348n2, 349n5, 349-50n12

Dawkins, Richard, 305-6

DCDC2, 197

Deacon, T. W., 349-50n12

Declaração de Independência dos Estados Unidos, 304

declínio linguístico, 119, 127, 161-2

Deep Blue, 310

DeepMind: AlphaGo, 310, 312

DEL ver distúrbio específico de linguagem

deriva, 100

Descartes, René, 292

dialetos, 255

diálogo, 336n27

dicionários, 86-7, 97

Dickens, Charles, 234, 236

dinamarqueses, 126-7, 165, 226, 259-65, 261, 262, 367n43

ding-dong, teoria ver ressonância universal, teoria da

dislexia, 197

dislexia desenvolvimental, 197

distribuição de línguas, 255-8, 256-7

distúrbio específico de linguagem (DEL), 185-6, 192

diversidade linguística, 248-9, 255-8; classificadores, 251-2; coverbos, 251-2; dialetos, 255; distribuição de línguas, 255-8, 256-7; evidencialidade, 253-5; exclusividade, 250-4; inflexões, 251; línguas ameaçadas, 255-8, 366n36; significados, 252-4; sons, 249-50; ver também sinais e línguas de sinais

diyari, 252

DNA, 188-9, 302

Dobzhansky, T., 218

Dunbar, George, 337n2

Dunbar, Robin, 369n8

Eco, Umberto, 102, 340n17, 344n8

Edison, Thomas, 328n13

elementos da linguagem, 138-45

Eliot, T. S., 115

empatia, 43

Ericsson, Anders, 62

erosão, 155-6

Escola Perkins para Cegos, 234-6

espanhol, 89, 153, 158, 159

espelhamento, 45-6

Esper, Erwin A., 211-4

"esperteza", 274, 369n9

eucariotas, 302, 375n45

Everett, D., 330n22, 353n32

evidencialidade, 253-5

evolução cultural, 217-8, 276-7, 287-8; da linguagem, 168-70, 175-6, 202-3, 237, 248-59, 268-9; de animais, 289, 374n30; de pássaros, 245-7; letramento, 193-8

evolução humana, 179-80, 307-8

evolução linguística, 129-30, 164-8, 174-6, 203-4

"experimento proibido", 27, 327n7

fala: circuito da, 36, 37; erros da, 72-3; ritmo da, 55-6, 332-3n5; velocidade da, 70-1, 335n21

Faloon, Steve (SF), 62

Fauconnier, Gilles, 330n22
Ferguson, Adam, 344n6
feroês, 127
ficção relâmpago, 41
filologia comparada, 165-6
Financial Times, 39, 72
Fisher, Simon, 353n34
flexões verbais, 157-8, **158**, 251
FOXP2, 185-92, 197, 353n34; em camundongos, 186
fragmentação, 59-69, 71-3, 140-3, 219
France, Anatole, 272
francês, 117, 155, 157-60
Frege, Gottlob, 108
Frisch, Karl von, 240
fundamento social do aprendizado de línguas, 223-31
Furlong, C. W., 325n1
"fusão", 352n30

Gardener, Helen Hamilton, 270, 272
gargalo do agora ou nunca, 58, 219; ao falar, 68-9; fragmentação e, 66; linguagem através do gargalo, 59-68; produção linguística *just-in-time*, 334n17
Garrod, Simon, 336n27
gelada, 303
Gell-Mann, Murray, 119
Gênesis, livro do, 82, 124
gesto de apontar, 279, 284
gestos, 25-9, 29, 32, 140, 277; de símios, 279, 284-6; em jogos de mímica, 59-60, 99, 150-2, 157-9, 277, 284
Glasersfeld, Ernst von, 281
glotólogos, 123, 125, 129, 344n8
Go (jogo), 311-2
Google Assistente, 317
Google Tradutor, 318
Gordon, Peter, 293
gorilas, 186, 285, 307, 309, 350-1n18
GPT-3 (sistema de IA), 311-7
gramática, 117, 131-2, 141

Gramática de Cambridge da Língua, 145
gramática de construção, 138-45, 149
gramática gerativa, 131-4, *133*, 141, 149, 155, 345n14, 349-50n12
gramática universal, 121, 177-81, 198, 248, 345n14; teoria de Chomsky, 135-7, 148-50, 181-4
gramaticalização, 155-60, 173, 347n27
grego, 298-9
Grice, Paul, 330n21
Grimm, Jacob, 126
Grimm, Lei de, 126

Harlow, Harry, 26
Hart, Betty, 219-20
Hawking, Stephen, 307, 309
Hayek, Friedrich, 344n6
hebraico, 124
Hemingway, Ernest, 329-30n20
Henderson, James, 225
hindi, 227
Homem de Flores (*Homo floresiensis*), 180
Homo sapiens, 276
Hopper, Paul, 347n27
Howe, dr. Samuel Gridley, 234-6
Hubbard, Edward, 104, 340-1n21
Humboldt, Wilhelm von, 349-50n12
Humphrys, John, 115-6, 162
Huntington, doença de, 190

IA *ver* inteligência artificial
iceberg da comunicação, 42-4, *43*, 67, 79, 87, 96, 140, 170, 201, 221-2, 237, 330n22, 362n5
iconicidade, 26, 28-9, 32, 99-100, 102, 340n19
ideofones, 251
iduna, 296
indígenas americanos falantes de código, 50-3, 331-2n2
indo-europeia, família linguística, 126, 165
inferência, 190, 330n21

Índice remissivo

inflexões, 251
informação, teoria da, 36
inglês antigo, 154-6, **158**
inglês medieval, 156
insetos, 238-40, 303
instintos de linguagem, 175-84
Instituto da Língua Islandesa, 117
Instituto Max Planck de Antropologia
  Evolutiva, 191, 279, 326n5
Instituto Max Planck de Psicolinguística, 22-5, 224, 353n34
Instituto Santa Fé (SFI, na sigla em
  inglês), 119-20
inteligência artificial (IA), 13, 110,
  307-19, 376-7n5
interjecional, teoria, 127-9
Isbilen, Erin, 105
islandês, 117, 126-7, 161
iúpique, 250

Jaime IV, rei da Escócia, 124
jaminjung, 251
japoneses: oficiais do serviço de
  inteligência japonês, 50-1, 53-4;
  fabricação *just-in-time*, 69;
  unidades linguísticas, 334n17
jogos, 81-8; brincadeira do telefone
  sem fio, 208-18, *210*, *215*, 246; jogos
  de computador, 310-1; jogos de
  linguagem, 11-2, 17, 40-9, 84-5,
  342n30; video games, 170, 311; *ver
  também* jogos de mímica
jogos de mímica, 77, 201, 274-5; criatividade e flexibilidade, 106-7, 243,
  274-5, 286-9; gestos, 59-60, 99, 150-2,
  157-9, 277, 284; jogos de linguagem
  colaborativos, 40-9, 85, 338n8;
  jogos de mímica linguísticos,
  25-33, 207-8, 226, 303-6; linguagem
  como, 11-2, 17-25, 33, 38-40, 47-8, 91,
  95-6, 143, 329n19; linguagem pelo
  gargalo e, 59-68; mensagem na
  garrafa, 33-40; restrições, 170-1
Johnson, M., 338-9n9
Johnson, Samuel, 116

Judge, The (revista), 329-30n20
just-in-time, produção linguística,
  68-73, 334n17

Kasparov, Garry, 310
Ke Jie, 311
Keller, Helen, 236
Kempe, Andreas, 125
Kirby, Simon, 212-3, 215, 357n10
Klingemann, Mario, 312
Köhler, Wolfgang, 104, *105*, 340-1n21
Kundera, Milan, 81, 85

Lacker, Kevin, 314-5
"lacuna de 4 milhões de palavras",
  220
"lacuna de 30 milhões de palavras",
  220, 358n13
Lakoff, G., 338-9n9
laringe, 373n29
latim, 153-4, 156-8, 347n25
Leibniz, Gottfried Wilhelm von,
  107-8, 112, 292, 341n25-26
letramento, 193-8, 221
"leve", 81-2, 84-7
Levin, Dan, 57
Levinson, Stephen, 74, *76*, 294-5
Língua de Sinais Americana, 99,
  248-9, 281
Língua de Sinais Chinesa Padrão, 31
Língua de Sinais Nicaraguense, 27-8,
  29, 32, 40, 249, 288, 328n11
linguagem, 9-11, 305-6; como biologia, 130-8, 196-7; como catalisador,
  288-90; como jogos de mímica,
  11-2, 17-25, 33, 38-40, 47-8, 91, 95-6,
  143, 329n19; como produto e habilidade cultural, 197-8, 258; como
  sistema, 304; elementos da, 138-45;
  evolução cultural da, 168-70, 175-6,
  202-3, 237, 248-59, 268-9; oitava
  transição, 301-5; pensamento e,
  110-2, 291-301
linguagem, genes da, 184-92, 353n32-
  4, 354n42

386   *O jogo da linguagem*

linguagem falada, 334n15, 373-4n29
linguagens artificiais da lógica,
108-14, 131
linguagens de computador, 131,
342-3n33
linguagens lógicas, 108-14, 131, 343n36
línguas africanas, 25, 249
línguas ameaçadas, 255-8, 366n36
línguas ameríndias, 300
línguas artificiais, 102, 108-10, 113,
131, 211-4
línguas crioulas, 24, 326n4
línguas de clique, 249, 352n29
línguas românicas, 153
linguística, definição de, 130-1
linguística comparativa, 125

macacos *ver* símios
macacos verdes, 241-2, 284, 289,
371n15; *ver também* símios
MacNaughtan, D., 325-6n1, 326n3
MacWhinney, Brian, 146
Malcolm, Norman, 343n34
mandarim chinês, 249-51
matemática, 290-4
"matéria escura", 330n22
Maynard Smith, John, 301-3
McCarthy, Cormac, 119
memória, 49; memória de curto prazo, 54, 332n3; memória sensorial,
54, 332n4
mensagem numa garrafa, 33-40
Menzel, dr. Charles, 278
metáfora, 34-5, 48, 90-1, 98, 338-9n9,
339n10
microrganismos, 174, 350n15
Miller, George A., 50
mitologia nórdica, 122
modelo de transmissão de comunicação, 34-6, 35, 37-8, 50-1
Molesworth, Robert, 259
Monaghan, Padraic, 100-2
monólogo, 74, 335-6n26
Montague, Richard, 111-2

"morto", 93-4
mudanças linguísticas, 145, 168-9,
346n20
Mueller, K. L., 355n44
Müller, Max, 129, 167, 349-50n12
multicelularidade, 302-3, 375-6n46
multilinguismo, 352n26
mundari, língua, 251
Musk, Elon, 309, 376-7n5
Muysken, P., 326n2

namo me, língua, 255
natureza efêmera da linguagem,
50-5; dança conversacional, 74-80;
linguagem através do gargalo,
59-68; produção de linguagem
just-in-time, 68-73, 334n17; uma
verdade inconveniente, 55-8
navajo, código, 50-3, 84-5, 331n1,
331-2n2
navajo, língua, 253, 300
Neandertal, 180, 188
negatividade de incompatibilidade
visual (vmmn, na sigla em inglês),
298
Neisser, Dick, 56-7, 333n7
Nerlich, B., 349-50n12
Nettle, Daniel, 258
Neumann, John von, 309
Newton, Isaac, 292
níveis sociais, 219-21
nórdico antigo, 126-7
norueguês, 126-7, 262, 263-4
Nova York, problema de, 199-201
nuxalk, língua, 250, 261, 265

"obesidade linguística", 115
okanagan, povo, 122
ona, língua, 20, 326n2-3
onomatopaica, teoria, 127-8
onomatopeia, 99-100
orangotangos, 186, 271, 285, 307
ordem das palavras, 150-4, **152**; ordem verbal, "livre", 152-3, 347n24
ordem e desordem, 150-60

Índice remissivo

ordem linguística, 11; à beira do caos, 115-8; busca pela primeira língua, 122-30; colcha de retalhos da linguagem, 145-50; elementos da linguagem, 138-45; forças da ordem e da desordem, 150-60; linguagem como biologia, 130-8, 196-7; ordem espontânea, 118-22

organismo da linguagem, 168-75, 349-50n12

origem das espécies, A (Darwin), 166-7, 166, 233

O'Toole, Garson, 329-30n20

Oxford English Dictionary, 86

padrões, 32-3
palavras não bastam, 218-23
Papua-Nova Guiné, 137, 224, 228-30, 255, 258, 296
Parkinson, Sydney, 19, 325-6n1
pássaros canoros, 243-7, 363-4n16-19
pensamento, 110-1, 291-301
percepção, 296-7
percepção de quórum, 239-40
Periandro, 334n13
Perlman, Marcus, 28-32, 30, 328n12
Pickering, Martin, 336n27
pidgin, línguas, 24
Pinker, Steven, 110-2, 176-7, 179-81, 186, 189
pirahã, língua, 183, 253, 293
plantas, 239
Pochettino, Mauricio, 72
poesia, 113
pomo oriental, língua, 254
pontos focais, 200-1
Postel, Guillaume, 124
primeira língua, 122-30, 352n29
procariotas, 302
proto-indo-europeia, língua, 175
pseudopalavras, 104
Pyers, J., 327n10

Queen's English Society, 116
Quine, Willard Van Orman, 108, 338n6

Radick, G., 349n5
Ramachandran, V. S., 104, 340-1n21
Rask, Rasmus, 126, 344n9
razão, 106-13
Reali, Florencia, 177
recursividade, 181-4, 253, 352n30, 352-3n31
redes neurais, 311-2
registros, 221
reparos, 78, 146
reprodução sexuada, 302
ressonância universal, teoria da, 128-9
Risley, Todd, 219-20
ritmo comunal, teoria do, 128-9
Rojas-Berscia, L. M., 326n2
Romeo, Rachel, 222-3
Rossel, ilha *ver* Papua-Nova Guiné
rouxinóis, 243-5
Rudbeck, o Velho, Olof, 125
Rulloff, Edward, 270
Russell, Bertrand, 108
Russell, Stuart, 309

Santo Agostinho, 83, 338n5
sapatinhos de bebê, história dos, 40-2, 329-30n20
Sapir, Edward, 300, 375n43
Sapir-Whorf, hipótese, 300
Saussure, Ferdinand de, 36, 37
Savage-Rumbaugh, Susan, 281
Schelling, Thomas, 199-200
Schlegel, Friedrich, 125
Schleicher, August, 166, 349-50n12
Scientific American Frontiers (programa de TV), 46
seleção natural, 167, 176-80, 268, 301, 305
semântica formal, 111-2, 342-3n33
Senghas, A., 327n10
sépia comum (*Sepia officinalis*), 240
sequências de múltiplas palavras *ver* fragmentação
Sereno, M. I., 349-50n12
SFI *ver* Instituto Santa Fé

Shannon, Betty, 328-9n13
Shannon, Claude Elwood, 34-6, *35*,
    101, 328-9n13, 329n19
Shannon, Seán, 71
Shannon, teoria de transmissão de
    informações, 34-6, *35*, 101
Shariatmadari, D., 343n1
Shevlin, Henry, 313
significado, 40, 252-4; ambiguidade
    de, 338n7; arbitrariedade, 99-106;
    crianças e, 92-3, 97-8; criatividade
    e, 87-8; descoramento, 159-60;
    gesto e, 99; leveza de, 81-91, 106,
    337n2; pseudopalavras, 104; razão
    perfeita, 106-13; som e, 99-106;
    superficialidades de, 92-9
simbiose, 174
símios, 26, 278-88, 307, 371n16;
    apontar, 279, 284; comunicação na
    natureza, 282-4, 288-9; gestos, 279,
    284-6; tamanho do cérebro, 271;
    terminologia, 325n1
Simons, Dan, 56
simplificação, 154-5
sinais domésticos, 27
sinais e línguas de sinais, 23, 25, 237,
    332n4, 334n15; Língua de Sinais
    Americana, 99, 248-9, 281; Língua
    de Sinais Chinesa Padrão, 31; Lín-
    gua de Sinais Nicaraguense, 27-8,
    29, 32, 40, 249, 288, 328n11; sinais
    domésticos, 27
sinalização química, 239-40
sinestesia, 340-1n21
singularidade, 308-9, 319
sinônimos, 88
Siri, 308, 317
sistemas de escrita, 194-6, 334n15
Skapinker, Michael, 72
Smith, Kenny, 212-4, 357n10
Sociedade Filológica, 165
Société de Linguistique de Paris,
    129, 176, 212, 345n12
Solander, dr. Daniel, 17

soletrar com os dedos, 235-7
sons, 53-4, 249-50; fragmentação,
    59-69, 71-3, 140-3, **143**, 219; onoma-
    topeia, 99-100, 128; significado e,
    99-106; teorias, 127-30
Sperber, Dan, 330n21
Spokane Press, 329-30n20
Sraffa, Piero, 343
Stevick, R. D., 349-50n12
straits salish, 250
sueco, 127, 263-4
Sullivan, Anne, 236
supercalifragilisticexpialidoce, 70,
    335n20
superinteligência, 309
"sussurros chineses" *ver* telefone
    sem fio, brincadeira do
Swift, Jonathan, 116, 162
Szathmáry, Eors, 301-4

taquilalia, 71
tato, 233-4
teatro de improvisação, 45-7
Tebbit, Norman, 116
telefone sem fio, brincadeiras do,
    208-18, *210*, *215*, 246
tempo verbal, 158
teoria pooh-pooh *ver* interjecional,
    teoria
Terra do Fogo, 17, *19*, 24, 326n3
"tio", 227
tio, 226-7
Titchener, Edward, 270
Tomasello, Michael, 25-8, 32, 142,
    279, 326-7n5
tons, 249-50
tradução, 89, *262*, 317-8
transições evolutivas, 13, 301-5
Traugott, Elizabeth, 347n27
Trecca, Fabio, 263
tseltal, 294-6
Tucholsky, Kurt, 259
Turguêniev, Ivan, 272

Índice remissivo

urálica, família linguística, 258

vaivém de interlocutores, 36, 74-7, 76, 222

variação linguística, 265-8

video games, 170, 311

visão adaptacionista da linguagem, 168-9, 172-3, 175-80

"vivo", 93-6

vocabulário, 282; de crianças, 92, 94-7, 218-23, 227-31, 281-3, 360n28; de uma língua perfeita, 107; leitura e letramento, 221; registros, 221

vocalizações, 25-6, 28-32, 30; baleias, 364n21; canto de pássaro, 243-7, 363-4n16-19; macacos verdes, 241-2, 284, 289, 371n15; símios, 283-4

vogais, 250, 260, 373-4n29

Vygotsky, Lev, 270

Waterfall, H. R., 229

Weaver, G. R., 330n22

Webb, John, 124-5

Wedgwood, Hensleigh, 164-5, 167, 348n2

Weinreich, Max, 255

WEIRD (países), 359n20

Wernicke, área de, 193, *194*, 196, 355n48

White, E. B., 191

Whittington, Harry, 255

Whorf, Benjamin Lee, 300, 375n43

Wilder, Burt Green, 270

Wilkins, John, 101-2, *103*, 107, 112, 339-40n16, 340n18, 341n25

Wilson, Deirdre, 330n21

Windtalkers [falantes do vento], 50-3

Wittgenstein, Ludwig, 11-2, 17, 81, 84, 87, 96-7, 110, 112, 325n2-3, 338n5, 342n30, 343n34, 362n5

World Wide Web, 308, 312

"wug test", 185

xadrez, 310-2

xadrez de computador, 310-1

yele dnye, 74, 224-5, 227, 229, 231, 296

yerkish, 281-2

yo-he-yo, teoria *ver* ritmo comunal, teoria do

zero, 291-3

ESTA OBRA FOI COMPOSTA POR MARI TABOADA EM DANTE PRO E
IMPRESSA EM OFSETE PELA GRÁFICA PAYM SOBRE PAPEL PÓLEN SOFT
DA SUZANO S.A. PARA A EDITORA SCHWARCZ EM ABRIL DE 2023

A marca FSC® é a garantia de que a madeira utilizada na fabricação do papel deste livro provém de florestas que foram gerenciadas de maneira ambientalmente correta, socialmente justa e economicamente viável, além de outras fontes de origem controlada.